TRANSATLANTIC

DU MÊME AUTEUR

Les Saisons de la nuit, Belfond, 1998, rééd., 2007 ; 10/18, 2000

La Rivière de l'exil, Belfond, 1999, rééd., 2007 ; 10/18, 2001

Ailleurs, en ce pays, Belfond, 2001, rééd., 2007 ; 10/18, 2003

Danseur, Belfond, 2003 ; 10/18, 2005

Le Chant du coyote, Belfond, 2007 ; 10/18, 1998

Zoli, Belfond, 2007 ; 10/18, 2008

Et que le vaste monde poursuive sa course folle, Belfond, 2009 ; 10/18, 2010

Vous pouvez consulter le site de l'auteur à l'adresse suivante :
www.colum-mccann.fr

COLUM McCANN

TRANSATLANTIC

Traduit de l'anglais (Irlande)
par Jean-Luc Piningre

belfond

Titre original :
TRANSATLANTIC
publié par Random House, une marque de The Random House Publishing Group, une division de Random House, Inc., New York

Cet ouvrage a été traduit avec le concours de l'Ireland Literature Exchange (aide à la traduction), Dublin, Irlande.
www.irelandliterature.com
info@irelandliterature.com

Transatlantic est une œuvre de fiction. Tous les événements, dialogues et personnages, à l'exception de certaines figures historiques célèbres et personnalités publiques, sont le fruit de l'imagination de l'auteur et utilisés fictivement. Les situations, événements et dialogues concernant des personnages publics ou historiques sont complètement fictifs et ne sont pas destinés à dépeindre des faits réels ou à changer la nature fictive de cette œuvre. À tout autre égard, la ressemblance avec des personnes réelles, vivantes ou mortes, est purement fortuite.

Retrouvez-nous sur
www.belfond.fr
ou www.facebook.com/belfond

Éditions Belfond,
12, avenue d'Italie, 75013 Paris.
Pour le Canada,
Interforum Canada, Inc.,
1055, bd René-Lévesque-Est,
Bureau 1100,
Montréal, Québec, H2L4S5.

ISBN 978-2-7144-5007-4

Belfond | un département **place des éditeurs**

place
des
éditeurs

À Loretta Brennan Glucksman
Et à Allison et Isabella
Et à mon ami regretté,
Brendan Bourke

L'auteur remercie la Fondation John Simon Guggenheim pour son aide précieuse pendant les recherches et la rédaction de ce roman.

« L'histoire n'est jamais muette. On a beau se l'approprier, la briser, la couvrir de mensonges, l'histoire de l'homme refuse de se taire. Malgré la surdité et l'ignorance, le temps jadis continue de s'écouler dans le présent. »

Eduardo GALEANO

2012

LE COTTAGE ÉTAIT PLANTÉ AU BORD DU LAC. Elle entendait le vent battre la pluie tout au long de la surface, frapper les arbres et muscler l'herbe.

Elle choisit de se réveiller très tôt, avant les enfants. Cette maison-là valait la peine d'être écoutée. Ces drôles de bruits là-haut. Elle avait d'abord pensé à des rats, leurs petites pattes sur l'ardoise, pour découvrir bientôt que c'était les mouettes. Les mouettes qui lâchaient des huîtres sur le toit, afin de briser leurs coquilles. C'était surtout le matin, parfois avant le lever du jour.

Un *ping !* caractéristique, suivi d'un bref silence, ensuite les huîtres cahotaient sur les tuiles et elles glissaient dans l'herbe, tachetées de chaux.

Elles ne s'ouvraient franchement que si elles tombaient droit, restaient entières quand elles atterrissaient de travers, pour dormir dans l'allée comme des grenades désamorcées.

Jamais à court d'acrobaties, les mouettes fondaient sur les mollusques et, à peine rassasiées, bleues et grises escadrilles, s'en revenaient au *lough*.

Alors la maison s'éveillait, les fenêtres grinçaient, les portes et les placards, l'air du large emplissait les pièces.

PREMIÈRE PARTIE

1919

Ombres et nuages

C'ÉTAIT UN BOMBARDIER. Un Vickers Vimy, bricolé. Du bois, de la toile, des câbles en acier. Un avion lourd et large, qu'Alcock appelait encore un petit zinc nerveux. Chaque fois, il tapotait sur le fuselage, puis d'un mouvement souple et délié s'installait dans le cockpit à côté de Brown. Une main sur les gaz, les pieds sur le palonnier, il était déjà dans les hauteurs.

Par-dessus tout, il aimait franchir les nuées, voler en plein soleil. En se penchant un peu, il voyait l'ombre du Vickers glisser sur une mer blanche, grossir et rétrécir sur le relief nuageux.

Brown, le navigateur, était un homme plus réservé. Se donner en spectacle le gênait. Le buste en avant, il restait à l'écoute de l'appareil. Son intuition lui apprenait la direction du vent, mais il se basait plutôt sur ce qu'il pouvait toucher : boussoles, compas, cartes, le niveau à alcool à ses pieds.

En cette période du siècle, le terme de gentleman avait presque déjà valeur de mythe. La Grande Guerre avait ébranlé le monde. Tournant à plein, les rotatives avaient lâché le chiffre insupportable de seize millions. L'Europe : un ossuaire.

Alcock avait été pilote de chasse pour l'Air Service. Les bombinettes se détachaient des râteliers. L'avion soudain plus léger. Grimper haut dans la nuit. En se courbant légèrement, il voyait les champignons de fumée s'élever en bas. Palier, altitude et demi-tour à la base. À ces moments-là, Alcock ne recherchait surtout pas la célébrité. Il volait dans le noir, le cockpit ouvert aux étoiles. Puis l'aérodrome apparaissait à terre – les barbelés illuminés sur l'autel d'une étrange église.

Brown avait fait des missions de reconnaissance. La bosse des maths, des mesures aériennes. Il savait convertir tous les ciels en séries de chiffres. Même au sol, il poursuivait ses calculs, cherchait de nouvelles routes vers le plancher des vaches.

Se faire abattre : tous deux savaient précisément de quoi il retournait.

Alcock était tombé dans les mains des Turcs lors d'un bombardement à longue distance dans la baie de Suvla. Son avion criblé de balles de mitrailleuse, l'hélice gauche arrachée. Obligé d'amerrir et de nager jusqu'au rivage avec ses deux équipiers. Ils avaient été escortés, nus, jusqu'aux petites cages en bois construites pour les prisonniers de guerre, où le vent s'engouffrait entre les barreaux. Grâce au Gallois qui avait sauvé une carte des constellations, Alcock avait exercé ses dons dans la nuit étoilée des Dardanelles ; un coup d'œil au ciel, et il vous donnait l'heure exacte. Mais il préférait bricoler avec les moteurs. Transféré dans un camp de détention à Kedos, il avait échangé le chocolat de la Croix-Rouge contre une dynamo et le shampooing contre des pièces de tracteur, pour fabriquer avec tout ça une batterie de ventilateurs : fil de fer, bambous, accus et boulons.

Teddy Brown avait lui aussi été prisonnier de guerre, forcé d'atterrir en France lors d'une mission de reconnaissance. Il tenait son rôle de navigateur lorsqu'une balle lui avait brisé la jambe. Une autre perforait le réservoir. Tandis que l'avion piquait, il avait jeté son appareil photo et déchiré ses cartes pour les éparpiller. Leur BE2c échoué dans un champ de blé boueux, le pilote et lui avaient coupé le moteur avant de lever les mains en l'air. L'ennemi sortait en courant de la forêt pour les éloigner de l'épave. Brown avait senti l'odeur de l'essence qui s'écoulait du réservoir troué. Un des Boches avait une cigarette au bec, et Brown était connu pour sa retenue. « Excusez-moi ! » avait-il crié. L'Allemand continuait d'avancer, avec le bout rouge de son clope. « *Nein, nein.* » Une volute de fumée s'échappait de sa bouche. Il ne restait plus au pilote qu'à gueuler en agitant les bras : « Mais putain, arrêtez-vous, merde ! »

Le Boche s'était soudain figé. Renversant la tête en arrière, il avait avalé son mégot sans l'éteindre, s'était remis à courir vers eux.

L'histoire faisait encore rire Buster, le fils de Brown, la veille de son propre départ à la guerre, vingt ans plus tard. « Excusez-moi ! » Comme si la chemise de l'Allemand dépassait de son pantalon, ou qu'il avait mal lacé ses chaussures. « *Nein, nein.* »

Expédié chez lui avant l'armistice, Brown perdit sa casquette quelque part dans les hauteurs de Piccadilly Circus. Les filles portaient des rouges à lèvres très rouges. L'ourlet de leurs robes atteignait presque les genoux. Il se promena sur les bords de la Tamise, suivit la rive jusqu'à ce qu'elle gagne le ciel.

Ne retrouvant Londres qu'en décembre, Alcock observa les hommes en costume noir et chapeau melon qui avançaient avec précaution parmi les décombres. Dans une ruelle près de Pimlico Road, il se prit à donner des coups de pied dans un ballon rond, puis il joua toute la partie avec une des équipes. Déjà il retrouvait la sensation de voler. Marchant dans les gravats, il alluma une cigarette, regarda la fumée tournoyer et disparaître dans les airs.

Lorsqu'ils firent connaissance dans l'usine Vickers, début 1919, à Brooklands près de Weybridge, Alcock et Brown n'eurent besoin que d'un regard pour comprendre qu'ils souhaitaient l'un et l'autre repartir sur des bases nouvelles. Occulter le souvenir. Créer une dynamique, pure, loin des marques de la guerre. Remettre leurs cœurs de jeunes hommes dans leurs corps d'aujourd'hui. Oublier les obus foireux, les crashs, les incendies, les prisons, les abysses aperçus dans le noir.

Et ils parlèrent du Vickers Vimy. Un petit zinc nerveux.

La prairie se trouvait dans les environs de Saint-Jean, sur une petite colline dotée d'une surface plane de trois cents mètres de long, bordée d'un côté par un marécage, une forêt de sapins de l'autre.

Le Vimy arriva d'Angleterre par bateau : plusieurs dizaines de caisses en bois. Alcock et Brown engagèrent une équipe pour les transporter depuis le port sur des charrettes à chevaux. L'avion fut assemblé sur place, dans le champ ; des journées à souder, joindre, poncer, larder la toile, encore et encore. On mit des réservoirs supplémentaires à la place des bombes, ce qui ravit Brown au plus haut point. Dépouillé de ses attributs guerriers, de sa vocation de tueur, le bombardier serait utilisé à tout autre chose.

Pour aplanir la prairie, ils pulvérisèrent les grosses pierres à la dynamite, rasèrent murs et clôtures, supprimèrent buttes et monticules. C'était l'été, pourtant le fond de l'air était frais. Des nuées d'oiseaux voltigeaient dans l'azur.

Au bout de deux semaines, le champ était prêt. Pour le spectateur, cela n'était qu'un terrain comme les autres ; mais pour les aviateurs, un formidable aérodrome. Ils longèrent de bout en bout la piste herbeuse en déchiffrant le ciel.

Des foules de curieux affluèrent pour admirer le Vimy. Certains n'étaient jamais montés dans une voiture, alors contempler un avion… De loin, on aurait cru ses concepteurs inspirés par une bizarre espèce de libellule. Il mesurait treize mètres de long, quatre mètres soixante-cinq de large, pour une envergure de vingt mètres soixante-douze. Pesait cinq mille huit cent quatre-vingt-dix-sept kilos, une fois chargés les trois mille neuf cent soixante litres d'essence et cent quatre-vingt-deux litres d'huile. Cinquante-quatre kilos par mètre carré. Les bombes étaient remplacées par assez de carburant pour voler trente heures. Vitesse maximale cent soixante-six kilomètres-heure, hors vent ; cent quarante-cinq kilomètres-heure en croisière ; soixante-douze à l'atterrissage. Le Vimy était doté de deux moteurs Rolls Royce Eagle VIII à douze cylindres en V, refroidis par eau. Puissance trois cent soixante chevaux, vitesse de rotation mille quatre-vingts tours-minute. Chacun actionnait une hélice quadripale en bois.

Les gens caressaient les entretoises, tapotaient sur l'acier, donnaient de petits coups de parapluie sur la toile. Des gamins inscrivirent leur nom en couleur sous le fuselage. Et les [illegible]hes se placèrent sous le vo[illegible] de leur appareil.

Alcock [illegible] une main sur le front à an[illegible]rateurs d'antan. « Haut les[illegible] de sauter dans l'herbe, de[illegible]pas.

À en croire les journaux, tout devenait possible dans un monde miniaturisé. La Société des nations voyait le jour à Paris. L'Américain W.E.B. Du Bois rejoignait en Europe le premier Congrès panafricain, parmi les représentants d'une quinzaine de pays. On trouvait des disques de jazz à Rome. Des fous de radiotéléphonie assemblaient des lampes et des tubes pour transmettre des signaux sur des centaines de kilomètres. Dans un avenir proche, on pourrait sans doute lire le *San Francisco Examiner* le même jour à Édimbourg, Salzbourg, Sydney ou Stockholm.

Le terme d'exploit sportif avait les honneurs des éditoriaux. Quatre équipes concurrentes au moins projetaient de traverser l'océan sans escale. Certains, comme Hawker et Grieve, étaient déjà tombés en mer. D'autres, tels Brackley et Kerr, sautaient le long de la côte d'un aérodrome au suivant, en attendant que la météo leur sourie.

Lord Northcliffe, propriétaire du *Daily Mail* de Londres, avait offert dix mille livres aux premiers aviateurs qui franchiraient l'Atlantique, dans le sens qu'ils voudraient. Le vol devait prendre au maximum soixante-douze heures. Les rumeurs firent état d'un riche Texan, que l'idée amusait, mais aussi d'un prince hongrois et, pire que tout, d'un pilote de la Luftstreitkräfte qui, pendant la guerre, s'était fait une spécialité des bombardements à longue distance. Au *Daily Mail*, le secrétaire de rédaction, tout dévoué à Northcliffe, aurait eu un ulcère à l'idée qu'un Allemand puisse remporter la mise.

— Un Boche ! Une saleté de Boche ! Mon Dieu, délivrez-nous du mal !

Il chargea plusieurs journalistes d'aller vérifier si l'ennemi, même après la défaite, était capable de prendre l'avantage.

À Fleet Street, devant le marbre du journal, le rédacteur faisait les cent pas, travaillait et retravaillait ses gros titres. Sur la doublure de son veston, sa femme avait cousu un drapeau anglais, qu'il caressait comme un châle de prière.

— Allez, les gars, murmurait-il tout seul. Du nerf ! Les pages nationales, maintenant. Notre bonne vieille Angleterre.

Chaque matin, les deux aviateurs se réveillaient à l'hôtel Cochrane et avalaient leur petit déjeuner – porridge, œufs au bacon, toast. Puis ils roulaient dans les rues escarpées, traversaient la forêt jusqu'au champ de hautes herbes, revêtues d'une mince couche de givre. Un vent glacial arrivait en rafales depuis la mer. Ils glissèrent des fils électriques sous leurs combinaisons, reliés à un accu, pour les chauffer de l'intérieur ; garnirent leurs casques, gants et bottes d'épaisseurs de fourrure.

Et toujours prenaient soin d'être impeccablement rasés. Un rituel auquel ils s'adonnaient à la limite du champ, dans une petite tente où ils avaient installé une cuvette et un réchaud à gaz. Un enjoliveur leur servait de miroir. Alcock et Brown allèrent jusqu'à inclure des lames de rasoir dans leurs trousses de vol, pour être sûrs d'en avoir des neuves à l'atterrissage. S'ils atteignaient l'Irlande, ils tenaient à être rasés de frais, comme de dignes représentants de l'Empire.

Le soir, ils ajustaient leurs cravates et, assis sous une aile du Vimy, parlaient longuement, précisément, de leur projet aux journalistes canadiens, américains et britanniques qui les entouraient.

Originaire de Manchester, Alcock avait vingt-six ans. Mince, beau garçon, audacieux, il était ce genre d'homme qui regarde droit devant lui, et pour qui la vie n'aurait de sens sans de beaux éclats de rire. Il avait une bonne tignasse rousse. Célibataire, il adorait les femmes, mais préférait la mécanique. Rien ne le séduisait davantage que disséquer un Rolls Royce et le remonter ensuite. Il partageait ses sandwichs avec les reporters ; parfois le pain portait l'empreinte d'un pouce, imbibée d'huile de moteur.

Assis à ses côtés sur une caisse en bois, Brown paraissait déjà vieux à trente-deux ans. Il devait marcher avec une canne à cause de sa jambe abîmée. Né en Écosse de parents américains, il avait grandi à Manchester, et s'efforçait de ne pas perdre entièrement son petit accent yankee. Brown se considérait mi-britannique, mi-américain, lisait la poésie d'Aristophane – l'adversaire de la guerre – et reconnaissait volontiers, bien que cela fît un peu cliché, que l'idée ne lui déplairait pas de vivre toujours dans les airs. Un solitaire qui n'aimait pas la solitude. Certains lui trouvaient quelque chose d'un pasteur, cependant ses yeux brillaient d'un bleu intense, et il s'était récemment fiancé à une jeune beauté londonienne. Dans les lettres qu'il adressait à Kathleen, Brown déclarait qu'elle seule saurait le libérer du souvenir de la guerre, et faire valser cette maudite canne.

— Bon Dieu, lui dit Alcock. Tu as vraiment écrit ça ?

— Mais oui.

— Et qu'a-t-elle répondu ?

— « Valsons. »

— Ah, l'amour !

Lors des points de presse, c'est Alcock qui tenait la barre. Brown naviguait dans le silence en tripotant son épingle de cravate. Il avait une flasque de brandy dans la poche intérieure de sa redingote. De temps à autre, il se détournait, ouvrait le rabat et avalait une goutte.

Alcock aimait boire lui aussi, mais bruyamment, joyeusement, en public. Accoudé au comptoir du Cochrane, il entonnait des *Rule Britannia* complètement faux, fantaisistes et débridés.

Les habitués – des pêcheurs pour la plupart, quelques bûcherons aussi – frappaient sur les tables en bois et chantaient leurs propres couplets d'amis perdus et de naufrages.

Ils n'arrêtaient que tard dans la nuit, bien après qu'Alcock et Brown furent allés se coucher. Depuis leur troisième étage, ils entendaient les cadences tristes des mélopées se transformer en grands rires avant, plus tard encore, qu'un piano égrène lourdement le *Maple Leaf Rag*.

Oh go 'way man
I can hypnotize dis nation
I can shake de earth's foundation
Wid de Maple Leaf Rag[1]*...*

Alcock et Brown se levaient avec le soleil, puis attendaient. Notaient le temps qu'il faisait. Arpentaient le champ. Jouaient au rami. Attendaient encore. Il leur fallait une journée chaude, un ciel clair, un vent clément. Ils pensaient remplir leur mission en moins de vingt heures. Rejetaient l'hypothèse d'un échec.

Toutefois Brown, en secret, rédigea un testament, selon lequel il léguait à Kathleen tout ce qu'il possédait. Il gardait l'enveloppe dans la poche intérieure de sa gabardine.

Alcock ne se donna pas cette peine. Encore surpris, parfois, de se réveiller le matin, il se rappelait les terreurs de la guerre.

— Rien ne pourra plus m'atteindre, mon bon monsieur. À part cette fichue pluie, bien sûr.

Un regard vers le bas embrasse une série de cheminées, de clôtures et clochers, le vent peignant des vagues d'argent sur les touffes d'herbe noire. Les ruisseaux débordent de leur lit, deux chevaux blancs au galop, de longues écharpes de bitume se fondent en routes de terre – forêt, champ de broussailles, étables, tanneries, cabanes de pêcheurs et usines de salage, le bien commun. Nous flottons sur une mer d'adrénaline et, regarde, Teddy ! il y en a un qui godille sur la rivière ! La couverture sur le sable, là-bas, la fille avec son seau et sa pelle, cette femme qui relève l'ourlet de sa jupe… Et encore là, le gars au chandail rouge qui mène son âne sur le rivage, le sable en pluie sous les sabots. Allez, demi-tour, on va lui faire de l'ombre, qu'il s'amuse un peu…

Le soir du 12 juin, nouveau vol d'entraînement, de nuit cette fois. Ils montent à onze mille pieds pour laisser Brown vérifier ses lignes de Sumner. Cockpit ouvert au ciel, et le froid est féroce. Ils s'accroupissent devant le pare-brise. Les pointes de leurs cheveux gèlent.

Pendant que Brown s'affaire sur ses calculs, Alcock se concentre sur le poids, l'inclinaison, le centre de gravité de leur zinc. En bas, les journalistes attendent le retour du Vimy. Pour bien tracer la piste, on a bordé le champ de sacs en papier brun abritant des bougies. Les sacs se renversent pendant l'atterrissage et finissent de brûler dans l'herbe. Des gamins accourent avec leurs seaux pour les éteindre.

Les aviateurs descendent dans les applaudissements diffus. À leur grande surprise, ils découvrent qu'une journaliste locale, Emily Ehrlich, américaine, serait la plus douée du groupe. Sans jamais poser de questions, elle est toujours là avec son bonnet et ses gants de laine, à griffonner sur son carnet. Petite et se moquant d'être trop grosse. Âgée de quarante ou cinquante ans, difficile à déterminer. Avec sa canne en bois, elle marche d'un pas lourd dans la terre boueuse. Ses chevilles sont terriblement enflées. Le type de femme qui pourrait travailler dans une pâtisserie, ou derrière un comptoir à la campagne, mais elle a, reconnaissent-ils, une plume incisive. Ils l'ont vue au Cochrane où elle réside depuis longtemps avec Lottie, sa fille de dix-sept ans. Lottie manie un appareil de photo, amoureusement, avec une aisance et une grâce étonnantes. Elle rit souvent en soufflant quelques mots à l'oreille de sa mère. Grande, mince, alerte, diserte, contrairement à celle-ci. Curieux tandem. Emily ne dit rien ; Lottie les interroge en prenant ses photos. Les autres reporters sont furieux : une gamine, dans leur territoire ! Mais ses questions sont pointues, agiles, adroites. « À quelle force de vent la toile des ailes peut-elle résister ? Cela fait quel effet de voir la mer disparaître complètement ? Vous avez une chérie à Londres, mister Alcock ? » Elles traversent le parc à la fin de la journée, Emily en direction de sa chambre où elle rédige ses articles, Lottie vers les courts de tennis où elle joue des heures à la suite.

Emily signe les grands titres, le jeudi, à la une de l'*Evening Telegram*, toujours accompagnés d'un cliché de sa fille. Une fois par semaine, elle a pour mission de traiter un sujet à sa guise : catastrophes au large, querelles locales, décisions politiques, cuisine, exploitation forestière, suffragettes, les horreurs de la guerre. Ses digressions l'ont rendue célèbre. Au beau milieu d'un article sur les luttes syndicales, il lui arrive d'inclure la recette d'un quatre-quarts – pas moins de deux cents mots. En analysant un discours de Richard Squires, elle se lance dans des explications sur l'art et la manière, ô combien difficiles, de conserver la glace.

On a conseillé aux aviateurs de se tenir sur leurs gardes puisque, au dire de tous, les deux femmes – d'origine irlandaise – ont des caractères explosifs et une tendance avérée à la nostalgie. Mais ils les aiment bien, la couleur qu'elles apportent à la foule, les curieux bonnets de la mère, ses longues robes, ses silences désarmants, le pas vif de Lottie, ses raquettes qui lui fouettent les mollets, leurs brèves apparitions dans l'escalier du Cochrane.

Brown lit les papiers d'Emily dans l'*Evening Telegram* et les classe parmi les meilleurs : « Aujourd'hui, le ciel a comme disparu au-dessus de Signal Hill. Les coups de marteau résonnent telles des cloches autour du terrain d'aviation. Soir après soir, le couchant s'inspire de la lune. »

Ils ont décidé de partir un vendredi 13. Un truc d'aviateur pour tromper la mort, une date fatidique pour conjurer le sort.

Les compas sont réglés, les transverses calculées, la radio révisée, les amortisseurs enroulés autour des essieux, les nervures passées à la résine, l'enduit séché sur la toile, et l'eau du radiateur changée. On contrôle par deux fois chaque rivet, chaque goupille, et l'ensemble du lardage. Les manettes des gaz. Les magnétos. Les accus pour les combinaisons. Les chaussures bien cirées. On remplit les thermos de thé brûlant et de Viandox ; les sandwichs soigneusement préparés et emballés. Les listes de contrôle sont minutieusement épluchées. Lait malté Horlick. Tablettes de chocolat Fry. Quatre bâtons de réglisse chacun. Une bouteille de brandy pour parer à toute éventualité. Ils frottent la fourrure intérieure de leurs casques avec des brins de bruyère pour se porter chance. Choisissent deux animaux empaillés – un chat noir pour l'un et l'autre – à placer sur l'avion, le premier dans la rainure sous le pare-brise, le second attaché à une entretoise derrière le cockpit.

Mais les nuages font leur révérence, la pluie s'agenouille sur la terre, et le mauvais temps les retient une journée et demie.

Au bureau de poste de Saint-Jean, Lottie Ehrlich franchit en sautillant la volière d'ombres au sol, gagne la fenêtre à trois barreaux où l'employé lève sa visière pour la regarder.

Elle glisse son enveloppe close sur le comptoir, achète un timbre à quinze cents à l'effigie de Cabot, explique qu'il lui faut une surcharge d'un dollar pour un courrier transatlantique.

— Mais, mademoiselle, on n'en vend plus depuis longtemps, dit l'homme. Ça n'existe plus, les surcharges.

Brown passe une bonne partie de ses soirées à la réception de l'hôtel où il écrit à Kathleen. Le télégraphe l'intimide, car il sait que d'autres, quelque part, sont susceptibles d'intercepter ses messages. Il a un côté formaliste, rigide.

Pour un homme de trente ans, il gravit lentement l'escalier. Sa canne claque durement sur les marches. Les trois brandys lui montent à la tête.

La lumière, bizarrement, flageole sur la rampe et il aperçoit Lottie Ehrlich, son reflet du moins, dans le miroir à l'étage. Quelque chose d'un fantôme, une ou deux secondes, puis la silhouette se précise au milieu du cadre en bois sculpté. Une grande fille rousse, qui porte des chaussons et un peignoir sur sa chemise de nuit. Tous deux sont légèrement intimidés de se trouver face à face.

— Bonsoir, dit-il d'une voix un peu ivre.

— Du lait chaud.

— Pardon ?

— J'apporte du lait chaud à ma mère. Elle n'arrive pas à dormir.

Brown hoche la tête, le doigt pointé au bord d'un chapeau imaginaire, puis il poursuit son chemin.

— Maman est insomniaque.

Empourprée, Lottie est gênée, pense-t-il, d'être ainsi surprise dans le couloir en robe de chambre. Il la salue de nouveau, oublie la douleur dans sa jambe, monte encore trois marches, embrumé par l'alcool. Elle revient lui parler avec la plus grande déférence :

— Monsieur Brown ?

— Oui, mademoiselle.

— Êtes-vous pour l'unification des continents ?

— Franchement, je me contenterais d'abord d'une bonne liaison téléphonique.

Elle redescend une marche, pose une main sur sa bouche comme avant de tousser. Un œil plus haut que l'autre, et la question, sans doute, la tarabuste depuis un certain temps.

— Monsieur Brown ?

— Mademoiselle Ehrlich.

— Je ne voudrais pas abuser ?

Il baisse les yeux. Elle s'interrompt : une foule de mots déliés, impossibles à prononcer, vient d'atterrir au bout de sa langue. Le flot est brisé, sa bouche désarticulée. Craignant qu'ils tombent en pluie, elle les retient devant lui. Brown suppose que, comme tout le monde à Saint-Jean, Lottie aimerait s'asseoir dans le cockpit, les rejoindre lors d'un nouveau vol de routine, s'il y en a de prévu. Bien sûr impossible, jamais ils n'emmènent personne avec eux, encore moins une jeune femme. Ils ont même interdit aux journalistes de monter dans l'avion immobilisé dans le champ. Une superstition, quasi religieuse. Donc Brown va dire non et se demande comment, il se sent pris au piège, victime de ses promenades nocturnes.

— Serait-il déplacé de ma part de vous confier quelque chose ?

— Pas du tout.

Prudemment, elle repasse devant lui, puis court dans le couloir rejoindre sa chambre. La jeunesse de son corps dans le peignoir si blanc.

Les paupières plissées, il se frotte le front et attend. Un porte-bonheur, peut-être ? Un bibelot, un souvenir ? Quel idiot, il n'aurait pas dû la laisser parler. En rester là, monter dans sa chambre, disparaître. Non, et c'est tout.

La voilà qui revient, brusque, hâtive, un papier à la main. Le peignoir encadre un triangle de chair à la base du cou. Brown pense aussitôt à Kathleen. Un désir soudain, brutal, qui le ravit – comme ce moment fugitif, l'étrange cambrure de la cage d'escalier, cet hôtel du bout du monde, l'excès de brandy. Pur et simple : sa fiancée lui manque. Il aimerait être chez elle, se blottir contre son corps mince, ses cheveux en cascade sur les épaules.

Il serre un peu trop la rampe tandis que Lottie le rejoint, précédée de sa voix. Le papier dans sa main gauche. Il le prend. Une lettre. Brown parcourt l'enveloppe. Elle porte l'adresse d'une famille à Cork. Qui habite Brown Street, par-dessus le marché.

— De la part de ma mère.

— Vraiment ?

— Vous avez bien une sacoche pour le courrier ?

— Pas déplacé du tout, dit Brown, qui fourre le pli dans la poche de sa gabardine et se retourne une dernière fois dans l'escalier.

Le lendemain matin, Lottie surgit de la cuisine de l'hôtel avec un plateau de sandwichs enveloppés de papier paraffiné. Elle a les cheveux en bataille, mais son peignoir est boutonné jusqu'au col, la ceinture nouée serré.

— Au jambon, annonce-t-elle, triomphale, posant le plateau en face de Brown. Je les ai faits spécialement pour vous.

— Merci, mademoiselle.

Les deux hommes la regardent traverser la salle à manger. Elle leur fait un signe de la main sans se retourner.

— C'est la fille de la journaliste, hein ?

— Exact.

— Elles sont un peu zinzin, non ? dit Alcock avant d'enfiler son blouson.

Il jette un coup d'œil à la fenêtre : brouillard dehors.

Un fort vent d'ouest s'est invité au décollage. Il souffle en rafales inégales. Déjà douze heures de retard, c'est maintenant ou jamais : le brouillard s'est levé, la météo est bonne à moyen terme. Pas de nuages, le ciel peint d'un bleu uniforme. Le vent devrait se calmer, redescendre à vingt nœuds. On attend une belle lune dans la soirée. Ils prennent place sous quelques vivats, bouclent leurs ceintures, vérifient une dernière fois les instruments de vol. Un rapide salut du mécanicien. Contact ! Alcock met la gomme, lance les moteurs à plein régime, demande d'un geste qu'on débloque les roues. Le mécano se penche sous les ailes, fourre les deux cales en bois sous ses aisselles, recule et les jette derrière lui. Puis il lève les bras. Les moteurs crachent de la fumée. Les hélices commencent à tourner. Le Vimy contre le vent, légèrement en biais, dans le sens inverse de la pente. Allez, go. Le rugissement incroyable des Rolls Royce. Un relent d'huile chaude. Accélérer, s'élever. Les arbres se dressent au loin. Il y a le fossé, aussi, tout au bout du terrain. Pas un mot. Ni grand Dieu, ni bigre, ni courage, mon vieux ! Ils avancent, progressent contre le vent. L'avion pèse sous leurs jambes. Gênant. Il est plus lent que jamais. Cette pente. Ce qu'il est lourd aujourd'hui ! Les réservoirs, ce stock d'essence. Cent mètres, cent vingt, cent soixante-dix. Pas assez vite. Comme dans un œuf en gelée. Serrés dans le cockpit. La sueur qui s'accumule sous les genoux. Les moteurs cognent dur. Les ailes plient au bout. L'herbe qui se couche, qu'ils labourent. Le sol, les bosses, les cahots. Cent cinquante mètres. L'avion s'élance péniblement, gémit, revient creuser un sillon. Bon Dieu, Alcock, décolle, mais décolle ! La rangée de sapins noirs au bout de la piste, qui se rapprochent, sans cesse, sans cesse. Combien d'hommes morts entre deux troncs ? Laisse tomber, mon Jackie. Arrête. Maintenant. Dérape, pivote.

Trois cents mètres. Diable. Une bourrasque s'abat sur l'aile gauche, le zinc penche à droite, mais il s'arrache. Un ballon froid dans le ventre. Ça y est, Teddy, on grimpe, regarde ! À peine, à peine l'âme qui s'élève, le nez en l'air, un mètre ou deux, et le vent chuchote dans les entretoises. Ils sont si hauts, ces arbres ? Combien en ont-ils tué, des comme nous ? Brown théorise le bruit, le crash entre les branches, l'écorce qui les gifle, un enchevêtrement. Tenir, tenir. La terreur dans la gorge. Ils se dressent par-dessus leurs sièges, comme pour alléger le Vimy. Qui monte. Le ciel derrière les cimes a des airs d'océan. Cabre-le, Jackie, mais cabre, nom de Dieu ! Putains d'arbres, les voilà. Les écharpes flottent les premières, puis les branches applaudissent en bas.

— Un peu confus, tout ça ! hurle Alcock dans le raffut.

Ils foncent droit dans le vent, le nez toujours en l'air. L'avion ralentit. Se détache péniblement des cimes et des toits bas. Surtout ne pas décrocher, continuer gentiment à monter. Un peu plus haut, ils entament un court virage sur l'aile. Prudent. Vas-y doucement, mon pote. Tiens-le bien. Mais l'exécution est splendide, majestueuse, équilibrée, un modèle d'assurance. Ils tiennent l'altitude. Deuxième virage, plus serré. Jusqu'à ce qu'ils aient le vent derrière, que l'appareil se stabilise et, cette fois, ils sont vraiment partis.

Ils saluent les mécanos, les gars de la météo, ceux qui s'attardent encore. Ni Lottie ni Emily Ehrlich du *Daily Telegram* ; mère et fille sont déjà rentrées, un peu tôt aujourd'hui. Quel dommage, pense Brown. Il tapote sur son blouson par-dessus la lettre.

Alcock éponge la sueur sur son front, salue leurs propres ombres sur la dernière bordure de terre et poursuit à mi-puissance au-dessus de l'océan. En bas, un paysage de baignoire avec des jouets d'enfant. Le ruban d'or d'une grève. Les bateaux dansent dans le port de Saint-Jean.

Alcock saisit leur téléphone rudimentaire et sans vraiment crier :

— Eh, mon vieux ?

— Oui.

— Je suis navré.

— De quoi ?

— Je ne t'ai jamais dit.

— Dit quoi ?

Alcock se marre en jetant un coup d'œil sur la mer. Ils sont partis depuis huit minutes, volent à mille pieds, poussés par un vent de trente-cinq nœuds. L'avion vire par-dessus la baie de la Conception. Le plaid gris de l'océan, ses carreaux de soleil et d'éblouissement.

— Je ne sais toujours pas nager.

Brown pris de court, un instant : amerrissage forcé, échouer, dans l'eau, s'accrocher à une pièce de bois, un réservoir arraché qui se débrouille pour flotter. Mais il avait bien réussi à rejoindre le rivage, en Turquie, quand il s'est fait descendre, Alcock ? Les années ont passé. Eh non, pas des années, des mois.

Brown trouve tellement curieux qu'une balle lui ait percé la jambe, il n'y a pas si longtemps pourtant, et le voilà aujourd'hui qui traverse l'Atlantique avec un éclat dans la cuisse, vers un mariage, une seconde chance. Tellement bizarre d'être là, dans cette grisaille sans fin, et le rugissement des Rolls Royce qui les maintiennent dans le ciel. Alcock ne sait pas nager ? Non, ça ne peut pas être vrai. Peut-être devrais-je lui parler franchement, pense-t-il. Oui, peut-être, il n'est jamais trop tard.

Il se penche sur son téléphone, puis se ravise.

Ils continuent de grimper, sans à-coup. Côte à côte dans le cockpit ouvert. L'air glacial s'engouffre dans leurs oreilles. Brown tape un message à destination de Terre-Neuve sur son radiotélégraphe : « C'est bien parti. »

Le téléphone est une série de fils enroulés autour de leur cou, censés réagir aux vibrations, reliés à des écouteurs qu'ils portent sous le casque.

Vingt minutes ont passé quand Alcock glisse une main dans ses cheveux, détache cet appareil du diable et jette le tout dans le néant bleu. Il fait la grimace : « Insupportable, ce truc. »

Brown lève un pouce. Mais c'est idiot. Ils n'ont plus désormais d'autres moyens de communiquer – leurs gestes exceptés, et quelques notes sur un bout de papier. Cependant ils ont de longue date établi un dictionnaire de leurs mouvements : une mimique un mot, la voix muette, le corps qui parle.

Gants, casques, blousons et cuissardes sont doublés de fourrure. Ils portent en dessous des combinaisons Burberry, chauffées par des fils électriques reliés à une batterie à leurs pieds. Pare-brise ou pas, même incurvé, il fera un froid glacial à toutes les altitudes.

Pour se préparer, Alcock a passé plusieurs soirées dans une chambre froide à Saint-Jean. Mais dormir une nuit entière, allongé sur des quartiers de bœuf : impossible. Quelques jours plus tard, Emily Ehrlich écrivait dans le journal de Saint-Louis qu'il sentait la viande enveloppée.

À leur fenêtre du troisième étage, les mains sur le cadre en bois, elles se croient victimes d'une illusion. Ce n'est qu'un oiseau plus gros que les autres. Mais Emily perçoit la rumeur distante des moteurs, et elles comprennent. Elles ont raté le moment tant convoité, il n'y aura pas de photo, et elles éprouvent une curieuse exaltation à le voir disparaître au loin, un point d'argent à l'est dans le ciel gris. Leur chambre d'hôtel une chambre noire. « Victoire de l'homme sur la guerre, triomphe de la persévérance sur la mémoire. »

Le bleu s'étend là-bas sans fin et sans nuages. Emily aime le murmure de l'encre qui remplit son stylo, le clic du capuchon au bout du pas de vis. « Dans leur avion, deux hommes traversent l'Atlantique d'une traite, munis d'une sacoche de facteur, petite poche d'étoffe blanche contenant 197 lettres, affranchies au tarif utile. S'ils arrivent à bon port, ce sera le premier courrier aérien à relier les deux mondes. » Une idée neuve, ça : *la poste aérienne.*

Elle jauge intérieurement l'expression, la griffonne cent fois sur le papier. Le ciel enfin vaincu.

Apercevant en bas les petits icebergs à la dérive, ils savent qu'ils ont atteint le point de non-retour. Tout est désormais affaire de mathématiques. Convertir le carburant en heures et en portée. Régler les gaz pour une consommation optimale. Apprécier les angles, les limites, les marges entre les deux.

Brown essuie la buée sur ses lunettes, passe un bras par-dessus son épaule et sort les sandwichs du compartiment en bois, situé juste derrière sa tête. Il défait l'emballage, en tend un à Alcock qui garde une main gantée sur les commandes. L'une des nombreuses choses qui le poussent à sourire : n'est-il pas extraordinaire, à mille pieds d'altitude, d'attaquer le jambon-beurre confectionné par cette jeune femme, là-bas à Saint-Jean ?

L'endroit où ils se trouvent et la distance parcourue confèrent à leurs sandwichs un goût incomparable. Farine de blé, jambon frais, un peu de moutarde mêlée au beurre.

Alcock tend de nouveau le bras pour attraper la thermos de thé, dévisse le capuchon, laisse s'échapper une volute de vapeur.

Le bruit voyage dans leurs corps. Ils s'en font parfois une musique, un rythme qui roule de la tête au torse, et du torse aux orteils, qu'on leur retire soudain et qui redevient bruit. Ils savent qu'ils peuvent arriver sourds, le rugissement des Rolls Royce les habiter toujours, les transformer en gramophones à quatre membres ; même s'ils se posent sur l'autre rive, ils risquent de rester collés au ciel.

Garder le cap est affaire de magie et de génie. Brown, navigateur, a pour tâche d'orienter l'avion par tous les moyens à disposition. Le sextant est fixé sur le panneau de bord devant lui. L'anémomètre et l'altimètre chevillés au fuselage. Le dérivomètre encastré sous son siège, avec le niveau à alcool qui mesure l'inclinaison de l'appareil. Les tables du capitaine Baker, avec leur calque, par terre à ses pieds. Les trois compas sont phosphorescents. Le soleil, la lune, les courants, les étoiles. Et si plus rien ne fonctionne, il naviguera à l'estime.

Il s'agenouille sur son siège pour jeter un coup d'œil par-dessus bord. Se tourne dans tous les sens, prend en compte l'horizon, le panorama et la position du soleil pour poursuivre ses calculs. Inscrit sur une feuille de son carnet : « Reste plus près de 120 que de 140. » À peine l'a-t-il donnée à Alcock que celui-ci, dans leur petit cockpit, réduit les gaz, stabilise la vitesse, il ne veut pas trop pousser les Rolls Royce, les règle aux trois quarts de la puissance.

Manœuvrer un cheval n'est pas si différent : pendant un long voyage, l'avion change de comportement, s'allège à mesure que les réservoirs se vident. Les moteurs trottent, galopent selon ce qu'indiquent les rênes.

Toutes les demi-heures, Brown constate que le Vimy penche un peu à l'avant ; tirant le manche vers lui, Alcock rééquilibre.

Il maintient constamment le contact physique avec son avion. Jamais ses mains ne lâchent les commandes, même une seconde. Alcock sent déjà la douleur se loger dans ses épaules, jusqu'aux extrémités de ses doigts. Il reste à couvrir les deux tiers, et elle s'est emparée de lui.

Petit garçon à Manchester, Brown aimait admirer les chevaux à l'hippodrome. Les jours de semaine, pendant que les jockeys s'entraînaient, il courait à l'intérieur du terrain de Salford, agrandissant le cercle au fil des ans, courant toujours plus longtemps.

À l'été de ses sept ans, les cavaliers du Pony Express étaient venus d'Amérique présenter leur spectacle, le Wild West Show, installé sur une rive du fleuve. Les siens, des Américains, du pays de son père et de sa mère. Brown voulait savoir précisément qui il était.

Les cow-boys faisaient tournoyer leurs lassos dans les champs alentour. Ils avaient des mustangs, des bisons, des mules, des ânes, des chevaux de voltige, et quelques orignaux. Teddy s'était promené parmi les immenses décors de la troupe : feux de prairie, tempêtes de poussière, plantes du désert, tornades. Mais de tous ces personnages et créatures, ceux qui l'avaient le plus impressionné étaient les Indiens qui paradaient dans les salons de thé de Salford avec leurs grandes coiffes de plumes et de bijoux. Il leur avait demandé des autographes. L'un d'eux, Charging Thunder[2], appartenait à la tribu des Blackfoot. Joséphine, sa femme, était une cow-girl experte du six-coups, qu'elle portait dans des étuis à la ceinture sous ses manteaux de cuir brodé. Vers la fin de l'été, leur fille, Bessie, avait attrapé la diphtérie. Très malade, on l'avait soignée à l'hôpital. Lorsqu'elle en était sortie, ses parents s'étaient installés à Gorton, dans Thomas Street, où habitaient l'oncle et la tante de Brown.

Le dimanche après-midi, il prenait son vélo, gagnait leur rue et braquait son regard sur les fenêtres des Indiens, dans l'espoir de voir briller les pièces de monnaie dans leurs grandes coiffes. Mais Charging Thunder s'était fait couper les cheveux, et son épouse, en tablier, préparait un Yorkshire-pudding devant la cuisinière.

Au bout de quelques heures, Brown perçoit un bruit sec, bref. Il remet ses lunettes, se penche au-dehors et aperçoit la petite éolienne de la génératrice radio, qui tourne à vide une seconde, rompt et s'envole. Plus de radio. Plus aucun contact extérieur. Bientôt, leurs combinaisons ne seront plus chauffées. D'autres conséquences à craindre. Selon la loi des enchaînements, il faut s'attendre à une série de bruits du même genre. Un seul boulon qui lâche et le Vimy est susceptible de finir en pièces détachées.

Mais l'avion est un jeu d'échecs dont il possède chaque case. Brown pourrait presque fermer les yeux. Il n'est pas un gambit qu'il n'ait appris par cœur

– un millier de coups à jouer. Il se voit tel un pion au milieu de l'échiquier, qui avance lentement, méthodiquement. Le calme qu'il s'impose est une forme de combat.

Une heure plus tard, un claquement répété rappelle à Alcock le *tac-tac-tac* des mitrailleuses Hotchkiss. Il regarde Brown, qui a déjà compris et lui montre le Rolls Royce de gauche. Le pot d'échappement a éclaté et commence à se disjoindre. Il rougit sous l'effet de la chaleur, mais sera bientôt blanc. Tous deux savent qu'il n'y a rien à faire. Une gerbe d'étincelles se dégage du moteur quand le tuyau se détache. Presque plus rapide que le Vimy, il s'élève par-dessus et part en fusée dans son sillage.

Rien de fatal. Ils observent ensemble ce qui reste du pot. En guise de réponse, le moteur rugit deux fois plus fort. Supporter ça jusqu'à l'arrivée. Alcock sait qu'il en faut beaucoup plus pour empêcher un pilote de s'assoupir. Le rythme des cylindres, une berceuse, ne s'arrête qu'au moment où l'avion se fracasse dans les vagues. Ça travaille, un moteur, et rudement – il les sent s'activer dans les fibres de ses muscles, tirer sur les os. En épuisant l'esprit, qui pense surtout à éviter les nuages, conserver coûte que coûte un horizon, une ligne de visée. Le corps invente des virages. L'oreille interne déforme les angles au point qu'un seul instrument reste fiable : le rêve d'y arriver.

Deux couches de nuages se présentent à eux. Pas de panique : l'écharpe serrée sur la bouche, les lunettes ajustées, le casque sur le front. C'est parti. Alcock s'en amuse presque. La crainte du blanc dehors, terrorisant. Naviguer à l'estime. Nuages en haut, en bas. Négocier l'entre-deux.

Ils prennent de l'altitude pour les percer. Redescendent. Mais il n'y a que ça, les nuées, du coton mouillé. On ne les déplacera pas. La mouscaille, et décarcasse-toi. Le visage, les épaules, le casque, complètement trempés.

Brown se cale sur son siège, il faudra que ça se dissipe pour naviguer correctement. À la recherche du moindre éclat de lumière, quelque part au bout des ailes, une brusque percée dans le bleu, une ligne d'horizon. Alors vite calculer, le soleil, la longitude.

L'avion oscille dans les turbulences. Perd brusquement de la hauteur – comme si les sièges descendaient plus vite que leurs corps. Ils s'élèvent à nouveau. Le bruit incessant. Les secousses. Le cœur fait des bonds.

Le jour baisse. Une soudaine trouée entre les nuages. Dans la couche supérieure, soleil rouge au déclin. Brown aperçoit brièvement l'océan, une demi-seconde, éphémère splendeur. Se munit du niveau à alcool, l'incline, le redresse. Nouveaux calculs. « On file à 140 nœuds de moyenne, environ, un peu trop au sud-est. »

Vingt minutes s'écoulent. Nouvelle barrière de nuages. Énorme. L'avion se fraie un passage entre deux bancs. « On ne les dépassera pas avant le coucher du soleil. Plutôt attendre la nuit et les étoiles. Reste à 60° au-dessus, tu peux ? » Alcock hoche la tête, vire lentement. Des flammèches rouges colorent le brouillard.

Ils connaissent les mauvais tours des cinq sens, lorsqu'on est entré dans la soupe. L'illusion de voler en palier, alors qu'on est sur le dos. Se croire en virage incliné alors que les ailes sont à l'horizontale. Sans aucun avertissement, on se retrouve projeté sur une paroi, ou on s'abîme en mer. Donc rester à l'affût d'une infime étoile, d'un reflet de lune, d'un fragment d'horizon.

« Bravo, les prévisions météo », griffonne Brown. À la réaction d'Alcock, son geste prudent, la légère baisse de régime, il voit bien que lui aussi est inquiet. Une brise humide les fouette et ils remontent leurs cols. Des perles d'eau cheminent de bas en haut sur le pare-brise. Les accus sous les sièges alimentent faiblement les fils dans leurs combinaisons, le froid reste perçant autour d'eux.

« Aucune visibilité. 6 500 pieds. Je navigue entièrement à l'estime. Traverser dès que possible la couche supérieure. Et le chauffage, tu parles ! Bientôt fini. »

Les osselets tintent dans leurs oreilles. Ancré dans leurs crânes, le vacarme rebondit sur les murs blancs de la petite pièce du cerveau. Brown a l'impression que les moteurs cherchent à sortir par ses globes oculaires, une furie de métal sans échappatoire.

D'abord la pluie. Ensuite la neige. Bientôt du grésil, certainement. Le cockpit est conçu pour résister aux précipitations, mais la grêle est capable de réduire en charpie toute la toile des ailes.

Plus haut, la neige devient poudreuse. Pas de lumière. Pas de relief. Ils chutent dans la tempête qui gronde autour d'eux. La neige durcit, redouble de force. Les flocons brûlent les joues, fondent dans le cou, tourbillonnent autour de leurs pieds. S'ils pouvaient se regarder depuis les hauteurs, ils verraient deux silhouettes casquées, dégringolant dans leur petit habitacle. Ou plus étrange : une minuscule mansarde, dans le noir et les cris du vent, abritant deux hommes au torse et aux épaules recouverts de blancheur.

Braquant sa torche autour de lui, Brown s'aperçoit que la neige s'accumule sur les entrées d'air du carburateur. Aïe. Il faut pouvoir contrôler le débit. Et cette manœuvre, il la connaît, ô combien dangereuse : décrocher sa ceinture, escalader le bord du fuselage. Seulement, il n'a jamais fait ça par ce temps. Il le faut, pourtant. À neuf mille pieds au-dessus de l'océan. Fou à lier, non ?

Il observe un instant Alcock alors qu'ils traversent de légères turbulences. Garde bien ton palier, toi. Pas la peine de lui dire maintenant que, moi non plus, je ne sais pas nager. Ça ne le ferait peut-être pas rire.

Brown ajuste ses gants, ses oreillettes, remonte l'écharpe au-dessus de sa bouche. Un élancement dans la jambe gauche. Le genou droit dehors. Il s'arrime à l'entretoise et se hisse contre le vent. Le froid agit comme un chloroforme. Une rafale le repousse. La neige lui ronge la peau. La combinaison trempée colle à son cou, son dos, ses épaules. La morve lui coule du nez et se fige aussitôt. Le sang reflue de son corps, ses doigts, son cerveau. Les cinq sens s'évanouissent. Attention. Il se dresse contre la bourrasque, mais son bras est trop court, son blouson le serre trop. Lorsqu'il ouvre de quelques centimètres la fermeture Éclair, le vent s'engouffre dans son poitrail et l'emporte en arrière. Mais il persiste et gratte la glace sur les prises d'air à la pointe du couteau.

Bon Dieu. Ce froid. Presque un arrêt du cœur.

Brown s'affale dans son siège. Alcock lève les deux pouces. Aussitôt Brown cherche les fils électriques pour se réchauffer. Pas la peine de griffonner un mot : « Accus à plat ». Les cartes sont toujours là, sur le plancher de l'avion. Il frappe des pieds, mais tout autour, pour ne pas les souiller. Ses doigts gelés le démangent. Il grelotte si fort que ses dents vont se briser.

Au-dessus de son épaule gauche, dans le petit placard en bois, se trouvent la thermos de thé et le brandy.

Un siècle pour dévisser le capuchon, puis l'alcool fait un cataplasme le long des côtes.

Dans la chambre à l'hôtel, la table est toujours devant la fenêtre, au cas où le biplan reviendrait. Ensemble, mère et fille regardent et attendent. Il n'y a pas eu de nouvelles, pas de message radio. Rien ne bouge autour de la piste, sur la colline, depuis douze heures le champ est plongé dans le silence.

Lottie s'aperçoit qu'elle agrippe le châssis de la fenêtre. Qu'a-t-il pu arriver ? Cette lettre d'Emily à la famille, là-bas à Cork, sans doute pas la meilleure idée. Déplacé, si. Elle se sent complice, coupable. Brown a d'autres préoccupations, petites et grandes, pourquoi lui confier cette enveloppe ? À quoi bon ? Peut-être sont-ils tombés. Probable. Voilà, ils ont failli. Je lui ai donné cette lettre. Je l'ai enquiquiné. Ils se sont écrasés. Elle entend le vent siffler contre le fuselage.

La vitre froide sous ses doigts écartés. Lottie se déteste à ces moments-là, sa drôle d'allure, sa jeunesse, la gêne qu'elle éprouve à se voir. Elle aimerait sortir d'elle-même, ouvrir la fenêtre, marcher sur la brise, chuter. Voilà qui explique tout, non ? J'y suis maintenant. Mes respects, monsieur Brown, monsieur Alcock, où que vous soyez. Ah, si elle pouvait photographier cette seconde, cet instant. Eurêka. Voler, c'est ça. Se débarrasser de soi. Une bonne raison de prendre les airs.

En bas à la réception, les autres journalistes sont attroupés autour du radiotélégraphe. Chacun garde le contact avec sa rédaction. Rien à signaler. Quinze heures se sont écoulées depuis le départ des aviateurs. Donc, soit ils approchent de l'Irlande, soit ils sont morts, victimes de leur rêve. Les gars rédigent leurs introductions sur le double mode de l'encensement et de l'élégie – « Fantastique ! Le nouveau et l'ancien monde enfin reliés ! » « Il nous faut aujourd'hui porter le deuil de deux héros… » Il faut surtout être le premier à actionner le manipulateur morse quand il y aura une vraie nouvelle à annoncer.

Le soleil va bientôt se lever – l'Irlande n'est pas loin – lorsque apparaît un immense banc de nuages. Pas de visibilité, pas de ligne d'horizon. Un tas de grisaille, houleux et entêté, et rien à faire pour l'éviter. C'est encore la nuit, lune et mer introuvables. L'avion perd de l'altitude. La neige tombe moins dru, mais rien que du blanc devant. Regarde-moi ça, Jackie, regarde ce qui nous attend. Il n'en finira pas, celui-là, ni en haut ni en bas. Ils sont engloutis.

Alcock tape sur le verre de l'anémomètre, qui ne bouge pas. Il accélère et le nez de l'avion s'élève. L'aiguille reste immobile. Il accélère encore. Trop vite. Mince !

Bon Dieu, Jackie, mais vire ! On risque, pas d'autre solution.

Ce nuage de malheur se resserre autour d'eux. Ils savent que, s'ils ne s'en libèrent pas, l'avion peut partir en roulis, en spirale. Filer à toute allure et se désintégrer. Le seul moyen de garder de la vitesse est de descendre en vrille. Perdre le contrôle et le reprendre en même temps.

Vas-y, Jackie !

Moqueurs, les deux Rolls Royce lâchent des gerbes de flammes rouges. Le Vimy reste suspendu une seconde, s'alourdit, puis bascule comme si on venait de le gifler. On ne pourrait pas chuter plus lentement, semble-t-il. Avec regret, en soupirant. Je fais un dernier effort pour rester là-haut, mais laissez-moi tomber.

Une aile perd sa portance un instant avant l'autre.

Trois mille pieds au-dessus de l'océan. Ne plus rêver de stabilité, le nuage est un enfer. Ni haut ni bas. Deux mille cinq cents pieds. Deux mille. Le vent, la pluie leur balancent des claques au visage. La carlingue frémit. La boussole s'affole. Le Vimy se balance. Leurs corps violemment collés aux sièges. Toujours ni ciel ni mer : rien à voir que la grisaille, des briques de grisaille. Brown scrute à gauche, à droite, au-dessus, en dessous. Il n'y a plus de centre, de bord, et ne parlons pas d'horizon. Bon sang. Enfin, quand même, quelque chose, quelque part ? Tiens bien les commandes, mon Jackie.

Mille pieds, neuf cent quatre-vingt-sept. Les épaules plaquées contre les dossiers. Le sang qui voltige dans la tête. Le cou est soudain lourd. On monte ? Descend ? Et ça tourne. Ils ne verront peut-être pas l'eau avant de s'abîmer. Desserrer les ceintures. C'est foutu. Foutu, Teddy. Malgré la pression, Brown se détache de son siège, ramasse le carnet de vol qu'il fourre dans son blouson. Alcock l'aperçoit du coin de l'œil. Glorieuse imbécillité. Le dernier geste du navigateur. Conserver chaque détail. On saura donc ce qui s'est passé : quel soulagement…

L'aiguille continue de décliner. Six cents, cinq cents, quatre. Pas une larme, pas un souffle, les nuages qui hurlent. Ils n'ont plus de corps. Alcock tient la vrille dans le mur de blancheur.

La lumière mute, le mur change de couleur, il faut plus d'une seconde pour s'en apercevoir. Une lueur bleue. Cent mètres. Un drôle de bleu, qui tourbillonne, on est sortis ? Jack, Jack, ça y est ! Bleu en bas, gris en haut. Braque, mais braque, putain ! C'est vrai, on est dehors ? Revoilà un paquet de brume. La mer droite et noire comme un soldat au garde-à-vous. La lumière à la place de l'eau, et l'eau en guise de ciel. Quatre-vingt-dix pieds. Quatre-vingt-cinq. C'est le soleil. De Dieu, le soleil ! Alcock pousse les gaz au maximum. Là ! Là ! Redresse ! Redresse ! Les moteurs suivent. La secousse est rude. La mer se retourne, encore cinquante mètres, quarante, trente, gagné. Alcock regarde l'Atlantique défiler pardessous, les vagues blanches sous le fuselage, l'écume lèche le pare-brise. Pas un mot, tandis que le biplan reprend lentement de l'altitude.

Paralysés de peur, transis, les deux hommes ne bronchent pas.

Oh go 'way man
you just hold you breath a minit,
For there's not a stunt that's in it
with the Maple Leaf Rag[3].

Plus tard, ils riront du piqué, de la chute dans les nuages, des vagues abaissées comme au rouleau à pâtisserie. « Si ta vie ne défile pas devant tes yeux, mon gars, c'est que tu n'as pas vécu ? » Mais en grimpant, ils ne disent rien. Brown se penche, flatte le flanc du fuselage. Bon cheval. Sacré Blackfoot.

Ils volent en palier à cinq cents pieds, dans l'air clair, sans désormais perdre la ligne d'horizon. Brown consulte son navigraphe, corrige sa boussole. Presque huit heures GMT. Il cherche son crayon, griffonne : « Un peu confus, tout ça ? ! ! ! » Ne perd rien du sourire en biais d'Alcock. Pour la première fois depuis des heures, ils naviguent libérés du brouillard et des nuées. Le ciel est gris, grumeleux. Brown termine sa série de calculs. Trop au nord, facile à corriger. L'Irlande sera là. Le bon cap est à 125°, mais compte tenu du vent, il le fixe à 170. Barre au sud.

Il sent naître l'image au fond de lui : l'herbe d'un pré, la chaumière solitaire à l'horizon, peut-être quelques têtes de bétail, collées les unes aux autres. Prudence, les falaises sont hautes le long de la côte. Brown a étudié la géographie de l'Irlande : collines, tours rondes, paysages karstiques, lacs saisonniers. La baie de Galway. Il se rappelle les chansons pendant la guerre. La longue route de Tipperary. Sentimentaux, les Irlandais. Nombreux à boire et à mourir. Quelques-uns pour l'Empire. Buvaient, mouraient, buvaient encore.

Il revisse le capuchon de la thermos à thé quand il sent la main d'Alcock sur son épaule. Brown n'a pas besoin de se tourner vers lui pour comprendre. Ils y sont, tout simplement.

Émergeant des flots, nonchalantes au possible, avec leurs roches humides, leurs herbes noires, arbres et pierre et lumière.

Deux îles.

L'avion les survole à vitesse réduite.

Au sol, une pie s'est posée sur le dos d'un mouton. Le mouton lève la tête et, voyant le biplan piquer, se met à courir. Un instant à peine, la pie reste accrochée à son dos. Un spectacle si curieux que Brown en est certain : il ne l'oubliera jamais.

Le miracle du réel.

Les montagnes au loin. Une mosaïque de vieux murets. Des routes en tire-bouchon, des troncs chétifs, un château abandonné. Un élevage de porcs. Là, les deux mâts de la TSF, soixante mètres de haut, qui émettent vers le sud. Des entrepôts en formation rectangulaire, une maison de pierre au bord de l'Atlantique. Voilà Clifden, donc. Clifden. La station de Marconi. Pylônes d'acier entrelacé. Les deux hommes se regardent rapidement, silencieusement. Atterrir.

Ils poursuivent leur vol au-dessus du village. Maisons grises, toits d'ardoises. Les rues étrangement vides.

Alcock pousse un cri de joie. Coupe les moteurs. Redresse. Règle l'approche.

Leurs casques applaudissent.

Les cheveux rugissent.

Les ongles sifflotent.

Une volée de bécassines s'élève au-dessus des herbes, leurs longs becs pointés vers le ciel.

Ils croient avoir trouvé le parfait terrain d'atterrissage, plat, dur et vert. Mais, à l'approche, ils ne remarquent pas les plaques de tourbe, ces carrés de gros gâteau, les fentes dans la terre brune, la ficelle tendue le long des fosses, les meules triangulaires dressées au-delà. N'aperçoivent pas les charrettes, humides et bosselées, rangées au bord de la route. Ni les pelles des tourbiers, calées en biais sur le bois. Plus loin, les chemins à l'abandon sont recouverts de joncs.

Ils amorcent la descente, bien dans l'axe, ni trop courts ni trop longs. Pourraient presque se pencher et ramasser une poignée de terre. Nous y sommes. L'avion se maintient à trente centimètres du sol. Le cœur bat sous la combi, anticipant le choc de l'atterrissage. Le biplan rase l'herbe.

Et rebondit en touchant terre. Ça y est, ça y est, mon Jackie.

Mais ils voient aussitôt qu'ils ralentissent trop vite. Une roue ? Un pneu crevé ? La dérive qui lâche ? Ni cri, ni juron, ni panique. L'impression de s'enfoncer. De nager. Alors ils comprennent. Une tourbière. Pas d'herbe, mais des mousses, sphaignes, carex. Ils glissent sur un marais vert. Le sol résiste un certain temps au poids de l'avion. Ils poursuivent de quinze à vingt mètres sur leur lancée, puis les roues s'enfoncent.

La terre les retient, le Vimy coule, le nez plonge, la queue se dresse.

Comme si on venait de les saisir par le col, en traître. La carlingue plantée dans la tourbe, et l'empennage pivote. Le front de Brown vient heurter l'avant du cockpit. Alcock s'arc-boute sur le palonnier et finit par le tordre. La douleur fuse dans ses épaules, son dos. Bon Dieu, Jackie, mais qu'est-ce qui s'est passé ? On ne s'est pas écrasés, tout de même !

Le silence résonne dans leurs têtes. Plus ronflant que jamais. Comme un double coup de tonnerre. Puis le soulagement les inonde et le corps éteint tout. Est-ce bien cela, le silence ? Ce ramdam qui s'infiltre dans leurs crânes ? Bon Dieu, Teddy, oui. Ça fait ce bruit-là.

Brown se tâte le nez, le menton, les dents – voir s'il ne manque rien. Entier, mis à part quelques bleus et coupures. C'est tout. Nous sommes vivants. Perpendiculaires, mais vivants.

Le Vimy se dresse comme une sorte de dolmen, venu du nouveau monde. Le nez immergé à soixante centimètres de profondeur. La queue au ciel.

— Fichtre ! dit Alcock.

Percevant une odeur d'essence, il coupe les magnétos.

— Vite. Sautons !

Brown vérifie qu'il a le journal de bord dans son blouson, se munit des bombes éclairantes et ramasse le sac de courrier. Il se hisse par-dessus le cockpit, lance sa canne comme une flèche dans la tourbière, où elle se plante de travers. La douleur dans la jambe en touchant terre, mais – alléluia ! – c'est la terre. Il s'attendait presque à marcher dans l'air. Pas pour les morts, ce dolmen-là.

Il a une paire de petites jumelles dans une poche. La lentille de droite est voilée, mais il aperçoit dans l'autre des silhouettes qui marchent vers eux en levant bien les genoux. Des soldats. Oui, c'est ça. À cette distance, de petits jouets noirs en contre-jour du ciel tourmenté de l'Irlande. À mesure qu'ils avancent, Brown distingue leurs casquettes, la bretelle des fusils à l'épaule, les cartouchières qui rebondissent sur la taille. Brown sait qu'il y a une guerre ; d'ailleurs l'Irlande est toujours en guerre, non, d'une façon ou d'une autre ? On n'est jamais sûr – de qui, à quoi se fier ? Ne tirez pas, pense-t-il. Après tout ce que nous avons enduré. « Excusez-moi. » « *Nein, nein.* » Mais ceux-là sont de son côté. Britanniques, sans conteste. Un appareil de photo rebondit sur un uniforme. Un soldat porte un pyjama rayé !

Au-delà, derrière, les chevaux, les charrettes. Une seule automobile. Puis une file de personnes, fines silhouettes grises, qui serpentent sur la route depuis la ville. Et regardez-moi ça ! Arborant l'étole et la chasuble, un prêtre tout en blanc. Ils se rapprochent – hommes, femmes, enfants, courant dans leurs habits du dimanche.

Ah, la messe. Ils sortent de l'église. Voilà donc pourquoi les rues étaient désertes.

L'odeur de la terre est d'une fraîcheur renversante : Brown en mangerait presque. Les tympans vibrent dans ses oreilles. L'impression d'être encore suspendus là-haut. Voilà, se dit-il, je suis le premier homme qui marche en volant. L'avion atterri sans la guerre. Son sac de courrier à la main, il salue les soldats, les habitants qui arrivent avec le crachin gris.

L'Irlande.

Un si beau pays. Un peu sauvage pour l'homme, quand même.

L'Irlande.

1845-1946

Homme libre

L'AUBE HABILLAIT LE MATIN de touches croissantes de gris, le cordage était tendu sur la bitte d'amarrage et l'eau claquait contre Kingstown Pier. Le cheveu long, épais, la raie au milieu, il descendit de la passerelle dans son pardessus noir, une grande écharpe beige autour du cou. Vingt-sept ans.

Sur les pavés mouillés, les chevaux crachaient de la buée dans la brume de septembre. Douglass porta lui-même sa malle en cuir jusqu'à la voiture à l'arrêt : il n'avait pas encore l'habitude d'être servi.

On le conduisit chez Webb, son éditeur irlandais. Une maison de trois étages dans Great Brunswick Street, une des rues notables de Dublin. Il confia sa malle à un valet, qui la souleva avec difficulté. En rang sur le perron, les domestiques lui souhaitèrent la bienvenue.

Il dormit le matin et l'après-midi. Une femme de chambre lui fit couler un bain chaud dans une haute baignoire de métal, versant une poudre au parfum citronné. Il se rendormit et, se réveillant affolé, se demandant où il était, ressortit vite de l'eau. L'empreinte de ses pieds mouillés sur le sol frais. La serviette parut rêche à son dos. Il sécha un corps sculptural, musclé : il avait de larges épaules, mesurait plus d'un mètre quatre-vingts.

Douglass entendit sonner au loin les cloches de l'église. Des senteurs de gazon flottaient dans l'air. Si étrange d'être ici. Dublin, humide et froide, son odeur de terre.

Le gong du dîner résonna au rez-de-chaussée. Debout devant la cuvette et le miroir, il se rasa de près, défroissa sa veste, serra bien sa cravate.

En bas de l'escalier, au bout du couloir, il resta un instant désorienté, faute de savoir quelle porte choisir. Il en ouvrit une. Dans la cuisine inondée de vapeur, une domestique au teint très pâle posait des assiettes sur un plateau. La voyant, Douglass sentit un frisson se propager le long de ses bras.

— Par ici, monsieur, murmura-t-elle en se faufilant devant lui.

Elle le guida dans le couloir, s'inclina en ouvrant la bonne porte. Le bourdonnement des voix, les flammes orange bondissant dans la cheminée ouvragée. Une douzaine de personnes s'étaient réunies pour l'accueillir : quakers, méthodistes, presbytériens. Des hommes en redingote noire, des femmes en longue robe, distantes et élégantes. Leurs joues portaient la marque du bonnet qu'elles venaient de retirer. De courts applaudissements lorsqu'il entra dans la pièce. Sa jeunesse. Son assurance. On se rapprocha de lui pour vite gagner sa confiance. Il leur narra le voyage interminable sur le *Cambria* de Boston à Dublin, l'entrepont où on le força à rester alors qu'il croyait avoir réservé une cabine en première. Six hommes blancs s'étaient insurgés contre sa présence parmi eux. L'avaient menacé de mort. « Pardessus bord, sale nègre ! » Il s'en était fallu d'un rien qu'ils en viennent aux mains. Le capitaine s'était interposé, menaçant les Blancs de les jeter à l'eau à sa place. On lui avait permis d'arpenter le pont, même de s'exprimer devant les passagers. Pourtant, la nuit, il avait dormi dans les entrailles du navire.

La petite assistance hocha sévèrement la tête. On lui serra la main une deuxième fois, l'érigeant en exemple, un si bon chrétien. Puis on l'emmena à la salle à manger, vers la table dressée : argenterie et beaux verres. Un pasteur se leva pour le bénédicité. Bien que le repas fût excellent, Douglass eut peine à manger. Faible, dans le vague, il sirotait de petites gorgées d'eau.

On lui demanda de parler, alors il décrivit sa vie d'esclave, la masure où il couchait par terre, la toile de jute qui servait de couverture, les cendres chaudes dans lesquelles il réchauffait ses pieds. Sa grand-mère l'avait élevé quelque temps, puis on l'avait emmené dans une plantation. Contre toutes les lois, il avait réussi à apprendre l'alphabet, à lire, écrire. Il avait lu le Nouveau Testament aux autres esclaves. Travaillé dans un chantier naval avec des Irlandais. Trois fois, il s'était échappé. Deux fois on l'avait repris. Fuyant le Maryland à l'âge de vingt ans, il était devenu homme de lettres. Il venait aujourd'hui convaincre les habitants de l'Angleterre et de l'Irlande de tout mettre en œuvre pour abolir l'esclavage – pacifiquement, par la force des idées.

Certes, il était bien préparé – plus de trois ans durant, il avait prononcé des discours en Amérique –, mais il était ici en présence de gens respectables, des hommes d'Église et de pouvoir, un pays entièrement nouveau pour lui. L'obligation de maintenir une distance, d'en rester précisément à ce qu'il voulait dire, d'expliquer sans condescendance.

Les nerfs ne tenaient plus ses vertèbres. Douglass avait les mains moites. Son cœur battait. Il ne voulait flatter personne, rien mystifier non plus. Il n'était pas – et le savait – le premier Noir invité en Irlande pour donner des conférences. Sarah Remond l'avait précédé. Equiano aussi. Les abolitionnistes d'Erin étaient connus pour leur ferveur. C'était le pays de O'Connell, après tout, le « grand libérateur ». Les Irlandais ont soif de justice, lui avait-on dit. Ils s'ouvriraient à lui.

L'assemblée le regardait tel un carrosse lancé au galop, susceptible de se retourner devant elle. Une goutte de sueur coulait entre ses omoplates. Il se sentit vaciller ; serra le poing devant sa bouche pour tousser ; s'essuya le front avec son mouchoir. Il s'était émancipé, admit-il, mais restait le bien d'autrui. Un bien meuble. Une marchandise. À tout moment, on pouvait le restituer à son maître. Le mot en soi était immoral. Un mot qu'il voulait détruire, anéantir. *Master*. Il risquait d'être fouetté, sa femme déshonorée, ses enfants troqués. Il existait encore en Amérique des Églises qui soutenaient l'esclavage : une tache indélébile sur la foi chrétienne. Même dans le Massachusetts, on l'avait poursuivi dans la rue, frappé sous les crachats.

Il était là, annonça-t-il, pour donner un simple coup de chapeau, qui, à son tour, soulèverait ciel et terre. Jamais plus il ne marcherait sous le joug.

— Bien dit ! jeta un homme âgé.

Quelques applaudissements hésitants. Un jeune ecclésiastique se pressa pour serrer la main de Douglass.

— Bravo !

Murmures d'approbation. La domestique en robe noire baissa les yeux. On servit thé et biscuits au salon, après quoi il salua les hommes, s'excusa poliment. Les femmes s'étaient retirées dans la bibliothèque. Il frappa, entra prudemment et, s'inclinant, leur souhaita une bonne nuit. Il les entendit chuchoter en prenant congé.

S'éclairant d'un bougeoir en verre cannelé, Webb le précéda dans l'escalier courbe. Leurs ombres jouaient sans ordre sur les lambris. Une cuvette. Un pupitre. Un vase de nuit. Un lit au cadre en cuivre. Ouvrant sa malle, Douglass en retira une gravure de sa femme et de ses enfants, qu'il posa sur la table de chevet.

— C'est un honneur de vous accueillir chez moi, déclara Webb à la porte.

Douglass se pencha pour souffler la chandelle. Il dormit mal. L'océan roulait dans son corps.

Le matin venu, Webb l'emmena visiter la ville en voiture à cheval. Douglass prit place à l'avant avec lui, sur le siège en bois exposé au vent.

Petit, mince et trapu, Webb se servait de son fouet avec discernement.

Les rues paraissaient d'abord propres et tranquilles. Ils passèrent devant une grande église grise. Une rangée de jolies boutiques. Les canaux filaient droit, cadres et portes étaient peints de couleurs vives. Puis ils firent demi-tour en direction du centre, longèrent l'université, le Parlement, les quais, vers le bâtiment de la douane. Alors la ville changea peu à peu de visage. Des rues plus étroites, aux profonds nids-de-poule, bientôt encombrées d'une saleté stupéfiante. Même à Boston, Douglass n'avait jamais rien vu de tel. Les déjections accumulées dans le ruisseau, diluées çà et là dans les flaques. Des hommes effondrés sur les grilles des maisons. Des femmes circulant en haillons, ou moins que ça : des loques humaines. Les enfants couraient pieds nus. Des générations de vies brisées lançant des regards furieux aux fenêtres. Le verre cassé et la poussière. Les rats filant dans les venelles. La carcasse d'un âne mort, boursouflée dans la cour d'un immeuble. Les chiens malingres qui ouvraient le chemin, dans des relents de bière rance. Une jeune mendiante chantait sa mélopée d'une voix lasse ; la botte d'un policier atterrit dans ses côtes et l'entraîna plus loin. Elle s'accrocha à une balustrade et s'avachit en riant.

Les Irlandais n'avaient pas ou peu de règles, pensa-t-il. La voiture tournait de rue en rue, de grisaille en grisaille. La bruine commença à tomber. Sous la couche de boue, la chaussée était toujours plus déformée. Un cri transperça le chant d'un violon.

Perturbé par le spectacle qui s'offrait à lui, Douglass continuait pourtant d'observer, de s'imprégner. Ces gens ne lui étaient pas si étrangers. Webb fit claquer son fouet sur le dos du cheval. Les sabots résonnèrent de nouveau dans Sackville Street, devant la colonne Nelson, vers le pont, et ils traversèrent la Liffey dans l'autre sens.

La pluie creusait des rides dans le fleuve. Chargée de tonneaux, une péniche venait de quitter la brasserie. Un vent glacial et indomptable soufflait le long des quais. Les marchands de poissons poussaient sur les pavés leurs brouettes pleines de coquillages malodorants.

Une bande de garçons en guenilles prit d'assaut la voiture. Ils étaient sept ou huit, se débrouillèrent pour prendre appui sur les roues en mouvement, puis s'accrochèrent aux flancs du véhicule, périlleusement, du bout des doigts. Certains tentèrent d'ouvrir la portière, chutèrent en pouffant. À force d'acrobaties, l'un d'eux parvint à se faufiler sur le siège en bois, posa sa tête sur l'épaule de Douglass. Il portait des zébrures, des traces de coups, sur le visage et dans la nuque. Webb avait supplié son hôte de ne pas donner d'argent, mais Douglass glissa un *halfpenny* au gamin. Ses yeux s'embuèrent de larmes. Comme soudé au fer, le gosse resta collé à son épaule. Penchés vers le sol, les autres criaient, réclamaient, jouaient de leur charme.

— Attention à vos poches ! prévint Webb. Ne leur donnez plus rien !

— Que disent-ils ?

Ils faisaient un raffut extraordinaire : comme s'ils scandaient à l'unisson.

— Aucune idée.

Webb engagea la voiture dans une petite allée, une roue sur le trottoir, l'autre sur la chaussée, héla un policier pour les débarrasser des chenapans. Le coup de sifflet se perdit dans les airs, sans les impressionner. L'homme fit appel à ses deux collègues pour déloger la petite bande, qui partit en courant, leurs cris ricochant sur les murs.

— Merci, monsieur ! Merci !

Douglass essuya son épaule avec un mouchoir. Le mioche avait laissé un long filet de morve sur sa manche.

Ce n'était pas du tout le Dublin auquel il s'attendait. Il avait imaginé des rotondes, des colonnades, de paisibles chapelles au coin des rues. Portiques, pilastres et dômes.

De l'autre côté d'une petite arche, ils tombèrent sur un bruyant attroupement d'hommes et de femmes, venus assister à un discours à l'ombre d'un théâtre. Debout sur un tonnelet de métal, un roux exigeait à grands cris l'Abrogation. La foule enflait. Rires et applaudissements. Quelqu'un vociféra une tirade, d'où ressortait le mot « Rome ». Les mots voltigeaient en tous sens. Douglass ne comprenait pas cet accent, ou était-ce la langue ? Parlait-on irlandais ? Quand il voulut descendre de voiture, Webb l'en empêcha : il fallait craindre une échauffourée.

Ils poursuivirent dans un chaos de ruelles. Portant un plateau attaché à son cou par une ficelle, une femme tentait en vain de vendre ses choux frisés aux feuilles jaunies.

— M'sieur Webb, Votre Honneur ! M'sieur Webb !

Faisant une entorse à ses principes, il lui donna une piécette de cuivre. La fille s'éloigna, tête baissée. On aurait cru qu'elle priait, sa pièce en main comme un rosaire. Humides, hirsutes, quelques mèches s'échappaient de son fichu.

Quelques secondes plus tard, ils étaient cernés. Webb dut forcer le passage dans un cortège de mains tendues. Les pauvres étaient si maigres, si blancs, qu'ils semblaient débarqués de la lune.

Dans George's Street, une femme s'agrippa à son parapluie en les voyant passer. Le journaliste qui aperçut Douglass rapporta par la suite que le nègre, bien arrivé à Dublin, faisait assez dandy. Au coin de Thomas Street, une catin effrontée lui déclara qu'à aucun prix, même sur son trente et un, elle ne voudrait de lui. Il entrevit son image dans la vitrine d'un magasin, la fixa dans son esprit, ici il pouvait se trouver beau. La voiture peinait sous les rafales. Il chercha vainement une touche de ciel entre les nuages. La pluie tombait maintenant à verse, grise, incessante, dans les flaques, sur les toits d'ardoises, les hauts immeubles de brique ; des couches et des couches, les unes sur les autres ; personne ne paraissait s'en émouvoir.

Webb l'implora de s'asseoir à l'intérieur, au sec. Douglass s'installa sur la banquette de cuir moelleux. Les portières étaient garnies de poignées de bronze poli. Il se sentit bête, lâche, si bien au chaud. Il aurait dû rester avec Webb, supporter les intempéries. Il frappa des pieds par terre, ouvrit le col de son manteau. Son corps dégageait de la vapeur. Une petite mare se forma sur le plancher.

La pluie cessa aux abords de la cathédrale et la ville s'ouvrit au soleil de l'après-midi. Douglass descendit, se dressa sur le trottoir, où des enfants chantaient des comptines en sautant à la corde. « *One-Eyed Patrick Walker, met a girl, begat a daughter, the girl she turned to dirty water, one eye 'tain't your fault, sir*[4]. » Ils affluèrent vers lui, palpèrent ses vêtements, glissèrent leurs doigts sous son chapeau, qu'ils lui ôtèrent. « *Magpie, magpie, sitting on the sty, who oh who has the dirty greedy eye*[5] ? » Ils riaient de ses longs cheveux crépus, drus, inégaux. Un des gamins planta une brindille dans une touffe et s'enfuit en courant avec un cri de joie. Une fillette tirait sur l'ourlet de son manteau.

— Monsieur ! Eh, m'sieur ! Vous venez d'Afrique ?

Il hésita un instant. Jamais on ne lui avait posé cette question. Son sourire se raidit.

— D'Amérique.

— « *Christopher Columbus sailed the ocean blue, he won't pick me and he won't pick you*[6] ! »

Le plus petit ne devait pas avoir plus de trois ans – des feuilles dans sa tignasse sale, une coupure sous la paupière, on aurait pu compter ses côtes.

— Venez jouer avec nous, m'sieur !

Tournoyant au-dessus du sol, la corde à sauter retombait dans les flaques, s'imprégnait de boue, crachait des gouttes d'eau sale.

— Eh, donnez-nous *sixpence*, s'iou-plaît !

Son pardessus, constellé de gadoue, commençait à le gêner. Il regarda ses chaussures ; il faudrait aussi les nettoyer.

— S'il vous plaît !

— Oui, allez, m'sieur !

Un gamin cracha par terre et détala. La fillette enroula sa corde, rassembla les autres enfants, les fit mettre au garde-à-vous, leur ordonna de saluer. Quelques moutards s'échappèrent du lot et suivirent la voiture un instant, avant de se disperser, trempés, fatigués, affamés.

Les rues étaient plus calmes à proximité de la maison. Avançant au même rythme que les chevaux, un homme coiffé d'une casquette à visière bleue allumait les réverbères qui, peu à peu, trouèrent l'obscurité d'un petit rang de halos. Il devait faire bon et chaud derrière les façades.

Douglass frappa ses souliers contre la base du siège pour désengourdir ses orteils. Le froid, l'humidité lui gagnaient les os. Il lui tardait de rentrer.

Webb donna un coup de corne. Aussitôt, muni d'un parapluie, le majordome ouvrit la porte et se précipita au bas du perron. Il atterrit dans une flaque, projeta de l'eau autour de lui, se dirigea vers Webb qui lui dit :

— Non, non. Notre invité d'abord. M. Douglass, je vous prie.

Il flottait toujours cette drôle d'odeur, sucrée et terreuse à la fois. Douglass n'arrivait pas à la reconnaître.

Escorté par le majordome, il monta rapidement les marches. On le conduisit au salon, devant la cheminée. Il avait vu le feu la nuit dernière, sans remarquer ce qui brûlait : des mottes de terre.

Il sortit du lit pour rédiger un mot à Anna. Comme elle ne savait ni lire ni écrire, son ami Harriet lui ferait la lecture, et il fallait être judicieux. Il ne voulait surtout pas l'embarrasser.

> *Ma très chère,*
>
> *Je suis en de bonnes mains, des gens fort bien élevés. Mes hôtes sont spirituels, ouverts, et leur compagnie agréable. Le temps est très humide, pourtant il semble m'éclaircir les idées.*

Ses pensées étaient soudain déliées. Le fait, tout simplement, de ne pas regarder derrière soi, de n'être plus chassé ni pourchassé.

> *J'ai parfois besoin de me reprendre, tant ma surprise est grande de n'être plus un fugitif. Les fers ont disparu de mon esprit. Personne ici ne me mettra sur l'estrade, n'imaginerait même me vendre aux enchères. Je ne crains pas le cliquetis de la chaîne, le claquement du fouet, le frémissement d'une poignée de porte.*

Posant son stylo un instant, il ouvrit les rideaux à la nuit : pas un bruit. Courbé sous le vent, un homme seul en haillons remontait la rue à grands pas. Douglass crut trouver le mot qu'il cherchait pour Dublin : une ville *blottie* sur elle-même. Lui-même avait vécu tant d'années recroquevillé.

Il évalua la scène, chez lui, dans son salon : Harriet lisant sa missive à haute voix, Anna dans sa robe de coton, son foulard sur les cheveux, les mains croisées sur les genoux. Les enfants autour de sa chaise, immobiles, heureux et déconcertés.

Ton fidèle et dévoué,
Frederick

Il referma les rideaux, se recoucha, allongea les jambes. Ses pieds dépassaient au bout du matelas. Assez drôle, se dit-il, pour le mentionner dans une prochaine lettre.

Sur la table, en piles bien rangées, se trouvait l'édition irlandaise de son livre. Dans l'ombre derrière lui, les mains jointes dans le dos, Webb l'observait attentivement tandis qu'il feuilletait un des exemplaires flambant neufs, en respirant l'odeur des pages. Douglass étudia la gravure sur la couverture et, posant un doigt sur son effigie, pensa que son hôte s'était efforcé d'effacer le nègre en lui. On le présentait glabre, avec un nez droit, aquilin. Mais peut-être Webb n'était-il pas en cause ? Peut-être était-ce une erreur du portraitiste, un manque d'imagination ?

Il referma le livre. Hocha la tête, se tourna vers Webb en souriant, glissa un doigt encore sur la tranche. Sans dire un mot. On attendait tant de lui, de chaque geste, chaque réaction.

Lentement, il sortit un stylo-plume de sa poche, le garda suspendu un instant, puis signa le premier exemplaire de la pile. « Pour Richard Webb, avec mon amitié et mes respects. Frederick Douglass. »

On mesure l'humilité à la signature. Pas de fioritures.

> *Je suis né à Tuckahoe, près de Hillsborough, à environ douze miles d'Easton, dans le comté de Talbot, État du Maryland. Je ne connais pas précisément la date, faute d'un document authentique qui la mentionne. Dans leur grande majorité, les esclaves en savent aussi peu sur leur âge que les chevaux sur le leur, et c'est le vœu de la plupart des maîtres de les maintenir dans l'ignorance.*

Au fond de sa malle étaient rangés deux haltères, forgés pour lui par un maréchal-ferrant du New Hampshire – un ami, blanc, abolitionniste. Chacun pesait cinq kilos et sept cents grammes. Pour les confectionner, l'artisan avait fondu des chaînes jadis utilisées dans les salles d'enchères où l'on vendait hommes, femmes et enfants. Il avait acheté toutes celles qu'il avait pu trouver, les avait transformées en objets précieux pour, disait-il, ne pas oublier.

Douglass n'en parlait à personne. Seule Anna était au courant. Elle avait baissé les yeux en les voyant la première fois, puis elle s'était vite habituée : il s'en servait au lever, au coucher. Il avait parfois la nostalgie des chantiers, des jours à calfater les coques, clouer les planches – la fatigue, le désir, la faim.

Il ferma sa porte à clef, tira les rideaux sur les réverbères de Dublin, alluma une bougie, retroussa ses manches.

Debout devant le miroir ovale, il les soulevait l'un après l'autre, les ramassant par terre et les brandissant à bout de bras. Pas question de ramollir. Il cherchait l'épuisement qui l'aidait à écrire. Il fallait que ses mots convoient tout le poids qu'ils portaient – les hisser, les rouler jusqu'au bout de ses doigts, bander ses muscles, dresser un esprit réceptif au burin des idées.

La fièvre du travail. Il voulait qu'on sache ce que cela signifiait d'être marqué au fer, de porter sur sa peau les initiales d'un autre, le joug sur le cou et le mors aux dents. De traverser les mers dans des bateaux ravagés par la variole, le typhus, la rougeole. De se réveiller dans le champ du négrier. D'entendre le cliquetis des chaînes, les clameurs du marché. De subir la brûlure du fouet. De se faire couper les oreilles. D'accepter, plier, disparaître.

Sa mission était d'en rendre compte par la plume. Son ample chemise blanche se couvrait de taches d'encre. Cherchant ses mots, parfois, il appliquait le buvard sur son front. Puis, jetant un coup d'œil à la glace en s'habillant pour le dîner – cravate, veste d'intérieur, boutons de manchette, chaussures cirées –, il découvrait sa peau tachetée de pois bleus. Webb lui avait appris qu'en irlandais Noir se disait *fear gorm*, c'est-à-dire homme bleu. Il se frottait le visage, les mains, les ongles. Se regardait à nouveau, et le poing partait, s'arrêtant, tremblant, à quelques centimètres du verre.

Au milieu de l'escalier courbe, il se pencha, frotta une fois encore le bout de ses chaussures avec un coin mouillé de mouchoir.

Le majordome le salua en bas. Malgré tous ses efforts, Douglass ne se rappelait pas son prénom, Charles, Clyde ou James. Terrible, cela, d'oublier le nom de quelqu'un. D'un geste, il le salua à son tour, le suivit dans le couloir plongé dans la pénombre.

Webb avait engagé un pianiste pour agrémenter les soirées. À quelques mètres de la porte, Douglass entendit les notes se répondre et s'entrechoquer, projetées dans les corniches. Il appréciait le programme habituel, Beethoven, Mozart, Bach. Il avait entendu parler d'un Français – un certain Édouard Batiste, récemment apparu, attendu à Dublin pour un récital – et souhaitait se renseigner à son sujet. Voilà qui le préoccupait beaucoup, ces derniers temps : s'informer sans pour autant afficher ses lacunes. Éviter de paraître ignorant, mais ne pas verser dans la prétention. Un exercice acrobatique. Il doutait de pouvoir révéler ses faiblesses. La vraie intelligence consiste à deviner quand – et si – l'on doit faire part de son aspiration profonde à savoir davantage.

S'il exposait une faille, peut-être s'engouffreraient-ils dans la brèche. Ils seraient capables de l'étourdir, même de l'aveugler. Il n'avait pas droit à l'erreur. Rien d'arrogant ici, il s'agissait seulement de se défendre. Bien sûr, Webb n'était pas censé comprendre cela. Comment aurait-il pu, lui, un quaker irlandais ? Certes, il avait bon cœur, mais Douglass ne voyait dans ses efforts que pure charité. Ce n'était pas sa liberté qui était en jeu. Webb établissait ses propres différences entre les esclaves, les hommes libres, et ce qu'il plaçait entre les deux.

Un détail, pensa Frederick. Pas de quoi gâcher son séjour. Les Irlandais étaient si chaleureux. Il était leur invité, il ne fallait pas l'oublier.

Le majordome lui ouvrit la porte. Douglass entra, les mains entrelacées dans le dos, comme il aimait à se présenter, respectueux et distant à la fois. Surtout ne pas être hautain. Simplement grand, entier, plein.

L'ébahissement s'empara de lui : être là. Lui, un charpentier, un calfat, un homme des champs. Arriver si loin, avoir laissé son épouse, ses enfants bien-aimés. Entendre ses souliers claquer par terre, seuls en mouvement dans cette pièce pleine d'hommes. Sa voix était dans ses mains ; c'est ainsi qu'on devenait chair, pensa-t-il. Un sursaut d'énergie. Il se racla la gorge, préféra attendre. Il se souvint : ces gens appartenaient à la Royal Dublin Society. Spécimens aux collets montants et aux moustaches taillées. Quelque chose d'une vitrine d'antiquités. Il les observa : ceux-là avaient accroché leur épée au-dessus d'une cheminée inexistante. Pas le moment de donner libre cours à la colère.

Il s'avança pour serrer leurs mains. Prêta attention à leurs noms. Le révérend Archibald. Frère Harrington. À vite inscrire dans son journal, ce soir. Veiller à respecter le protocole. La prononciation. L'orthographe.

— Messieurs, je suis ravi de vous rencontrer.

— Très honorés, Frederick Douglass. Nous avons lu votre ouvrage. Un remarquable travail.

— Merci.

— Il y a tant à apprendre. La forme est admirable, et le fond plus encore.

— Vous êtes trop aimables.

— Comment trouvez-vous Dublin ?

— Plus animée que Boston !

Les rires fusèrent et il s'en réjouit, son corps perdant un peu de sa raideur. Webb l'installa dans un fauteuil profond au centre de la pièce. Douglass aperçut Lily, la bonne, qui, près de la porte, lui versait une tasse de thé. Il le buvait très sucré : un défaut, il aimait trop le sucre. Lily était jolie, vive, pâle, seul son profil se détachait de l'ombre. Elle se faufila vers lui. La blancheur fraîche de ses poignets. La porcelaine si fine, qui exaltait, disait-on, le goût de l'infusion. La tasse trembla malgré lui dans ses mains. Plus fine la faïence, plus audible le cliquetis.

Il craignit de la tenir grossièrement, et qu'on le remarque. Il s'assit mieux sur son siège. Et voilà que ses paumes redevenaient moites.

Webb le présenta. Même en Amérique, Douglass écoutait rarement ce qu'on disait de lui. Ces palabres le gênaient, parfois caricaturales : le conquérant noir, le gentleman-esclave, l'Orphée américain. On rappelait invariablement que son père était blanc. Comme s'il ne pouvait en être autrement. Et la suite : on l'avait arraché à sa mère, ses frères et sœurs ; envoyé au loin ; quelques Blancs bienveillants l'avaient pris un moment sous leur aile. D'un monotone ! Les mots se dissolvaient dans sa tête. Sans écouter, il scrutait le visage de ces hommes, lisait leurs doutes, le trouble qui perçait dans leurs yeux tandis qu'ils le regardaient et qu'il les regardait. Un esclave. Dans un salon à Dublin, propre et si bien tenu.

Relevant la tête, il s'aperçut que Webb avait terminé. Silence. La faïence incertaine dans sa main. Il laissa le temps mort se nourrir du malaise. Douglass savait que l'inquiétude affinait le choix de ses mots. Alors ils portaient mieux, plus précis, plus puissants, plus loin.

Il souleva la soucoupe et la colla sous la tasse.

> *Je préfère être honnête avec moi-même, au risque d'encourir le ridicule, plutôt qu'être faux et me mépriser. Depuis toujours naturellement, j'ai l'entière conviction que l'esclavage ne saurait me contenir dans son immonde étreinte. Au cours de ce long voyage, je me prends à dérouler un fil nouveau et vous presse, messieurs, de vous élever contre le despotisme, le fanatisme et la tyrannie, contre quiconque tenterait de m'interdire l'accès à cette pièce où nous sommes.*

À la fin de la deuxième semaine, il écrivit à Anna que personne ne l'avait traité de nègre sur le sol irlandais, jamais, ou du moins pas encore. Au contraire, on le saluait dignement presque partout où il se rendait. Un rien dérouté, il n'était pas sûr de savoir comment le prendre. Quelque chose cristallisait en lui. Pour la première fois sans doute, il se voyait fondé à vivre dans sa peau. Peut-être n'était-il qu'une curiosité pour eux, mais il se sentait en harmonie avec la plupart, ce qui, en vingt-sept ans d'existence, ne lui était jamais arrivé. Il regretta qu'Anna ne fût pas là pour s'en rendre compte.

C'était un pays froid et gris sous une coiffe de pluie, mais qui lui permettait de marcher au milieu du trottoir, de monter dans un coche, de héler un fiacre, sans gêne et sans façon. Si la misère était partout, il pouvait accepter d'être pauvre et libre. Ni fouets, ni chaînes, ni marques indélébiles.

Bien sûr, il naviguait dans la bonne société, mais même dans les rues malfamées, pas une insulte n'avait fusé. Il s'était attiré au plus un ou deux regards furieux, dus à la coupe de son manteau, trop courte dans le dos. Webb lui avait conseillé, s'il voulait bien, d'adopter quelque chose de plus sobre.

La clochette, paresseuse, tinta longuement à la porte. Le tailleur leva les yeux sans interrompre son travail. Douglass était stupéfié : pas de sourcils froncés, d'inquiétude ou de précipitation. Il longea la rangée de manteaux accrochés à leurs cintres. Le tailleur quitta finalement son comptoir et vint lui serrer la main.

— Soyez le bienvenu chez nous, monsieur.

— Merci.

— Toute la ville parle de vous, monsieur.

— J'aurais besoin d'une veste neuve.

— Mais certainement.

— Un peu plus longue dans le dos, ajouta Webb.

— Je suis encore capable de m'habiller tout seul.

Ils se jaugèrent du regard, comme séparés par une tranchée.

— Par ici, messieurs.

Webb s'avança. Douglass posa une main sur sa poitrine. Silence glacé. Webb baissa les yeux avec l'ombre d'un sourire, sortit de sa poche un portefeuille en cuir marocain, passa un doigt sur la tranche avant de le ranger.

— Comme vous voudrez.

Imposant, le pied lourd, Douglass suivit le tailleur dans l'arrière-boutique. Ciseaux, aiguilles, patrons et coupes. Des aunées poussiéreuses et des rouleaux d'étoffe déroulés sur les tables. D'où venaient ces tissus ? Filés par quelles mains ?

Le tailleur poussa vers lui un miroir à roulettes, en pied.

Un Blanc n'avait encore jamais pris ses mesures. L'homme se plaça derrière lui. Douglass tressaillit quand le ruban jaune lui serra le cou.

— Pardon, monsieur. Mon mètre est-il froid ?

Il ferma les yeux et se laissa faire. Le haut des côtes, le bas, la taille. Il leva les bras lorsqu'il fallut calculer la hauteur des emmanchures. Inspirer, souffler. Le ruban jaune, usé, glissa des aisselles vers l'entrejambe. Douglass ne broncha pas. D'une écriture fine et appliquée, le tailleur nota ses mesures sur un papier.

Une fois terminé, il posa les mains sur les épaules de son nouveau client, qu'il pinça du bout des doigts.

— Si je puis me permettre, monsieur, vous êtes fort bien bâti.

— Pour tout dire…

Douglass étudia rapidement son bienfaiteur, debout devant la vitrine. Tel un contremaître, le quaker inspectait les environs. La Liffey semblait vouloir l'emporter dans ses grandes poches grises.

— … j'aurais souhaité aussi…
— Oui, monsieur ?
Il se tourna de nouveau vers Webb.
— Quelque chose à mettre en dessous. En poil de chameau.
— Un gilet ?
— Un gilet, oui, le mot que je cherchais.
Repassant derrière lui, le tailleur prit de nouvelles mesures, réunit les deux bouts du mètre devant le nombril.
— Vous mettrez ça sur le compte de M. Webb.
— Oui, monsieur.
— Il a toujours aimé les surprises.

Passionnées, enthousiastes, chapeautées, les foules se déplaçaient pour lui. Enveloppées d'un halo de parfum. Attendaient, alignées, devant les églises, méthodistes ou quaker, le perron des hôtels particuliers. Les pouces dans les poches de son gilet neuf, il se dandinait sur la pointe des pieds.
L'après-midi, il prenait le thé avec l'Association dublinoise contre l'esclavage, l'Association irlandaise, les Whigs, les Amis de l'abolition. De généreux donateurs, intelligents, bien informés, qui tenaient de hardis propos. Ils le trouvaient fort jeune, et bel homme avec ça, élégant, décontracté. Les robes froufroutaient dans les files devant lui. Webb n'avait jamais vu tant de jeunes femmes se presser aux rencontres qu'il organisait. Même une ou deux catholiques de bonne famille. Dans les jardins privés des demeures cossues, ces dames déployaient leurs jupes

sur les bancs en bois, posaient autour de lui pour le photographe.

Douglass prenait soin de toujours évoquer son épouse et ses enfants, chez lui à Lynn. Curieusement, les dames se rapprochaient lorsqu'il parlait d'Anna. Un tourbillon de rires, d'ombrelles, de mouchoirs en dentelle. Elles voulaient savoir quelles modes suivaient les négresses libres en Amérique. Il répondait qu'il l'ignorait, pour lui toutes les robes se ressemblaient. Quand, ravies, elles applaudissaient, il n'y comprenait rien.

On l'invita à dîner chez le lord-maire. Poires et pendeloques étincelaient sous les hauts plafonds de la Mansion House[7], décorée de majestueuses peintures. Les pièces s'ouvraient en enfilade, tels les chapitres d'un fabuleux ouvrage.

Il fit la connaissance du père Mathew, apporta son soutien à la Ligue de tempérance. La gnôle dansait la ronde dans les rues de Dublin. Il prêta serment. De quoi, pensa-t-il, s'attirer les bonnes grâces de nouveaux auditoires. D'ailleurs, il ne buvait jamais, tenait à tout moment à rester maître de lui : l'alcool est un tyran qui vous anesthésie. Il épingla l'insigne de la Ligue sur le revers de son pardessus à la mode, et se sentit plus grand, happant l'air de la ville à pleins poumons. On le laissait rarement seul – une ou deux personnes se proposaient toujours de l'accompagner. Derrière les graves et les aigus, il perçut les rythmes intimes de l'accent irlandais. Douglass était doué pour l'imitation. « Eh, not' seigneur, aboulez-nous *sixpence*, s'iou-plaît ! » Ses hôtes adoraient l'écouter.

Petit artifice séduit grande foule, comprenait-il. « Jamais si bien qu'dans cet' bon' vieil' Irlande. »

Cinq semaines à Dublin, et son portrait était affiché sur les murs. Les journalistes lui donnaient rendez-vous à cinq heures pour un dîner léger à l'hôtel Gresham. Sous leur plume, il devint « léonin, indomptable, une panthère en habit ». Un journal le surnomma le « Dandy noir ». Douglass le déchira en éclatant de rire – fallait-il qu'il arbore des hardes en coton américain ? On lui fit visiter les Four Courts[8], l'emmena dans les meilleurs restaurants, l'installa sous les lustres pour qu'on puisse bien le voir. Lorsqu'on lui ouvrait la porte avant ses discours, les applaudissements se prolongeaient pendant des minutes. Et il s'inclinait, chapeau bas.

Puis ils prenaient la file pour acheter son livre. En relevant son stylo à plume, il n'en revenait pas de toutes ces robes en procession.

De quoi le fatiguer parfois ; il se donnait l'impression d'un caniche bien coiffé au bout de sa laisse. Alors il se retirait dans sa chambre, soulevait ses haltères, travaillait avec frénésie.

Un soir, il trouva la facture du tailleur pliée en quatre sur sa table de chevet. Il ne put s'empêcher de rire. Tôt ou tard, ils finiraient par lui demander de payer pour ses propres idées. Il revêtit son gilet en poil de chameau pour le dîner, glissa les pouces dans les poches en attendant le dessert.

Chaque jour, il découvrait un mot nouveau à inscrire dans le petit carnet qu'il gardait sur lui. Rapacité.

Inimitié. Phénicien. Certains qu'il se rappelait avoir trouvés dans le *Columbian Orator*[9]. Assidu. Déclaratif. Tendancieux.

Lorsque, adolescent, il s'était approprié la langue, il avait eu l'impression de découper un tronc, depuis l'écorce jusqu'au cœur. Aujourd'hui, il fallait être lent. Ne pas se fourvoyer. Webb et les autres, d'ailleurs, le surveillaient : de la racine à la fleur, en passant par la tige. Garder son sang-froid était essentiel. Donner vie aux choses grâce à la mystérieuse alchimie du langage. Atlantique. Atlas. Atome. Il brandissait l'image de ses frères, un poids si lourd qu'il pouvait s'écrouler dessous.

À Rathfranham, il fulmina. Les femmes fouettées, les hommes raflés, les berceaux pillés. Le négoce de la chair, les conducteurs de bestiaux. Une ivrognerie en soi, le saccage de l'humanité, l'indifférence absolue, la soif du mal et la haine fanatique. Il était en Irlande, expliqua-t-il, pour promouvoir l'émancipation universelle, imposer des règles de moralité publique, précipiter la libération de trois millions de semblables. Et il répéta : « Trois millions ! » en levant les mains, recueillant chacun d'eux dans ses paumes. Méprisés, calomniés depuis trop longtemps, traités comme les animaux les plus vils. Entravés, brûlés, marqués ! Assez de cette traite meurtrière de sang et d'os ! Entendez la plainte déchirante des marchés aux esclaves ! Écoutez le cliquetis des chaînes ! Écoutez-les ! Rapprochez-vous. Entendez-vous ces trois millions de voix ?

À la fin, l'huissier du château de Dublin, le tirant par le coude, lui chuchota à l'oreille avec une haleine chargée de whiskey. Époustouflé, il n'avait jamais assisté à un tel discours, jamais pensé qu'on pût choisir ses mots avec un tel talent. Qu'un homme sache s'exprimer ainsi ! Jamais rien d'aussi profond, prenant et pénétrant ne l'avait encore atteint.

— Vous faites honneur à votre peuple, monsieur. Un honneur absolu.

— Croyez-vous ?

— Et vous n'avez pas fait d'études ?

— En effet, non.

— Vous ne connaissez pas la rhétorique ?

— Non.

— Alors, pardonnez-moi, mais…

— Oui ?

— D'où vous vient cette éloquence ?

Douglass avait l'estomac noué.

— Cette éloquence ?

— Oui ! Comment se fait-il que…

— Voulez-vous m'excuser ?

— Monsieur !

— Je dois m'éclipser.

Douglass traversa la salle, ses souliers claquèrent sur les lattes tandis qu'un sourire, peu à peu, éclairait son visage.

L'après-midi, il apercevait Lily lorsqu'elle faisait le ménage. Dix-sept ans à peine et ces cheveux de sable, ces yeux bordés de taches de rousseur.

Sa porte refermée, assis au bureau, il gardait sa silhouette imprimée dans sa tête. Il s'effaçait devant elle dans l'escalier. L'odeur de tabac qui la suivait. Le monde renouait avec l'ordinaire. Douglass redescendait vite au salon lire les revues littéraires auxquelles Webb était abonné, les montagnes de livres, les gazettes. Il pouvait s'y enfoncer, s'y perdre.

Un soulagement de ne plus entendre les pas de la bonne à l'étage. Il remontait écrire. Sa chambre était impeccable, les haltères n'avaient pas bougé d'un pouce.

À la banque de College Green, ils donnèrent l'ordre de virer deux cent vingt-cinq livres sterling sur le compte de la Société américaine antiesclavagiste à Boston. Cela représentait mille huit cent cinquante dollars. Douglass et Webb ressortirent sur la place dans leurs impeccables chemises blanches et manteaux de laine. Dans le ciel de Dublin, les mouettes rivalisaient en nombre avec les mendiants des rues. Fendant la foule en cris, il reconnut le gamin aux joues zébrées.

— Eh, m'sieur Douglass ! M'sieur ! Eh, m'sieur !

La voiture tourna au coin de l'université. N'avait-il pas dit « Frederick » aussi, le gosse ? Douglass en était presque sûr.

Il avait noté dans le journal que O'Connell, le tribun du peuple, l'Irlandais par excellence, allait réunir une « assemblée monstre » sur les quais. Il avait consacré sa vie à mener campagne pour l'émancipation des catholiques, pour le rétablissement du Parlement, il avait aussi milité en faveur de l'abolition. Risquant son existence pour la liberté même. Ses essais, brillants, pleins de ferveur et de passion, ses discours et sa correspondance étaient célébrés. O'Connell faisait autorité, incarnait la loi.

Douglass annula le thé prévu à Sandymount pour arriver à l'heure. Les quais grouillaient de monde. Un tel rassemblement lui parut incroyable : comme si une éponge géante avait absorbé Dublin pour la recracher entière dans un immense évier. Tout ce linge, cette vaisselle, cette cuisine humaine. La police s'efforçait de contenir les masses. Perdant Webb en chemin alors qu'il jouait des coudes pour approcher de la scène, il atteignait celle-ci quand apparut le grand libérateur. Un homme corpulent, qui semblait las et souffrant ; cela datait, disait-on, de sa sortie de prison. Une formidable clameur s'éleva. « Hommes et femmes d'Irlande ! » Alors un vacarme indicible ! Il s'exprimait à l'aide d'un porte-voix, duquel fusaient des mots terribles, énormes, débordants. La logique, la rhétorique, l'humour stupéfièrent Douglass.

Le buste penché, O'Connell tenait la foule dans la cage de ses bras. Pivotait sur lui-même. Étirait ses phrases. Arpentait la scène. Ajustait sa perruque. Jouait des silences. Montés sur des échelles, d'autres hommes transmettaient sa parole le long des quais.

« L'abrogation est un droit pour Erin et un ordre de Dieu ! »

« Du nord au sud, de l'est à l'ouest, nous ne sommes que les serfs du seigneur Angleterre ! »

« Nous renonçons à l'usage de la force ! »

« Unissez-vous, faites campagne, soutenez-moi ! »

Les chapeaux fouettaient l'air chargé de pestilences. Les masses s'agitaient au rythme des vivats. Douglass était littéralement cloué sur place.

Des nuées vinrent à la fin entourer l'Irlandais. Douglass força le passage dans une forêt d'épaules, s'excusant à chaque fois. Levant les yeux, O'Connell le reconnut immédiatement. Les deux hommes se serrèrent la main.

— Un honneur, déclara l'Irlandais.

Douglass était interloqué.

— Tout l'honneur est pour moi.

On poussa O'Connell, leurs mains se détachèrent. Douglass aurait voulu aborder tant de sujets : l'abrogation, la position du clergé irlandais en Amérique, l'art de faire campagne, mais les corps étaient déjà trop nombreux entre eux. Lui aussi fut bousculé. Tout contre son oreille, un homme prônait la tempérance. Un autre lui demanda de signer une pétition. Une femme lui fit la révérence, laissant derrière elle une odeur de crasse. Il tourna les talons. Son nom résonnait aux quatre coins. L'impression d'être emporté par un maelström. O'Connell, bien encadré, quittait la scène.

Douglass se retourna à nouveau : prenant son bras, Webb lui rappelait leur rendez-vous à Abbey Street.

— Juste une minute.

— Je crois qu'il faut partir, Frederick.

— Je dois lui parler…

— L'occasion se représentera, je vous le promets.

— Mais…

Douglass croisa le regard de l'Irlandais. Ils se saluèrent d'un signe de tête. Douglass le vit s'éloigner, voûté dans son manteau vert vif, s'essuyant le front avec un mouchoir, sa perruque légèrement de travers. Il ressentit une pointe de tristesse. Mais cette force, cette autorité, pensa-t-il. Ce charme, cette énergie. Savoir occuper la scène avec un tel ascendant. Inspirer la justice sans la violence. Les mots qui s'enfonçaient dans la chair même de l'auditoire, jusqu'à la moelle des os… Tels des déchets sur la surface du fleuve, la foule tardait à se disperser sur les quais.

Deux jours plus tard, à Conciliation Hall[10], O'Connell fit monter Douglass sur l'estrade, prit son bras et le brandit devant l'assistance.

— L'autre O'Connell ! Un O'Connell noir !

Les chapeaux s'élevèrent jusqu'aux poutres.

— Irlandais, Irlandaises…

Douglass examina ce dépotoir : les hardes, l'adulation.

— Merci, dit-il, merci de m'accorder l'honneur de m'exprimer devant vous.

Les mains levées, il s'efforça de calmer l'assistance, puis aborda tour à tour l'esclavage, le commerce, l'hypocrisie et l'abolition nécessaire. L'énergie, le feu s'emparèrent de lui. Il sentit ses mots ricocher dans le public.

— On ne peut regarder un homme sans voir l'humanité entière. L'injustice dont on accable un seul ne peut que frapper les autres. Aucun pouvoir, aucune autorité ne saurait confisquer le bien et le mal. L'abolition doit être pour tous une aspiration naturelle !

Il arpentait l'estrade. Ajustait sa veste. Cette foule-là ne ressemblait pas à celles qu'il connaissait. Il émanait d'elle une sorte de grondement. Douglass s'interrompit un instant, se pencha vers elle, cherchant ses yeux, lançant une série de phrases comme autant de coups de poing. Mais il ressentait une distance, qui le perturbait. Une goutte d'eau coincée dans sa gorge.

Un cri retentit au fond de la salle. Et l'Angleterre ? Il ne la dénonce pas ? N'est-elle pas notre garde-chiourme ? Nos ouvriers ne sont-ils pas esclaves ? La domination par l'argent ne vaut-elle pas les chaînes ? S'ils avaient un chemin de fer clandestin[11], les Irlandais le prendraient pour échapper au tyran !

Un policier se mit en marche, son casque pointu disparut dans la foule, le perturbateur se tut.

Douglass laissa planer le silence, puis :

— Je crois à la cause d'Erin.

Une vague de hochements de tête. Il fallait maintenant jouer finement. Les journalistes notaient chaque mot ; leurs articles paraîtraient en Grande-Bretagne, en Amérique. De nouveau, il s'interrompit. Leva une main, décrivit un lent arc de cercle.

— Que penser d'une nation qui se vante d'être libre et qui pose les fers aux chevilles de son peuple ? Il est écrit dans le livre du destin que la liberté sera universelle. La cause de l'humanité est la même d'un bout à l'autre de la Terre.

Les applaudissements retentirent, et le soulagement le gagna. O'Connell traversa la scène et, de nouveau, brandit avec lui un bras triomphal.

— Mon alter ego noir !

Tandis qu'il s'inclinait, Douglass aperçut Webb, dans les premières rangées, qui mâchonnait une branche de ses lunettes.

Assis à côté du lord-maire, le soir à Dawson Street, il se penchait dans son dos pour converser avec O'Connell.

Le dîner terminé, ils se promenèrent dans le parc, deux ombres solennelles entre les beaux rosiers d'hiver. Légèrement voûté, O'Connell gardait les mains jointes dans le dos. Il regrettait, déclara-t-il, de ne pouvoir assister directement Douglass et les siens. Oui, il savait que de nombreux Irlandais possédaient des esclaves dans le Sud. Insupportable. Des lâches, des traîtres jetaient la honte sur leur pays, faisaient insulte à leur histoire. C'était un poison pour la cause, une ombre au tableau qu'il rejetait de toutes ses forces. Que l'on fuie leurs églises ! Ah, leur serment de suprématie, il ne reposait sur rien !

Il saisit Douglass par les épaules. Avoua qu'il avait tué un homme, en duel, à Kildare. Son honneur de catholique était en jeu. Lui avait logé une balle dans l'estomac. La veuve avait un enfant à élever. La culpabilité le hantait depuis, et plus jamais il ne recommencerait. Mais il était prêt à mourir pour une conviction profonde : un homme ne pouvait vivre libre que dans un monde libre.

Ils évoquèrent avec gravité la situation en Amérique, parlèrent de William Garrison, de Maria

Chapman, du président Polk, d'une possible sécession des États.

O'Connell avait une culture encyclopédique. Sous le vernis du grand homme, Douglass saisit une forme d'épuisement. Comme si les questions et les doutes s'étaient incrustés dans sa chair, dans ses membres, et finalement l'écrasaient.

Marchant bras dessus bras dessous avec lui, Douglass entendait son souffle court. La silhouette qui surveillait l'entrée du jardin tapota sur sa montre de gousset.

D'un geste, O'Connell renvoya l'homme et, pour la toute première fois, Douglass perçut une part d'ombre dans la renommée, la suggestion de l'échec.

> *On dit que l'histoire se range du côté de la raison, cependant l'issue reste incertaine. À l'évidence, aucun bonheur universel, si l'on veut bien y croire, ne comblera jamais les souffrances du passé. La tyrannie et l'oppression sont des maux de tout temps, mais l'esclavage sera honni ! On ne peut surseoir à la vérité, qu'elle éclate maintenant !*

La voiture était prête : début octobre, Douglass était attendu dans le Sud pour d'autres conférences. On avait brossé ses vêtements, enveloppé ses manuscrits dans de la toile cirée. Webb avait prié les domestiques de bien nourrir les chevaux. Douglass se pencha pour soulever sa malle. Ouvrages et habits neufs, ses haltères au fond.

— Mon Dieu, qu'avez-vous là-dedans ?

— Du papier.

— Permettez-moi, dit Webb.

Douglass ne lui en laissa pas le temps. Webb ajouta :

— Elle a l'air un peu lourde, mon vieux.

Il voulait donner l'impression d'y arriver sans peine, mais ses muscles, mécontents, s'insurgeaient dans son dos. Il vit Webb effacer un sourire narquois, puis appeler John Creely, un petit homme, fluet, au visage émacié de buveur invétéré. À trois, ils hissèrent la malle sur le porte-bagages à l'arrière, l'attachèrent à l'aide de cordes.

Douglass regretta d'avoir emporté les haltères. Un acte irréfléchi. Quel vaniteux, penserait Webb.

Faisant mieux connaissance, ils s'étaient mutuellement déplu. Douglass trouvait son hôte emphatique, intolérant, susceptible, drapé dans sa vertu – la note du tailleur l'avait contrarié. Webb avait prélevé le coût du gilet dans les recettes des livres. Avaricieux, avec ça. Douglass se sentait constamment observé. Webb guettait le moindre faux pas. L'impression d'être disséqué, épinglé comme un spécimen rare. Et il détestait qu'on l'appelle mon vieux. Le terme le renvoyait aux champs, aux fouets, aux anneaux de cheville. Il y avait également l'argent – c'est Webb qui collectait les fonds avant de les envoyer aux abolitionnistes, là-bas en Amérique. Chaque soir, il demandait à Douglass s'il avait reçu des dons. Cela devenait irritant. Douglass vidait ses poches avec cérémonie, les retournait, les secouait.

— Rien qu'un pauvre esclave, voyez ?

Non qu'il ignorât ses propres défauts. Il se trouvait à l'occasion cassant, critique, imprudent. Lui aussi devait apprendre la tolérance. Webb n'était pas cupide, il fallait le reconnaître. Parfois encore, il semblait s'excuser d'user un ton acerbe.

La malle était solidement fixée. Le personnel vint rendre ses hommages sur le perron. Lily rougit un peu lorsqu'il lui serra la main. L'immense honneur de le rencontrer, murmura-t-elle. Elle espérait de nouveau croiser son chemin.

Douglass entendit Webb tousser dans son dos.

— La nuit tombera vite, mon vieux.

Il les salua de nouveau tous. Les domestiques n'avaient jamais eu droit à tant d'attentions de la part d'un invité. Ils restèrent sur les marches jusqu'à ce que la voiture, passé l'université, disparaisse au bout de Great Brunswick Street.

On parlait des ravages du mildiou, pourtant la campagne semblait saine, verte, vivace. Aux abords de Greystone, ils s'arrêtèrent en haut d'une colline pour admirer le jeu de la lumière, extraordinaire, sur la baie de Dublin, les arcs-en-ciel au loin, le rivage argenté et les longues traînées d'algues.

Webb et Douglass se relayèrent auprès de Creely sur la banquette du cocher. Le paysage était magnifique. Les haies en fleur. Le galop des ruisseaux. En cas de pluie, ils prenaient place à l'intérieur, face à face, absorbés dans un livre. L'un parfois se penchait pour tapoter sur le genou de l'autre et lui lire un passage à haute voix. Douglass relisait les discours de O'Connell, fasciné par son agilité d'esprit, son inclination universelle. Il se demanda s'il aurait de nouveau l'occasion de le rencontrer, de passer suffisamment de temps en sa compagnie, d'éprouver ses idées au contact du Grand Libérateur.

À peine plus rapide qu'une diligence ou qu'un fiacre, la voiture cahotait sur les nids-de-poule. Douglass fut étonné d'apprendre que, pour l'instant, le chemin de fer n'atteignait au sud que Wicklow.

Les après-midi se confondaient dans de vastes étendues jaunes, vallées et collines. Les volets du ciel s'ouvraient et se refermaient avec soudaineté. Le noir succédait aux clartés dansantes. Une innocence brutale émergeait de la campagne.

Lorsqu'il rejoignait Creely à l'avant, les gens se précipitaient de leurs maisons, juste pour le regarder. On lui tapait sur l'épaule, lui serrait la main, le bénissait d'un signe de croix. Les habitants souhaitaient lui glisser un mot des propriétaires absentéistes, des atrocités commises par les Anglais, d'êtres bien-aimés partis au loin, mais toujours Webb le pressait de repartir, il fallait respecter l'horaire, arriver à temps aux prochaines conférences.

De petits enfants couraient derrière la voiture, un kilomètre ou deux, puis se fondaient frêles et essoufflés dans la verdure.

Wicklow, Arklow, Enniscorthy : il traçait leur itinéraire dans son journal. Finalement, oui, le spectre de la famine rôdait dans les campagnes. Comment ne pas le voir ? Dans les pensions, le soir, les patrons s'excusaient de ne pas servir de pommes de terre.

Dans la salle municipale de Wexford, il monta tout en haut de l'escalier. À l'abri des regards, il observa la table qu'on dressait à l'étage inférieur, l'affiche au mur, son portrait qui ondulait dans un souffle d'air.

C'était la bourgeoisie qui venait l'écouter, bien habillée, curieuse, patiente. Ils s'asseyaient sagement sur leurs sièges, retiraient leurs foulards, attendaient, puis s'éveillaient à ses paroles. « Mais oui ! Bravo ! » Son discours terminé, ils lui remettaient des billets à ordre, promettaient d'organiser fêtes et ventes de charité, puis d'envoyer l'argent outre-Atlantique.

Mais l'âpreté lui sautait au visage à peine retrouvait-il les rues, grouillantes d'Irlandais pauvres et catholiques. L'énergie de leur désespoir. Les réunions clandestines, les cercles de l'abrogation. Leurs maisons incendiées. Parmi eux, il était perturbé et transporté à la fois. Enclins à la mélancolie, amoureux de leurs poncifs, les papistes aimaient rire, festoyer. Le bateleur qui dansait dans son costume de clown, déguisé en cloche. Les enfants colportant les partitions du folklore. Les briquets des femmes et leurs pipes d'argile. Il voulait s'arrêter, faire une déclaration au pied levé, mais ses hôtes l'emportaient. Alors il regardait derrière lui, avec l'impression d'un chantier à jamais inachevé.

L'allée majestueuse, bordée d'immenses chênes, menait à un château. Chandelles aux fenêtres, domestiques en gants blancs. Il commença à reconnaître l'accent autour de lui, britannique dans l'ensemble. Magistrats et propriétaires fonciers. Lorsqu'il leur posa la question, leurs voix mélodieuses, bien informées, répondirent que l'Irlande avait toujours connu la faim. Ce pays-là aimait souffrir. On n'éteignait pas le feu, on se versait sur la tête le charbon en fusion. C'est de l'air qu'ils jetaient pour calmer l'incendie. En comptant sur les autres, peut-être, pour en venir à bout.

Et la conversation de rebondir. On lui soumit d'autres sujets : démocratie, propriété, ordre naturel, impératif chrétien. Lui proposa un verre de vin, sur un grand plateau en argent, qu'il refusa poliment. Que pouvait-on lui dire des mouvements clandestins ? Grimaces. De l'émancipation des catholiques ? Avaient-ils lu les ardentes plaidoiries de O'Connell ? Avait-on arraché les ongles des harpistes irlandais pour les empêcher de pincer leurs cordes ? Pourquoi ne pouvaient-ils pas parler leur langue ? Qui se portait au secours des nécessiteux ?

Le tirant par le coude, Webb insista dans la véranda :

— Écoutez, Frederick, on ne crache pas dans la soupe.

La nuit comme un tamis d'étoiles. Bien sûr, Webb avait raison. Elles s'aligneraient bien un jour. L'horizon était une somme de regards, et Douglass n'avait que le sien. Aucune intelligence ne saurait tous les réunir. Vérité, justice, réalité, contradictions et méprises. Il se battait pour une cause et une seule, même aux dépens des autres.

Il arpenta la galerie ajourée. Un vent glacial fouettait le rivage.

— Ils vous attendent, dit Webb.

Il prit sa main et la serra avant de pousser la porte-fenêtre. Un frisson glissa dans le salon. La fine porcelaine des tasses à café. Les femmes étaient groupées autour du piano. Douglass savait jouer Schubert au violon. Il s'immergea dans l'adagio. Elles louèrent sa dextérité.

Ils s'enfoncèrent dans le Sud, franchirent la Barrow, tournèrent au mauvais endroit. Pays sauvage de clôtures brisées, châteaux en ruine, longs marécages, reliefs boisés. Le feu de tourbe dans les cabanes, la fumée âcre et fine. Les silhouettes qu'ils aperçurent sur les chemins boueux, leurs guenilles plus alertes que leurs corps. Les familles qui les contemplaient, les enfants dans l'étau de la faim.

Une hutte brûlait au bord de la route. La fumée semblait s'élever de terre. Dans les champs, entre deux arbres rabougris, des hommes étudiaient le lointain telle une fatalité. L'un d'eux avait la bouche barbouillée d'une mousse noirâtre – comme s'il avait mordu dans l'écorce. Impassible, il regarda la voiture s'éloigner, puis leva sa canne, se disant lui-même adieu. Son chien hésitant derrière lui, il traversa le champ en titubant. Ils le virent tomber à genoux, se redresser, recommencer à l'infini. Une jeune femme brune cueillait des baies dans les taillis : sa robe était maculée de rouge comme si elle les vomissait l'une après l'autre. Elle leur fit un sourire édenté, n'avait plus que les mâchoires, répétait quelques mots en irlandais, une manière de prière.

Douglass saisit le bras de Webb qui, très pâle, se retenait peut-être de vomir. Il resta silencieux. Une odeur de pourri flottait sur la campagne. La terre avait été retournée. Le mildiou, certainement. On ne récolterait pas de pommes de terre.

— C'est tout ce qu'ils mangent, dit finalement Webb.

— Pourquoi ?

— Parce qu'ils n'ont rien d'autre. Ils comptent sur nous pour le reste.

Des soldats anglais les dépassèrent au galop. De jeunes hommes effrayés. Leurs chevaux projetaient de la boue sur les haies. Les insignes rouges sur leurs toques vertes : des taches de sang dans le paysage. Un climat de révolte imprégnait la campagne, les oiseaux hurlaient dans les cimes. Était-ce ici le cri d'un loup ? Webb affirma qu'on avait abattu le dernier cinquante ans plus tôt. Pensant à une banshie, Creely gémit.

— Sottises ! coupa Webb. Allons, en avant !

— Mais, monsieur…

— Allez !

Ils demandèrent à l'entrée d'un domaine s'ils pouvaient ravitailler les chevaux. Des gardes surveillaient le portail, des faucons en pierre derrière eux. Les pelles dans leurs mains avaient un manche taillé en pointe. En l'absence des propriétaires, un incendie s'était déclaré, le feu couvait à l'intérieur et les ordres étaient stricts : personne n'entrait. En découvrant Douglass, ils tentèrent de masquer leur surprise. Un nègre.

— Fichez le camp en vitesse !

Creely remit les chevaux en marche. Bordées de hautes haies, les routes paraissaient tourner en rond. La nuit devint menaçante. L'attelage ralentit. Épuisées, les bêtes écumaient, la bave au mors.

— Plus vite, Creely, je vous prie ! ordonna Webb, assis à l'intérieur avec Douglass, genou contre genou.

Les arbres formaient un toit quand la voiture s'arrêta en grinçant. Les sabots se turent, le silence les enveloppa. Une voix retentit, qui semblait demander grâce.

— Qu'y a-t-il ? demanda Webb.

Le cocher ne répondit pas.

— Pressons, il va faire nuit !

Mais la voiture ne bougeait pas. Du bout du pied, Webb ouvrit la portière et descendit. Douglass suivit et, noyés dans l'ombre humide des arbres, ils distinguèrent sur le chemin la chair froide et cendreuse d'une femme, sous un châle de laine grise et un lambeau de robe verte. Elle tirait derrière elle un petit nid de brindilles, relié par une sangle à ses épaules.

Dans le nid un minuscule ballot blanc. Elle posa sur les hommes deux yeux fixes et luisants. Une douleur aiguë dans sa voix.

— Monsieur, mon enfant a besoin d'aide, dit-elle à Webb.

— Pardon ?

— Dieu vous bénisse, monsieur, aidez-nous.

Elle dégagea le bébé de son radeau.

— Au nom du ciel.

Un bras s'échappa des brindilles. La femme le replia.

— Pour l'amour de Dieu, il a faim.

Le vent s'était levé. On entendait les branches se donner des coups de fouet.

— Tenez, répondit Webb en lui offrant une pièce.

Elle ne la prit pas. Tête baissée, elle lisait toute sa honte par terre.

— Elle n'a rien mangé depuis longtemps, comprit Douglass.

Webb fouilla encore dans sa bourse en cuir et en sortit *sixpence*. Qu'elle refusa aussi, le bébé collé à son sein. Les hommes étaient soudain paralysés. Creely se détourna. Douglass se sentait noir comme le sol sous ses semelles.

La femme leur brandit son enfant. L'odeur de la mort, écrasante.

— Prenez-le.

— On ne peut pas, m'dame.

— Je vous en prie, messeigneurs.

— Impossible.

— Je vous en supplie mille fois, et que Dieu vous bénisse.

Les bras de cette pauvresse n'étaient que deux bouts de corde attachés à son cou. Elle dégagea la main de l'enfant, massa ses doigts, la paume avait déjà noirci.

— Je vous en prie, prenez-le, il meurt de faim.

Elle le leur tendit de nouveau.

Webb laissa la pièce tomber à ses pieds, renonça et, tremblant, rejoignit Creely sur son siège.

— Montez ! ordonna-t-il à Douglass.

Celui-ci ramassa la pièce d'argent, crottée, et la posa dans la main de cette femme. Elle lui glissa entre les doigts. Ses lèvres s'entrouvrirent mais elle ne dit plus rien.

Webb fit claquer les rênes sur le dos noir des chevaux, puis les tira presque aussitôt, comme s'il leur demandait d'avancer et de s'arrêter en même temps.

— Allons, Frederick ! Dépêchez-vous !

Se hâtant, ils longèrent tourbières, rivages et vastes étendues d'un vert inconcevable. Le froid déployant ses membres, ils se munirent en chemin de couvertures supplémentaires. Poursuivirent en silence, de nuit, sur le tracé des côtes. Ils payèrent un homme pour les guider avec sa lanterne jusqu'à la prochaine auberge. Le petit globe de lumière balayait le relief des arbres. L'homme renonça au bout de douze kilomètres ; personne ne pouvait les accueillir au bord de la route. Blottis dans l'habitacle, ils évitèrent d'évoquer l'enfant mort.

Il plut. Le ciel n'en semblait pas surpris. Devant une caserne, des soldats en uniforme rouge surveillaient un chargement de blé. On leur permit de faire boire et manger les deux chevaux. Sur la route à l'approche de Youghal, un vieillard jetait des pierres sur un corbeau perché dans son arbre.

La faim est un mal contre lequel ils sont démunis, dit Webb. Un homme n'a que peu de chose en son pouvoir, pas celui de redonner vie et santé aux champs. Ces aléas sont fréquents en Irlande. La loi de la terre, tacite, affreuse, incontournable.

L'automne n'était pas moins froid sur les quais de Cork, mais le vent avait dégagé le ciel et le soir était clair. Tout paraissait humide et immobile. Les pavés noirs luisaient.

Ils s'arrêtèrent devant le 9 Brown Street, où la famille Jennings habitait une belle maison de pierre, au bout d'une allée étroite entre les roseraies.

Douglass ouvrit la portière, épuisé. Un axe s'était brisé dans son corps. Il ne demandait qu'un lit pour se coucher.

> Nom Artela, jeune négresse en fuite. Petite cicatrice au-dessus de l'œil. Dentition incomplète. Joue et front marqués A. Autres cicatrices sur le dos, deux orteils coupés.
>
> À vendre homme de couleur. Adroit de ses mains. Menuisier à ses heures. À céder également : matériel de cuisine, ouvrages théologiques.
>
> Disponibles tout de suite : sept petits nègres. Orphelins. Bien élevés. Bonne présentation. Dentition parfaite.

Impossible de dormir, cette nuit-là. Douglass descendit l'escalier, muni d'un bout de chandelle sur une soucoupe teintée. La flamme projetait son ombre de travers : grande, petite, large, menaçante. Léger, il rebondissait de marche en marche. En demi-cercle au-dessus de l'entrée, le vitrail colorait les étoiles.

Il pensa à sortir, faire quelques pas, mais il était en chemise de nuit. Pieds nus, il poursuivit dans le couloir lambrissé et entra dans la bibliothèque. Des livres et non des murs, rangée après rangée d'arguments et de raisons. Il passa une main sur les couvertures de cuir, vertes, rouges, brunes, l'argent et l'or estampés sur les dos. La chandelle à bout de bras, il se tourna lentement, étudiant son reflet mouvant sur les étagères. Moore, Swift, Spencer. Puis il la posa sur une table ronde, s'approcha de l'échelle. Sheridan, Byron, Fielding. Le bois frais sous la plante des pieds. L'échelle munie de roulettes, glissant en hauteur sur un rail de cuivre. Juché sur le deuxième échelon, il découvrit qu'en s'aidant de la main il pouvait se propulser rapidement d'une rangée à une autre. Doucement au début, à gauche, à droite, puis de plus en plus vite. Cela devenait hasardeux et il s'arrêta.

Prudence. Bientôt la maisonnée s'éveillerait.

Il se remit en mouvement, gagna l'échelon suivant. Plus haut encore, il perçut une vague odeur de suif. La chandelle venait de s'éteindre. Douglass pensa brusquement à ses jeunes enfants. Ils ne s'en offusqueraient pas, ne jugeraient pas leur père, si sérieux, si sévère, glissant sur une échelle mobile en direction de la fenêtre. Il tenta de les imaginer dans cette maison aux étagères immenses. Le soleil au lever sur les quais de Cork, les étoiles bientôt éteintes, le rai de lumière sous les rideaux.

Une fois redescendu, il ramassa la soucoupe et s'apprêtait à rejoindre l'escalier quand la porte s'entrouvrit.

— Monsieur Douglass.

Isabel, une des filles, âgée d'une vingtaine d'années. Une simple robe blanche sous ses cheveux relevés.

— Bonjour.

— Cela promet d'être une belle journée.

— Je regardais simplement les livres.

Elle jeta un coup d'œil vers l'échelle, comme si elle avait deviné.

— Puis-je vous préparer le petit déjeuner, monsieur Douglass ?

— Merci. Je crois que je vais remonter dormir. Le voyage depuis Dublin m'a exténué.

— À votre guise. Savez-vous que nous n'avons pas de domestiques ?

— Comment ?

— Nous ne nous faisons pas servir.

— Voilà qui est remarquable.

Il avait compris, déjà, que ces amis de Webb n'étaient pas ordinaires. Des vinaigriers. Église d'Irlande. On n'étale pas ses richesses. Ouverte à toutes sortes de visiteurs, leur maison respirait l'humilité. Plafonds bas dans chaque pièce, excepté celui de la bibliothèque, comme s'il fallait se pencher partout, sauf devant les livres.

Isabel se tourna vers la fenêtre. Le soleil surmontait la haie d'arbustes au fond du jardin.

— Eh bien, que pensez-vous de notre pays, monsieur Douglass ?

La question, directe, le surprit. Il se demanda si elle apprécierait une réponse franche et courageuse : les campagnes l'avaient bouleversé, il avait rarement vu pareille misère, même dans le Sud américain, cela n'était pas compréhensible.

— C'est un honneur d'être parmi vous.

— Et pour nous de vous recevoir. Avez-vous fait bon voyage, tout de même ?

— Nous avons pris les petites routes. Il y a tant à admirer. De fort beaux paysages.

Dans le silence qui suivit, elle se rapprocha de la fenêtre, contempla le jardin lentement baigné d'une lumière agile. Il sentit qu'elle avait quelque chose à ajouter. Isabel jouait avec le rideau, enroulait une frange autour de son doigt.

— Il va y avoir pénurie, lâcha-t-elle finalement.

— Nous avons traversé de sombres contrées, je dois l'admettre.

— On parle de famine.

Il l'observa de nouveau. Mince, dépourvue de beauté, elle avait les yeux vert vif, un profil quelconque, des gestes naturels. Rien d'apprêté, aucun bijou. Pas de ces femmes qui ouvrent les portes de votre cœur, mais sa présence éclairait l'air entre eux.

Lorsqu'il rapporta l'épisode du bébé mort, il vit ses mots s'imprimer sur son visage, prendre corps à l'intérieur d'elle : la route, le radeau de brindilles, la pièce crottée, le toit de branches, la noirceur qui les hanta alors qu'ils s'éloignaient. Ses épaules s'affaissèrent. La frange autour du doigt lui gonflait la chair.

— Je vais envoyer quelqu'un, voir si on peut la retrouver.

— Une louable attention, mademoiselle Jennings.

— Il faudrait enterrer cet enfant.

— Oui.

— Essayez de vous reposer, en attendant, monsieur.

— Je vous remercie.

— Vous nous permettrez, par la suite, de vous montrer Cork ? Bien des choses nous rendent fiers d'y vivre, vous comprendrez.

Entendant la maison s'éveiller, les lattes du plancher craquer à l'étage, il s'inclina, s'excusa, prit congé. Malgré la fatigue, il restait du travail : lettres, articles, une préface à terminer. On allait procéder à un deuxième tirage de son livre. Comme un funambule, il cherchait le bon câble, la tension idéale. Il ne voulait plus plier, flatter, se prêter aux exigences. L'escalier, la chambre, les pages ouvertes à réviser. Douglass sortit ses haltères de la malle. Posa la tête sur le flanc du bureau. Les souleva l'un après l'autre et continua, en alternant d'une page à la suivante.

Quelques instants plus tard, des sabots claquaient au-dehors. Isabel remontait l'allée. Du haut de sa fenêtre, il la regarda. Le manteau bleu roi devint un point dans le lointain.

Les tapis généreux. Les oreillers blanchis. Les fleurs fraîches oscillant dans la brise légère du carreau ouvert. Ses hôtes avaient posé une bible sur sa table de chevet. Mais aussi le *Guide de la faune, de la flore et des oiseaux de Crace et Beunfeld. Charlotte Temple. Le Vicaire de Wakefield* et le *Psautier* de Ravenscroft. Dans le bureau à cylindre, il découvrit un encrier, des buvards, des carnets vierges.

Un soulagement de retrouver ses privilèges : cette autre Irlande l'avait démonté.

Famine. Le mot ne lui serait pas venu à l'esprit. Il avait vu les ravages de la faim en Amérique, mais jamais la campagne dévastée par le mal de la terre. L'odeur lui collait à la peau. Il remplit lentement la baignoire, se savonna, plongea la tête sous l'eau, retint son souffle, s'immergea plus encore. Les bruits de la maisonnée étaient un baume en soi. Les rires se réverbéraient de pièce en pièce. Il se redressa, essuya la buée à la fenêtre. Les toits de cet autre pays restaient un étonnement. Derrière, au-delà, quels dégâts ?

Le bruit des feuilles au sol.

Plus discrètes que la pluie.

Interrompant ses révisions, il rangea ses haltères, s'allongea sur le lit, les mains derrière la nuque, tenta vainement de s'assoupir.

Lorsqu'on annonça le dîner, il rinça ses mains dans la cuvette, enfila sa chemise la plus blanche.

Le repas était un buffet paysan : rangées de plats, légumes, corbeilles à pain, saladiers et soupières placés sur une grande table en bois, où chacun venait se servir à son gré. Apparemment, les Jennings ne mangeaient pas beaucoup de viande. Douglass étala une épaisse mousse de sardine sur une tranche de pain, versa une pleine louche de salade dans son assiette. Les invités chahutaient et riaient joyeusement. Les familles Waring et Wright furent bientôt rejointes par un pasteur, un taxidermiste, un fauconnier, un jeune prêtre catholique, tous ravis de rencontrer Douglass.

Ils avaient lu son livre, avaient hâte d'en parler. De fait, la maison n'était fermée à aucune confession, aucune doctrine. Une extraordinaire volubilité. La frontière américaine, les lois sur l'esclavage, le mouvement abolitionniste, la guerre civile peut-être, l'infamie infligée aux Indiens cherokee.

Il se trouva fort aise d'être assiégé de questions – sans les formalités d'usage chez M. Webb. La discussion prit des tours incroyables, offrant mille digressions qui toutes revenaient vers lui et lui seul. Cela n'arrivait pas si souvent. Webb, silencieux, observait la scène avec bienveillance depuis un bout de la pièce.

Douglass se demanda malgré lui si on ne lui tendait pas un piège, mais l'impression disparut au fil des heures.

À sa grande surprise, les femmes étaient assises à table entre les hommes. Isabel mangeait peu, parlait peu. D'un doigt mouillé, elle ramassait les miettes dans son assiette. Timide, elle prenait part à la conversation comme on pique la chair à la pointe du couteau, le retirant à la première goutte de sang. Douglass n'avait jamais rencontré personne qui lui ressemble. Alors qu'on évoquait Charles Finney, elle le stupéfia lorsque, se tournant vers lui, elle demanda ce que Mme Douglass pensait des prières publiques.

Comme un accès de chaleur dans la nuque.

— Mme Douglass ?

— Oui.

— Oh, c'est très clair pour elle.

Il vit Webb se décaler sur sa chaise. L'Irlandais mordillait un coin de sa serviette.

— Elle n'a pas de raison de se différencier.

Il doutait sincèrement qu'Isabel ait voulu le mettre dans l'embarras, cependant il avait le front couvert de sueur. Sans trembler, il reposa sa tasse sur sa soucoupe, remercia ses hôtes pour cet excellent repas, les pria de l'excuser et, se dirigeant vers l'escalier, tapota au passage l'épaule de Webb.

Douglass n'avait pas écrit à Anna et ses enfants depuis plusieurs jours. Il fallait s'en occuper tout de suite.

Son image l'attendait dans le miroir de sa chambre. Ses cheveux avaient poussé, pris de l'épaisseur. Les cheveux d'un Noir. Il n'y toucherait pas. Personne ne frappa à la porte. Il coinça une chaise sous la poignée, déroula les chemises dans lesquelles il cachait ses haltères. Il lui arrivait encore d'entrer dans l'église de Tuckahoe. Le seuil, les poutres en bois. Le trajet singulier de la lumière pendant la messe du matin. La buse à queue rousse, surprise dans le ciel, d'un coup d'œil à la fenêtre. Les notes aiguës de l'orgue et l'odeur d'herbe fraîche que le vent soufflait par la grande porte blanche.

Le temps d'un soir ou deux, Anna chérissait certainement les lettres qu'on lui lisait, mais elles seraient brûlées tôt ou tard. Il s'en félicitait. Qu'elles partent en fumée, comme finalement tant d'épisodes de nos vies.

Aussi noire qu'elle fût, Cork l'oppressait moins que Dublin. Se réveiller au crépuscule avec une sensation de progrès. Une voie qui se dessine dans le tintement des cloches, la rumeur des étals de St. Patrick's Street. Des cygnes glissaient sous les passerelles qui émaillaient la ville. Le clocher de St. Anne dans le ciel de Shandon. Les mendiants ne cherchaient pas querelle ; Cork leur donnait l'aumône. Si, comme ailleurs, les pauvres étaient légion, ils le laissaient tranquille lorsqu'il se promenait sur les quais avec les sœurs Jennings. Les hommes allumaient leurs pipes d'argile, offraient une bouffée, lui tapaient sur l'épaule.

L'accent local avait une musicalité qui lui plaisait : des phrases paresseuses, souples comme des hamacs.

Un soulagement quand, au terme de six longues journées, Webb annonça qu'une affaire pressante l'obligeait à quitter Cork. Tous deux contents de se débarrasser l'un de l'autre. Voyant la voiture s'éloigner, Douglass sentit un grand frisson lui secouer les épaules. Enfin libre, enfin seul. À l'aise devant le miroir doré.

> *J'admets que ce séjour dans l'île d'émeraude est riche en émotions. Adieu le ciel éclatant d'Amérique, me voilà revêtu des brumes grises de l'Irlande. C'est un habit d'homme qu'on m'offre ici, pas la mise de l'esclave. On m'encourage à parler de ma propre voix. Je respire librement l'air de la mer. Et si bien des choses me serrent le cœur, s'il m'est donné beaucoup à voir qui ferait trembler les miens, ce ne sont pas les chaînes qui m'entravent. Temporairement du moins.*

Promenade le long de la Lee. Les mains jointes dans le dos, un changement d'attitude. Ouverte, rien à cacher. Une manière de penseur, l'image qu'il se plaisait à donner. Le claquement des sabots sur le pavé, le crissement souple du harnais. Isabel descendait de cheval, marchait de conserve avec lui, guidant l'animal d'une main prudente. Un film de sueur sur la robe de la bête.

Les chalands se suivaient sur la rivière, avec leurs chargements de blé, d'orge, de sel. Porcs et moutons promis en aval à l'abattoir. Barillets de beurre et flocons d'avoine. Sacs de farine et casiers d'œufs. Des paniers de volaille, des conserves de fruits, des bouteilles d'eau, minérale, gazeuse.

Ils observèrent en silence le fleuve de denrées. Les mouettes s'affairaient par-dessus, piquaient parfois, tentant de chiper quelque chose.

Passé la boutique du tailleur, les transports maritimes, la librairie, Isabel tira le cheval vers elle en poursuivant le long des quais, comme s'il leur assurait une protection.

— Je n'ai pas pu la retrouver.

— Pardon ?

— Cette femme que vous avez croisée sur la route.

Il ne saisit pas tout de suite de quoi il s'agissait – l'écume fortuite de quelques mots sur la surface du jour –, puis il se rattrapa. Quelle pitié. Sans doute l'avait-on enterré, ce bébé.

— Vous avez fait de votre mieux, dit-elle.

Douglass savait bien que non : il n'avait rien fait du tout. Un témoin. Muet. Elle ajouta :

— Je ne connais rien de plus horrible qu'un cercueil d'enfant.

Il tourna la phrase un instant dans sa tête. Acquiesça. Douglass aimait bien Isabel. Il s'était mis à la considérer comme une jeune sœur. Curieux, à y bien réfléchir – ces yeux verts, cette démarche empruntée, ces robes austères. Mais l'idée était revenue plusieurs fois, ces derniers temps : une sœur. Présente. Curieuse. Indiscrète. Elle sondait avec lui les idées nouvelles, sans a priori. Que pensait-il de la colonie de Monrovia, au Liberia ? Où s'arrête la vengeance, où commence la justice ? Garrison cherchait-il un moyen de rembourser l'argent fourni aux églises esclavagistes ?

Elle retrouvait sa mesure en abordant les sujets domestiques. Ne finissait pas toujours ses phrases, jouait avec son bracelet au poignet gauche. Regardait au loin, brusquement enrouée.

L'Irlande produisait assez de vivres pour nourrir quatre fois sa population, assura-t-elle. Mais tout cela partait en Inde, en Chine, aux Antilles. L'Empire épuisait ses forces. Elle aurait souhaité s'élever contre cette absurdité. On ne pourrait taire longtemps la vérité. Sa famille avait des entrepôts pleins sur les rives de la Lee. Vinaigre en bouteille. Réserves de levure. Orge maltée. Des caisses de confitures. On ne donne pas comme ça. Il y a les lois, le droit, la propriété. Des partenaires commerciaux, des contrats à terme, des taxes. Les pauvres et leurs besoins. Exigence morale ou pure illusion ?

À l'évidence, Isabel souffrait de ses privilèges. Et lui ? Il consulta le Nouveau Testament. « Car à quiconque il aura été beaucoup donné, il sera beaucoup redemandé. » Où cela le mènerait-il de s'élever contre la misère de cet autre pays ? Avec quels mots ? Pour quel interlocuteur ?

Les questions politiques continuaient de le dérouter : qui était irlandais, qui était britannique ? Protestant, catholique ? À qui appartenaient la terre, les maisons incendiées, ces gosses qui crevaient de faim, avec leurs yeux chassieux ? En simplifiant, on comptait deux catégories : les Anglais étaient protestants, et les Irlandais catholiques. Les premiers dominaient, les autres subissaient. Dans ce cas, où placer Webb ? Et Isabel ? Où se situaient-ils ? De bon cœur, Douglass aurait épousé la cause de ceux qui réclamaient justice et liberté, mais c'était avant tout pour les siens, pour *leur* liberté, qu'il se battait. Justice pour ces trois millions d'âmes. Il n'allait pas s'insurger contre ceux-là mêmes qui l'avaient fait venir. Et ne pouvait exiger de lui plus qu'il n'était capable ; l'essentiel d'abord. Car il restait intolérable qu'un homme, une femme soient la propriété d'autres humains. Certes, les Irlandais étaient pauvres, mais pas asservis. Il était ici pour saper les fondements de l'esclavagisme américain. Parfois une épreuve de garder ses idées en ordre. Douglass avait compris que l'intelligence consiste à embrasser les contradictions. Que si la simplicité est un but en soi, il faut reconnaître la complexité inhérente aux situations. Mais il restait un esclave. Un fugitif. De retour à Boston, il risquait à tout moment d'être capturé, renvoyé dans le Sud, attaché à un arbre et fouetté. Ah, il était célèbre ? Ses maîtres en feraient un exemple. Depuis le temps qu'ils voulaient le réduire au silence. Fini, ça. On lui avait donné la chance de dénoncer ses chaînes. Il n'arrêterait pas tant que les maillons ne seraient pas tous brisés à ses pieds.

Douglass sut alors ce que le destin lui réservait ici : l'occasion d'être libre et captif en même temps. Une sensation que le plus misérable des Irlandais ne comprendrait jamais. Être asservi de toutes parts, même par l'exigence de sa propre paix.

Depuis toujours, son corps, son esprit, son âme n'avaient profité qu'à autrui. C'est à ses frères, ses sœurs qu'il était lié. Son peuple, la monnaie de sa liberté. Trois millions de pièces. Le bât était déjà lourd, pourquoi y ajouter les Irlandais, leur martyre, leurs ambiguïtés ? Il avait assez des siens.

Les chalands passaient.

Une rivière de vivres.

Le soleil se coucha sur les ardoises de Cork.

Il racontait parfois une histoire à son public. En Amérique, les propriétaires utilisaient des tonneaux. De bourbon, surtout. Mais aussi d'huile d'olive, ou de vin, celui qu'ils avaient sous la main. Ils plantaient dans le bois des clous de quinze centimètres. Plaçaient parfois du verre pilé à l'intérieur. Des buissons d'épines. Alors, disait-il, ils emmenaient leur esclave – un mot qu'il prononçait toujours d'une voix plus grave – au sommet d'une colline. Pour le plus petit délit. Peut-être avait-elle oublié de fermer la porte de l'écurie. Fait tomber une assiette. Regardé de travers la maîtresse de maison. Taché un torchon. Qu'importe, il fallait la punir, c'était dans l'ordre des choses.

Au milieu du récit, il lui donnait un nom : Mary. Laissait le silence retomber sur l'assemblée. Il répétait : « Mary ».

Les propriétaires – il détachait bien chaque syllabe – n'avaient pas seulement obligé Mary à gravir la colline, ils lui avaient aussi ordonné de pousser le tonneau le long du chemin de terre. Pour donner l'exemple, ils avaient rassemblé en haut les autres esclaves. Les maîtres crachaient souvent quelques extraits de la sainte Bible. Forçaient Mary à rentrer. La poussaient à l'intérieur, par la tête, lui écorchaient les épaules. La pointe des clous lui fendait la peau. Le verre s'incrustait dans la plante des pieds. Les épines lui griffaient les cuisses. Puis ils clouaient le couvercle. Agitaient le tonneau quelques instants, dans un sens et dans l'autre. Citaient encore un verset de la Bible.

En cahotant, le tonneau roulait jusqu'au bas de la colline.

Des foules démesurées. Il avait parlé avec le père Mathew, trouvé langue dans le mouvement pour la tempérance. Les journaux le surnommaient toujours « *the black O'Connell* ». Son portrait affiché partout en ville. Sa renommée s'étendait chaque jour. Vingt-quatre dames de la Société féminine de Cork contre l'esclavage l'emmenèrent en pique-nique, se prélassèrent en sa présence à l'ombre d'un grand chêne, bercées par le murmure du ruisseau. Il avait une serviette en fin tissu accrochée à son cou. Elles défirent le nœud de leur bonnet, offrirent leur figure au soleil. Suspendues à ses lèvres. Ils plièrent paniers et ombrelles et partirent dans l'herbe haute rejoindre le pont en bois. Il osa retirer ses chaussures, ses chaussettes, faire quelques pas dans l'eau froide. Elles se détournèrent en pouffant. Les revers mouillés de son pantalon étaient plus noirs que ses chevilles.

Les journalistes le réclamaient à grands cris, consacraient des pages entières à ses conférences. Il avait collecté plusieurs centaines de livres sterling pour le voyage de retour à Boston ; vendu son ouvrage à plus de deux mille exemplaires. Prochaines étapes : Limerick, Belfast, puis l'Angleterre, où il négocierait sa liberté, pour revenir affranchi, libre, aux États-Unis.

C'était un jaillissement en lui. Jusque-là nourrie de celle des autres, sa voix était bien aujourd'hui la sienne lorsqu'il prenait la parole. Il regrettait de n'en avoir pas mille, afin qu'elles résonnent en tout lieu, mais il n'avait que celle-là, avec un unique objectif : abolir l'esclavage. Il avait presque souri, un après-midi, en passant devant une taverne de Paul Street. Quelqu'un déclarait dans son dos avoir vu un nègre, un sale nègre, mais ils n'ont pas de maison, ces gens-là ? Ce n'est pas ici qu'il trouvera des bananes ! Il ne sait pas qu'il n'y a plus de lianes sous les branches à Cork ? Que Cromwell les a sciées depuis longtemps ? Allez, dégage, le nègre !

Gonflant les poumons, Douglass s'était figé, feignant presque la colère. Puis il était reparti dans son gilet en poil de chameau. Nègre. Sale nègre. Pour la première fois, le mot avait quelque chose de bienvenu. Une vieille chemise qu'il faudrait de nouveau enfiler.

Un vêtement à déboutonner, déchirer, reboutonner et ainsi de suite.

Peu avant de quitter Brown Street – un jour qu'il garderait en tête tel un drapeau, un cerf-volant, un vestige –, il entendit frapper à la porte dans la rue. Il était en train d'écrire, les bras tachés d'encre, courbé sur le bureau, des raideurs dans le dos. Calé sur son siège, il prêta attention aux voix qui s'élevaient dans l'escalier, puis il se remit au travail.

Le soir venu, propre et vêtu de frais, il descendit dîner. La jeune femme assise en bout de table, à côté d'Isabel, semblait gênée qu'on l'ait placée là. Voûtée, timide, mais jolie. Blonde, la peau très blanche. Son visage lui était familier, mais il avait un doute. Elle se leva et le salua par son nom.

— Bonsoir, répondit-il, confus.

Le silence se fit. À l'évidence, une autre réponse aurait été bienvenue. Douglass toussa, le poignet devant la bouche.

— Ravi de vous revoir, madame.

Une vague d'embarras traversa la pièce.

— Lily va embarquer pour l'Amérique, déclara Isabel.

Alors il la reconnut vraiment. Lily n'était plus la même sans son uniforme. Elle paraissait plus jeune aussi. Il se souvint : la silhouette dans l'escalier. Sans doute avait-elle demandé son congé à Webb.

— Le bateau part de Cove dans quelques jours, poursuivit Isabel.

— Une bonne nouvelle, fit Douglass.

— Elle est venue à pied depuis Dublin.

— Bon Dieu.

— Vous l'avez certainement influencée. N'est-ce pas, Lily ?

— Moi ?

L'affolement le gagnait. Il vit la jeune femme rougir jusqu'aux oreilles. Il se demanda si elle avait quitté Webb en bons termes. Il n'avait rien fait pour susciter la honte. Hochant poliment la tête, il évita son regard. Se rappela, avec un vif pincement au cœur, la scène devant le perron, à Dublin. L'immense honneur de l'avoir rencontré, murmurait-elle. Il espéra n'avoir pas motivé d'autres vocations de cette sorte.

— Vos discours, dit Isabel, sont pour elle une source d'inspiration. Je me trompe, Lily ?

La femme de chambre gardait la tête baissée.

— Boston ? demanda Douglass. Est-ce là que vous tencz à vous rendre ?

Acquiesçant, elle releva lentement le menton : ses pupilles luisaient d'un éclat étonnant.

— Ou peut-être New York.

Murmures d'approbation. Douglass finit vite son dîner, sans rien ajouter, étudiant discrètement Isabel et ses sœurs qui, attentives, veillaient à remplir l'assiette de Lily, son verre de boisson au gingembre.

Les yeux de la jeune femme ressemblaient aux plateaux d'une balance, l'un retenant un fleuve de mots, l'autre prêt à fondre en larmes.

Priant ses hôtes de l'excuser – il lui restait du travail –, Douglass leva son verre à la santé de Lily, lui souhaitant bonne chance et bon voyage. Il pensait également à son épouse et ses enfants, son pays natal qu'il lui tardait de retrouver.

Tout le monde leva son verre à sa suite – un verre d'eau, mais l'on trinqua. La servante l'observa rapidement : était-elle animée par la peur ou la colère ? Cette irruption l'avait perturbé. Qu'attendait-on de lui, exactement ? Comment aurait-il dû réagir ? De fait, il l'avait accompagnée de ses vœux, mais que pouvait-il dire ? Peut-être demain lui recommanderait-il une famille honorable, qui lui fournirait du travail ? Garrison ou Chapman connaîtraient-ils quelqu'un ? Il serait bon qu'elle sache, au moins, quels quartiers éviter à Boston. Mais pourquoi diable avait-elle marché depuis Dublin ? À braver les intempéries !

Assis devant son bureau, l'encrier ouvert, la plume en l'air, il fut incapable d'écrire un mot, parmi les mille qui se pressaient. Il s'agita toute la nuit.

Une furie d'oiseaux criards annonça l'aube. Le jour apparut sur Brown Street comme on retire une couverture. On l'appelait au rez-de-chaussée. Écartant les rideaux, il aperçut Isabel, dans le jardin derrière la maison, détrempé par la pluie.

— Lily est partie en pleine nuit, lui apprit-elle.

La vitre était gelée. Le coq se mit à chanter. Une jeune poule lui échappa en battant des ailes.

— Voulez-vous venir avec nous, monsieur Douglass ?

La peur dans la voix.

— Un instant, je vous prie.

Il avait des lettres à écrire, des articles à terminer, d'autres conférences à préparer. Un débat avec les prêtres de la cathédrale St. Marie and St. Anne.

Refermant les rideaux, il posa la cuvette sur le rebord de la fenêtre, ôta sa chemise de nuit et mouilla son gant. L'eau fraîche lui électrisa la peau. Son nom retentit de nouveau en bas. Puis un hennissement aigu, un bruit de sabots, d'éclaboussures. Deux des jeunes sœurs Jennings, Charlotte et Helen, apparurent sous le porche, vêtues d'une pèlerine verte et de grands chapeaux, suivies par Isabel, menant un solide cheval par les rênes.

Oubliant qu'il était torse nu, il se pencha au-dehors. Les deux jeunes sœurs tournèrent la tête en riant.

Isabel harnacha les bêtes, lui laissant la plus grande.

Douglass se maudit. Une domestique. Simple servante. Elle était partie plus tôt, et alors ? Ce n'était quand même pas sa faute. Serviable, il ne savait pas dire non. En reculant, il se cogna la tête sur le cadre de la fenêtre. Cette Lily avait d'étranges idées. On ne pouvait pas imaginer… Mais non, non. Lui n'avait rien fait d'impudique. Non, bien sûr, rien du tout.

Il tria quelques papiers sur son bureau. Les soupesa, les empila, enfila bottes et chemise. M. Jennings lui avait donné une vareuse de pêcheur, en toile huilée, ainsi qu'un chapeau noir, mou, à bord large, qu'il n'avait pas encore portés. Il se regarda dans la glace. Grotesque. Mais il savait se moquer de lui-même. Il descendit l'escalier en vitesse, glissa la tête par la porte ouverte de la cuisine. La tasse de M. Jennings claqua sur la table, des gouttes de thé volèrent. Douglass le salua avec force courbettes, expliquant qu'il serait absent quelques heures, on le prenait en otage, il fallait, semblait-il, récupérer la jeune domestique de Dublin. Et s'il n'était pas rentré à la nuit tombée, pouvait-on, s'il vous plaît, envoyer des secours, peut-être même un saint-bernard ? Le vieil homme s'adossa à son siège en riant.

Douglass sortit par l'arrière, rejoignit les sœurs qui attendaient, en selle, devant le porche. Elles sourirent en le voyant accoutré de son chapeau et de sa vareuse.

Il n'était pas monté à cheval depuis longtemps. Il se trouva ridicule, les étriers le gênaient. L'animal était noir, musculeux. Douglass sentit l'arrondi de ses côtes se prolonger dans son corps. À sa grande surprise, Isabel, descendant du sien, vint ajuster la sangle de sa selle. Cette femme avait une force insoupçonnée. Du plat de la main, elle flatta le col du cheval.

— Bien, la route de Cove, dit-elle.

Ils longèrent les quais, la prison et l'hospice. Les jeunes sœurs chevauchaient avec grâce, le dos droit. Isabel, plus sauvage, galopait derrière les voitures, jetait un coup d'œil au-devant, cabrait, repartait.

Les rues étaient drapées d'octobre gris, et le vent glacial bordait la rivière. La pluie toussait des rafales. Devant l'hôpital, un homme affamé poussait des gémissements, les bras tendus vers eux, bondissant comme un singe. Lorsqu'ils le dépassèrent, il se mit à se frapper, assailli par un vol d'abeilles ou sa propre folie. Ils allaient presser l'allure lorsqu'une femme déboucha d'une ruelle en demandant la pièce. Barbue, le visage barbouillé de fièvre. Ils filèrent. S'ils devaient s'arrêter devant chaque mendiant, ils ne quitteraient jamais la ville.

Douglass se félicitait de sa mise. Comprit après deux ou trois kilomètres que le chapeau à bord large masquait entièrement son visage, on ne le reconnaîtrait pas.

La ville avait pour frontière un entrepôt en brique, et soudain la route, bordée d'arbres, sinuait dans la verdure, bifurquait au gré des terrains. Ils firent signe aux passagers d'une diligence, alignés en longueur sur chaque flanc. Avec ses valises et cartons empilés sur le toit, elle semblait prête à se renverser à tout moment. Personne n'avait aperçu la jeune servante.

— Beau temps, fit Douglass dans le crachin, sans enlever son chapeau.

— Question d'habitude, monsieur l'Américain.

Impossible de masquer cet accent.

Les filles sourirent en dépassant le véhicule. Il tenta de prendre la tête du petit groupe, mais, bonnes cavalières, elles galopèrent au-devant, se croisant l'une l'autre.

De courtes volutes de fumée parsemaient la campagne. Comment croire que, parmi les plus pauvres, des Irlandais logeaient sous terre ? Il voyait leurs masures, les murs de tourbe encadrés de bouts de bois, le tapis de pelouse déroulé sur le toit. Leurs champs minuscules, les haies innombrables, un enclos de pierre inachevé çà et là. Leurs enfants ressemblaient à de vains souvenirs d'eux-mêmes, des spectres nus jusqu'à la taille, le visage éraflé, la blancheur de leurs pieds. Une carcasse sous la peau, l'os qui tient lieu de vie.

Douglass repensa au petit gars de Dublin qui s'était accroché à lui. Le temps avait passé. Les gens ne l'effrayaient plus. Non qu'il fût devenu insensible, mais il savait depuis qu'il n'avait rien à craindre. Il se demanda ce qui adviendrait si, subitement, cette route qu'ils suivaient menait à Baltimore, Philadelphie ou Boston – l'Irlande remplacée par les Yankees.

Maintenant, il voulait retrouver Lily, lui souhaiter un vrai bon voyage. Mais elle n'était aucune de ces silhouettes, ces ombres sur le chemin. Il éperonna sa monture.

Dans les hameaux, la pluie gardait les curieux à l'intérieur. Ils traversèrent des champs inondés, scintillants de beauté. La pétarade des sabots, l'arc suspendu dans le ciel. Les cavaliers firent halte devant un noisetier, sous lequel un banc attendait. Isabel ouvrit ses sacoches, offrit la flasque de thé chaud et les sandwichs. Elle avait même emporté des tasses. Ses sœurs autour d'elle paraissaient répondre à quelque étrange loi : plus jolies, plus posées, comme pour faire bonne mesure. Certes, elles voulaient bien tenter l'aventure, mais il ne fallait pas poursuivre trop loin. Midi s'était envolé, et Lily restait hors d'atteinte.

— Non, il est encore tôt, insista Isabel.

— Ah, ma sœur n'en fait qu'à sa tête. Une tête qu'elle a malheureusement perdue.

— Cove est à quinze kilomètres, et autant pour le retour.

— Il fera nuit, au retour.

— Non, s'il vous plaît, continuez avec nous.

Diligences et calèches, toutes chargées de valises, barraient désormais la route. Les familles avaient les yeux rivés au loin ; les enfants enveloppés de couvertures rêches, trouées ; les attelages grinçaient, les voitures tanguaient dans les ornières. Les chevaux, échinés sous leurs œillères, bientôt prêts pour l'abattoir.

Les sœurs changèrent de direction, après l'ouest, le sud que Charlotte trouvait charmant et calme. Les caprices d'une route toujours plus fréquentée : d'autres familles, petites rivières confluant elles aussi au sud.

Ils demandèrent en vain si l'on avait croisé la jeune femme. Plus ils approchaient de la mer, plus la voie était encombrée. Des marchands avaient placé leurs étals le long des haies. Douglass et les sœurs ralentirent pour traverser la foule. Les voyageurs tentaient de vendre leurs derniers biens. Tant d'objets sacrifiés : violons, encriers, casseroles, chapeaux, chemises. Les tableaux accrochés aux buissons ; les rideaux aux branches des arbres. Des tissus imprimés de demi-lunes, les teintes jadis criardes affadies par le temps. Une superbe robe de soie, brodée d'or fin, tristement étalée sur le siège d'une calèche.

Ils se frayèrent un chemin vers les falaises qui dominaient le port.

Un homme qui s'avançait vers eux portait deux planches attachées par des ficelles : une sur le ventre, l'autre sur le dos, affichant les prix de la traversée pour Boston, New York ou Terre-Neuve. Il les chantait à la cantonade. Des enfants s'accrochèrent à ses poches, qu'il repoussa de quelques paires de gifles.

La cohue était telle qu'ils durent descendre de cheval.

Un jeune prêtre scrutait la multitude à la recherche des malades, pour leur administrer l'extrême-onction. Il dévidait son rosaire en marchant. Aperçut Douglass. Ils ne s'étaient jamais vus, et pourtant ils s'arrêtèrent, croyant se reconnaître, s'apprêtant à lâcher quelques mots, qui ne vinrent pas.

Le prêtre s'éloigna vers les branches courbes d'un arbre, sous lesquelles flottaient des vêtements d'enfant.

— Mon père ! Excusez-moi ! dit Isabel.

Il fit demi-tour vers le petit groupe. L'homme avait d'immenses yeux las, le chapelet serré autour de ses doigts, le visage dur. La voix amère. Non, affirma-t-il, il n'avait vu personne répondant à la description de Lily. Il planta la pointe d'un soulier dans le sol, comme pour appuyer ses dires : ce n'est pas ici qu'on la trouverait. Se retournant de nouveau, il cracha par terre en répétant : « Non. »

Il poursuivit son chemin, s'adressant aux siens dans leur langue : l'irlandais.

En frissonnant, Isabel posa une main sur l'encolure de son cheval. Douglass enfonça son chapeau sur sa tête, tira sa monture par les rênes. Les deux sœurs observaient elles aussi un silence religieux. Le vent de la mer s'élevait vers eux. Le port, en forme de point d'interrogation, abritait une douzaine de navires aux noms effacés par les vagues. Triste flottille de mâts et de voiles carguées.

Ils approchèrent du bord de la falaise. En bas, la ville était une chose grouillante. Toits de chaume, arbres penchés, les voitures convergeant le long des quais vers la grand-place. Douglass savait quel désordre, quels désirs et quelles fièvres étaient à l'œuvre. Cependant le spectacle était splendide. Cove agenouillée devant l'eau. Les oiseaux affamés parcourant les hauteurs, plus légers que l'air.

Il attacha les rênes à une branche et se planta à la dernière extrémité, où le vent et la pluie poussaient leur chant violent. Il ne se rendit pas compte tout de suite qu'Isabel l'avait rejoint. Charlotte et Helen, derrière eux, étaient remontées en selle. Les vagues recouvraient le rivage de clartés subites.

Passant un bras sous le sien, Isabel posa la tête sur son épaule. Il sentit le regard des sœurs. Il aurait aimé la détacher de lui, doucement, mais elle resta là, à contempler la ville.

Le soleil allait bientôt se coucher, la mer se teindre de noir et le froid s'emparer des terres.

Ils trouvèrent finalement Lily en fin d'après-midi, grelottante et trempée sur un ponton. Emmitouflée dans son manteau, un châle sur la tête. Elle avait acheté son billet, attendait d'embarquer au matin. Toute à son anxiété, elle évitait de les regarder.

En retrait, Douglass et les deux sœurs virent Isabel se pencher, la suppliant presque, et prier, aurait-on dit, avec elle.

Elle lui avait apporté de quoi manger pendant quelques jours – un petit paquet, bien emballé avec un peu de ficelle dans un napperon bleu, qu'elle lui posa doucement dans les bras. Puis, prestement, elle sortit d'une poche intérieure une liasse de billets roulés qu'elle confia à sa main. Douglass, ému, observait la scène. Lily semblait remuer les lèvres sans rien dire. Quels mots, ou quel silence, unissaient les deux femmes ? Quelqu'un hurla dans une boutique derrière eux. Un cri de femme, un coup de poing. De gros rires retentirent dans le pub à côté, puis, au lointain, des notes de mandoline.

Isabel retira ses gants, qu'elle offrit à Lily. Elle détacha un objet de son cou, une broche sans doute, qu'elle lui donna aussi. La jeune femme sourit. De nouveau, Isabel se pencha, l'embrassa, murmurant à son oreille. Lily hocha la tête, renoua son châle sur ses cheveux. Quelles idées agitaient son esprit ? Quelle volonté farouche l'avait conduite au bout de cette île ?

Il se sentait cloué au sol, les chevilles enracinées. La chaleur d'un feu lui manquait. Quand il releva son col et toussa, son souffle rejaillit vers lui. *Nom Artela, jeune négresse en fuite.*

Se retournant, Isabel demanda à ses sœurs d'approcher son cheval. L'ourlet de sa robe était maculé de boue. Elle essuya ses pieds contre les pavés, monta sobrement en selle, se lança dans les rues encombrées. Ils traversèrent la ville, longèrent la salle des ventes, et galopèrent.

Le prêtre les vit atteindre le sommet de la colline. Sa soutane noire balafrée de terre brune, car il avait glissé et il était tombé. Il tenait encore son chapelet, simplement retenu par le pouce, dont les grains cliquetaient sur sa hanche. Isabel le salua d'une main, mais il ne répondit pas, se contentant de la suivre du regard, hochant la tête comme un métronome, les deux pieds bien campés. Puis, à grands pas dans les hautes herbes, il se dirigea vers les feux allumés.

Ruisselants de fatigue, les chevaux progressaient nerveusement dans l'obscurité. Minuit était passé depuis longtemps lorsqu'ils regagnèrent Cork. M. Jennings les attendait dans le jardin, où tout le monde s'activait. On avait préparé des couvertures, de la nourriture et des boissons chaudes.

Douglass posa un pied à terre et sa jambe faillit se dérober. On lui donna une chandelle, un plaid et une assiette, qu'il emporta d'un pas traînant à l'intérieur. Il n'avait pas une ombre, mais cent, dans la cage d'escalier.

Il ne put dormir, cette nuit-là. À l'aube, il descendit retrouver le calme dans la bibliothèque. Ses genoux lui faisaient mal, ses bras comme soudés à son cou. Il entra sans un bruit. Isabel était là, assise et invisible dans l'obscurité. Elle leva les yeux : il aimait glisser sur l'échelle le long des étagères. C'était devenu un rite. Il se figea à la porte, puis la rejoignit et la prit dans ses bras. Rien d'autre. La main contre sa nuque, il hésita. Isabel pleurait en silence. Il se détacha d'elle, l'épaule mouillée.

Pour sa dernière matinée à Cork, Frederick Douglass partit seul sur un fiacre. Le cheval semblait soumis, les rênes lâches dans ses mains. Il se dirigea au sud-ouest de la ville et se promena sur la grève. Pas de bruit ici. Pas de navires d'émigrants. La mer s'était retirée, laissant des rides molles dans le sable, jumelles les unes des autres, longues mèches déployées jusqu'à l'invisible couture de l'horizon. Les vagues remplacées par les nuages. La nostalgie lui pinça le cœur : la scène rappelait tant Baltimore.

Un pied sur le rivage. Un court ruissellement sous sa semelle, qui laissa une brève empreinte. Le sol paraissait mobile. Frederick leva la jambe et vit l'eau s'échapper, le sable combler le vide. Ce qui se reproduirait sans cesse, pas après pas.

La plage paraissait s'étendre à l'infini. Isabel lui avait conseillé la prudence, car on connaissait le retour brusque et presque insensible des marées. Soudain l'eau était là, silencieuse, mais elle vous cernait, gonflait de toutes parts, et l'on était pris au piège. Difficile à imaginer dans ce tableau paisible.

Se baissant, il remarqua dans un sillon une succession de crabes minuscules en train d'agiter leurs pattes. Il en choisit un qu'il posa dans sa paume : créature presque transparente, aux yeux lents et saillants. Peut-être un crabe violoniste. La chose grimpa jusqu'au bout de ses doigts, hésita, fit demi-tour. Lorsqu'il leva le bras, le crabe se réfugia à la jointure du poignet. Douglass le rendit au sable, où l'animal se terra, disparaissant en moins d'une seconde.

Il vit au loin plusieurs femmes courbées sur la grève, en train de ramasser des coquillages. La tête couverte de longs fichus, un panier d'osier dans le dos, cherchant de quoi manger. Il avait lu les journaux, les ravages constants du mildiou, la farine dont le prix avait doublé en quelques jours, les réserves de blé au plus bas. Le faible espoir d'une récolte au rendez-vous l'année prochaine.

Douglass continua de marcher. Un vaisseau accrochait ses grands mâts à l'horizon. Il le regarda s'éloigner. Lorsqu'il se retourna vers la plage, les femmes semblaient évanouies dans leurs pardessus noirs qui, de temps à autre, se pliaient, vides, au rythme de ce qu'elles pouvaient bien glaner.

1998

Para bellum

IL APPARAÎT DANS LA LUMIÈRE DE L'ASCENSEUR et traverse l'entrée. Soixante-quatre ans. Mince, grisonnant, une légère raideur depuis le tennis de la veille.

Blazer bleu marine, à peine froissé, sur un chandail bleu clair, et pantalon à pli. Simple, discret. Sobre jusque dans sa démarche. Les semelles font un bruit net, sec, sur le marbre. Il porte une petite valise en cuir, incline la tête vers le portier qui se baisse pour la lui prendre. Peu d'affaires : un costume, une chemise, le nécessaire de rasage, une deuxième paire de chaussures. Il tient l'attaché-case serré sous l'autre bras.

Il marche vite, on le salue. Le concierge, la voisine âgée sur le canapé, puis l'employé qui lave les baies vitrées. Monsieur Mitchell. Monsieur le Sénateur. George. Bonjour. Les mots semblent converger vers la porte à tambour et la mettre en mouvement.

Le moteur au ralenti, une berline noire attend devant l'immeuble. L'échappement frémit, murmure. Une vague de soulagement : ni journalistes ni photographes, seulement l'envahissante pluie new-yorkaise, ruisselante d'impatience. Rien à voir avec la bruine d'Irlande.

Il surgit dans l'après-midi. Un parapluie est tendu au-delà de la marquise et on lui ouvre la portière.

— Merci, Ramon.

L'insidieuse crainte, chaque fois, d'une mauvaise surprise dans la voiture. Quelqu'un, un compte rendu, la nouvelle qui vient de tomber, l'attentat à la bombe. Pas de répit.

Il glisse sur la banquette, pose la tête sur le cuir frais du dossier. Toujours l'impression passagère de pouvoir revenir sur ses pas, changer de peau. L'autre vie qui l'attend, chez lui en haut. Les journaux se sont beaucoup intéressés à lui, ces derniers temps : sa jeune et belle épouse, leur enfant, le processus de paix. Étonné, après tant d'années, de faire encore couler l'encre. Les caméras aussi, la moulinette électronique. Sa caricature dans les pages commentaires, très sérieux avec ses lunettes. Balayer ça d'un long silence. Fermer les yeux une minute, s'octroyer une sieste avant l'aéroport.

La portière avant gauche s'ouvre, Ramon s'assied, se penche au-dehors pour secouer le parapluie, se retourne en vitesse.

— Comme d'habitude, monsieur ?

Presque deux cents avions en trois ans, un tous les trois jours. New York-Londres, Londres-Belfast, Belfast-Dublin, Dublin-Washington, Washington-New York. Avions de ligne, privés, vols officiels. Trains, limousines, taxis. Il habite deux corps, deux garde-robes, deux chambres, deux montres.

— Oui, JFK, merci.

La berline se met doucement en route, direction Broadway. Revient soudain le sentiment familier de l'absence, la douleur, la tristesse d'un véhicule fermé qui l'éloigne.

— Une seconde, s'il vous plaît, Ramon.

— Oui ?

— Je reviens tout de suite.

La voiture s'arrête tranquillement. Il actionne la poignée, descend, aperçoit le portier, perplexe, lorsqu'il traverse l'entrée en courant. Le crissement des souliers cirés, projetant des gouttes de pluie, puis l'ascenseur.

Dix-neuvième étage, verre et hauts plafonds, les fenêtres entrouvertes. Columbus Circle au sud, Central Park à l'est, le fleuve Hudson à l'ouest. Nuages ou pas, la lumière se télescope à l'intérieur. Les musiciens des rues, sortie du dimanche, résonnent en bas. Du jazz. Les longues étagères blanches, les beaux tapis persans. Une lampe déjà allumée dans un coin, le parquet de bois brésilien sur lequel il marche sans bruit.

Dans la chambre du petit, Heather penchée devant la table à langer, les cheveux ramassés dans le cou. Elle ne l'entend pas entrer. Il la regarde fermer le Velcro de la couche neuve. Se penchant plus près, elle embrasse le bébé sur le ventre. Détache ses cheveux, se penche encore et le chatouille. Il gazouille.

Mitchell reste à la porte jusqu'à ce qu'elle sente sa présence.

— George.

Elle détache la courroie de sécurité, enveloppe l'enfant d'une couverture. En riant, elle s'avance vers son mari, la couche sale à la main.

— Tu as oublié quelque chose ?

— Non.

Il l'embrasse. Puis son fils. Lui pince gentiment les orteils, taquin. Ses petits pieds ronds, si doux au toucher.

Il prend la couche encore chaude des mains de sa femme, la jette dans la corbeille. La vie et ses espiègleries, pense-t-il. Extraordinaire ! Une couche. Tiède. Soixante-quatre ans.

Devant la porte de l'ascenseur, Heather le tire vers elle par le revers du blazer. L'odeur du bébé sur leurs mains à tous deux. La plainte aiguë des câbles et des poulies.

Ce qui la travaille le plus : que l'arme d'un assassin, là-bas, lui déchire la chair.

Tant de meurtres imprévisibles. Une jeune catholique et son enfant, le soldat anglais qui s'effondre sur eux, la balle qui sifflait encore dans son dos. Le canon froid sur la nuque du chauffeur dans le taxi. La bombe devant la caserne de Newtownards. Une fille de Manchester, projetée six mètres en l'air, ses jambes qui retombent, arrachées. Une femme de quarante-sept ans, enduite de goudron et de plumes, attachée à un réverbère d'Ormeau Road. Le facteur aveuglé par le colis piégé. L'ado aux genoux, chevilles et coudes striés de balles.

Lorsqu'elle l'a accompagné en Irlande du Nord, au mois de juillet, Heather avait le sang glacé en voyant les miroirs sur roulettes glissés sous la voiture. Une formalité, disait George, avant de monter. Qu'elle ne s'inquiète pas pour ça. Il avait une sorte de dignité années 50, qui semblait écarter le danger.

Elle aimait le regarder dans une foule, faire exception de lui-même, se dissoudre presque, pour que chacun se sente important. Il croyait en autrui, savait bien écouter. Rien d'apprêté ou de calculé, tout simplement sa façon de faire. George disparaissait dans un groupe. Sa grande taille, ses épaules voûtées, ses lunettes, même son élégant costume se fondaient dans la masse. Il fallait parfois qu'elle parte à sa recherche, et elle le retrouvait dans un coin, en train de parler avec des gens inattendus. Il se penchait vers eux avec un rire soudain, leur prenait le bras. Peu importe qui c'était, les gardes du corps devenaient fous. Sa faute, bien sûr : incapable de dire non, de se détourner. Courtoisie d'un autre temps, un air de Nouvelle-Angleterre. Comme les vagues autour d'un îlot, on se rassemblait autour de lui et on l'emportait, sans qu'il s'en rende bien compte. À la fin d'une soirée, elle le voyait patauger, George le nageur invétéré, cerné d'autres rameurs, soudain las, intimidé, prêt à s'extirper du grand bain, sans les décevoir si possible.

Du pied, Heather bloque la porte coulissante plus longtemps qu'il ne faudrait. Elle se referme, il s'en va dans le couinement des câbles, les secrets de l'immeuble. George reviendra dans quinze jours, pour le week-end de Pâques, il a promis.

Le *cling !* de l'ascenseur au rez-de-chaussée. Il est parti.

Le double croisement du Lincoln Center. Tohu-bohu, les danseurs courent vers les portes, la fanfare sous les arcades, un trombone pour chasser la pluie.

S'il aime bien le West Side, Mitchell regrette de ne pas habiter à l'est, plus accessible depuis l'aéroport. Simple réalité concrète, gagner une demi-heure de trajet, rester près de Heather et Andrew quelques instants de plus.

Broadway encore, jusqu'à 67th Street. Amsterdam Avenue à gauche vers le nord. Si Ramon a de la chance, les feux seront synchronisés et ils longeront une succession de marquises jaunes. La cathédrale, puis Harlem, vers l'est maintenant. Un tourbillon de visages et de parapluies. 124th Street. Le grand portrait de Bobby Sands sur un mur près du commissariat. Il s'était promis de chercher qui l'avait peint, et pourquoi. Que fait cette fresque à New York ? *SAOIRSE*[12] en lettres de couleur, par-dessus la tête du gréviste de la faim. Un mot qu'il a appris, au cours de ces années. Nombre de rues à Belfast sont ornées de fresques semblables : M. L. King, Kennedy, Cromwell, Che Guevara, la reine – immenses, couvrant les murs jusqu'aux pignons.

Coup de volant, et dans la file vers le pont de Triborough. Un reflet de fleuve. Plus loin, en amont, le Yankee Stadium. Qui le renvoie, âgé de treize ans, à Fenway Park : l'étendue verte, encore silencieuse, tandis qu'il monte en haut des gradins. Première incursion dans un stade de base-ball. Birdie Tebbets, Rudy York, Johnny Pesky le bloqueur. Un petit gars de la campagne qui découvre la ville. Ted Williams se place sur le marbre. Le Kid, Thumper, Splendid Splinter. Coup d'envoi : Mitchell entend la balle craquer sous les projecteurs. De beaux jours. Si longtemps, pas si loin.

La banquette reste fraîche. Les années l'ont vu prendre part à tant de cavalcades, défilés et processions que rien ne vaut le silence. Échapper au radar, ne serait-ce qu'une heure ou deux.

Le temps d'ouvrir sa mallette, et ils joignent l'autre rive. Ramon montre son insigne au péage. Parfois la police tente de jeter un coup d'œil à l'intérieur, derrière les vitres teintées, comme on scrute la surface d'un ruisseau. Si c'était une belle prise ? Ça n'est que moi, je suppose. L'équipe est déjà au travail à Belfast et Dublin. Chez lui à New York, ainsi qu'à Washington et dans le Maine, il a refusé la protection rapprochée. Ils ne vont pas lui coller une bombe sous la tondeuse à gazon, quand même ?

Du nouveau. Un rapport de Stormont. Un mémo interne sur le désarmement. Le dossier du MI-5 sur la libération des prisonniers. Des secrets longtemps gardés. Les vieilles espérances. La violence des faibles. Toutes ces permutations, ces circonvolutions deviennent lassantes. Il aimerait voir se dégager une ligne d'horizon. Reposant un instant la paperasse, il regarde par la vitre la cité qui défile. La pluie tambourine sur le verre, déformant les gris et les jaunes, les cubes de béton de Queens, les enseignes aux néons brisés, les châteaux d'eau en bois, de guingois, gonflés, pourris, l'écheveau des métros aériens. New York, cité primitive, consciente de ses défauts, sa chemise sale, ses dents entartrées, sa braguette ouverte. Mais Heather l'adore, c'est sa ville, celle qu'elle veut habiter. À contrecœur, il doit bien reconnaître qu'elle ne manque pas d'attraits. Cela n'est pas le Maine, mais rien n'égale le Maine.

Il a lu quelque part qu'un homme sait réellement d'où il vient lorsqu'il a décidé de l'endroit où on l'enterrerait. Il a déjà choisi, l'île des Monts Déserts, la falaise au-dessus de la mer, la courbe de l'horizon et le vert profond, la mousse qui éclabousse la roche escarpée. Tout ce qu'il demande : un carré d'herbe au-dessus d'une crique, une clôture blanche autour, des cailloux pointus pour lui griffer le dos. Semez mon âme dans la terre rouge, laissez-moi reposer heureux devant les pêcheurs qui relèvent leurs nasses, la longue danse de l'écume, la ronde des goélands. Soyez patient, Seigneur. Au moins vingt ans encore. Trente, même, et pourquoi pas trente-cinq ? Il reste tant de nouveaux matins. Tenir jusqu'au prochain siècle, peut-être.

Les pneus font siffler l'eau de pluie. Ramon a le pied lourd sur l'autoroute. Il sinue d'une voie à l'autre sur Grand Central Parkway. Le bruit sec, brusquement, des roues sous les bretelles. Van Wyck, la voie rapide, point de non-retour. Les frêles épaules du ciel retiennent la lumière.

Pâques dans deux semaines.

Le dernier round.

Si vis pacem, para bellum.

Hier, dans le soleil jaune de Central Park, Heather a exécuté son revers de main de maître, la raquette fendant l'air, la balle flottant une seconde avant de fuser juste au-dessus du filet. Riant de l'insolence du coup – le geste était impeccable –, Mitchell s'est précipité, mais trop tard. Tout autour d'eux, la ville applaudissait. Les feuilles, les arbres et les immeubles. La buse à queue rousse qui survolait les courts. Les nuages malins perdus dans le bleu, la baby-sitter derrière eux qui berçait le landau, et l'envie subite de téléphoner à Stormont, d'en rester à quarante partout.

Il attend que Ramon se gare pour lui faire un cadeau. Sans cérémonie. Trois billets pour le premier match de la saison, avec les Mets. Bonnes places, près du marbre. Allez-y avec les enfants. De futurs fans ! Dites bien à Bobby Valentine que nous comptons sur lui.

Ils le connaissent tant, à JFK, qu'ils ont déjà conclu la paix. Vos droits. Nos retards. Vos remboursements.

Au comptoir de la British Airways, les hôtesses ont un faible pour lui, son calme, son humilité. De loin, il se fond dans la masse, mais impossible lorsqu'il est là : un mélange d'aisance et de précision. Sa timidité est une forme de séduction.

Elles le prennent par le bras, lui évitent les portiques, les fouilles, l'emmènent directement à ce qu'elles appellent la Vippery. Il préférerait suivre les autres voyageurs, mais elles insistent, la compagnie tient à lui faire gagner du temps. Par ici,

Senator, par ici. Le sol est abîmé dans le couloir, les murs tachés, et cette peinture d'un mauve infect. Même les plinthes sont éraflées, fendues par endroits.

Par la porte du fond dans le sanctuaire plaqué or. Deux sourires radieux au comptoir. Ces filles adorables en foulard de soie rouge, blanc et bleu, leur parfait accent britannique. Elles vous servent leurs voyelles avec une pince à sucre.

— Ravie de vous revoir, monsieur Mitchell !

— Bonjour, mesdames.

Elles pourraient éviter de crier son nom sur les toits. Saluant d'un signe de tête, il lit le leur sur les badges. Toujours utile de se rappeler un prénom. Clara. Alexandra. On les entendrait rougir quand il dit merci. Il se retourne quand même – tiens, polisson – tandis qu'une autre le conduit vers un siège. Il a croisé là des vedettes de cinéma, des diplomates, des ministres, de grands industriels, quelques rugbymen ronds comme des billes. Les figurants de la célébrité, la Rolex en alerte sous les boutons de manchette. Les projecteurs ne l'intéressent pas. Il veut surtout s'asseoir sans être dérangé, étendre ses jambes et se lever s'il en a envie. Heather a insisté pour qu'il se mette au yoga. Ridicule : faire le chien tête en bas, la planche de dauphin, la posture de la grue. Mais incroyable ce qu'il s'est détendu, il a desserré tous les nœuds. Lui qui était si souple, jeune homme. Il a aussi retrouvé une certaine agilité d'esprit. Une fois installé quelque part, il médite, repère facilement un point où ancrer son regard.

Comme là-bas, tout au fond, là où la pluie orne la nuit. Son corps se dirige vers la fenêtre, la jeune femme n'a plus qu'à l'escorter. Elle a deviné. Sa main légère dans son dos. Pas d'inconvenance, il garde sa mallette entre eux deux.

— Puis-je vous servir quelque chose, monsieur ?

Il s'est converti au thé, ce qu'il n'aurait jamais cru. Ne rien demander à la vie, puisqu'elle vous le donne. Ça a commencé là-bas, pas moyen d'y échapper. Au petit déjeuner, après le repas de midi, en début de soirée, avant de se coucher, une tasse de thé entre deux tasses de thé. Un art qu'il a appris. Il faut une bonne bouilloire. Faire couler l'eau jusqu'à ce qu'elle sorte très froide du robinet. La laisser bouillir un instant. Rincer rapidement la théière, puis le bon nombre de feuilles, surveiller l'infusion. Les Irlandais « mouillent » leur thé. L'alcool ne lui convient pas ; le thé l'a gardé éveillé quantité de soirées. Avec des gâteaux secs. Des biscuits, comme ils disent. À chacun son vice. Sablés McVitie's, contre l'acidité. Il n'est pas homme à remuer l'enfer, ni le paradis.

— Du lait et trois sucres, s'il vous plaît.

Ne pas suivre le froufrou de sa jupe lorsqu'elle s'éloigne. Mon Dieu, cette fatigue. Il s'adosse à son siège. Sa mallette contient des comprimés pour dormir, qu'un ami médecin lui a donnés, mais l'idée ne lui plaît pas. En dernier recours, peut-être. Un journaliste facétieux parle d'une accalmie à Stormont. Il sent déjà le poids des jours à venir, ceux qui ont changé d'avis, le brassage sémantique, la recherche inquiète d'un équilibre. En accord avec ses collaborateurs, il a fixé une date butoir qu'ils se sont promis de ne pas dépasser. Une ligne d'arrivée. Sinon le processus n'aura jamais de fin. Enlisé trente ans de plus. Les clauses, les notes de bas de page, les systèmes et les sous-systèmes, les visions et les révisions. Combien de fois tout cela a-t-il été écrit, réécrit ? Ils les ont laissés épuiser les possibilités linguistiques. De jour en jour, d'une semaine à l'autre, mois après mois. À bouillonner dans leur désolation. À reprendre la parole dans un concert d'aigreurs, ahuris par leur violence.

Comme jouer à cache-cache avec soi-même. J'ouvre la porte et me voilà. Recommencer à compter jusqu'à vingt. Je ne suis pas prêt, mais je cours. Faire semblant de ne pas y être.

Un jeu auquel il jouait autrefois avec ses frères, dans leur petite maison de Waterville. Il se cachait dans le placard sous l'escalier, où sa mère rangeait les bocaux de figues au sirop. Leur odeur familière, en haut des étagères ; son Liban à lui, exigu, bien rangé. Un mince rai de lumière filtrait à travers la porte, perçait l'obscurité. Tapi dans un coin, il attendait qu'ils viennent l'en déloger. Mais ils avaient tant l'habitude qu'il se réfugie là qu'un jour ils l'ont laissé mijoter des heures, juste pour le mettre en rogne. Pour les énerver à leur tour, il était resté immobile, sous les étagères en bois, jusqu'à ce qu'ils se décident à l'en sortir, après l'heure du dîner. Oui, il avait gagné. Des courbatures surtout.

Les vieux souvenirs reviennent par surprise, soudain nets et concis, tel un saumon bondissant au-dessus de la surface. La maison donnait à l'arrière sur la Kennebec. Vaste rivière, elle charriait d'immenses troncs, que les treuils, ruisselants, hissaient hors des eaux grises. Les fumées de la scierie dérivaient au sud. Les scies hurlaient. La sciure tourbillonnait dans le vent, avec le sifflet des locos. Une ville consciente de ses prérogatives. Mitchell livrait le journal à vélo, les mains sur son guidon à franges. Passait le pont à tréteaux, emprunté par les trains. Il savait tout des petits chemins et des routes secondaires. Les pièces de monnaie tintaient dans ses poches. Il aimait la surface gelée de la Kennebec, l'hiver, se demandait ce qu'elle camouflait sous la glace : de l'eau qui cache de l'eau. Les hommes rentraient de longues journées dans les usines où ils donnaient leur chair. La teinte bleutée de la neige, le matin, noircie le soir par les gravillons.

Il avait grandi dans les vêtements de son frère. Sa mère souriait en voyant migrer les chemises d'une paire d'épaules à l'autre, comme si la jeunesse était un bien transmissible. Quand rien n'allait plus à personne, elle chargeait les habits dans son coffre pour les apporter à Gilman Street, dans la boutique de l'Armée du Salut. « *Ya hadi* », disait-elle. Donnez-nous la grâce.

Mitchell semblait sorti d'un livre de Horatio Alger et le savait. D'origine libanaise, sa mère était employée dans le textile. Son père, orphelin, concierge à l'université. Une adolescence à l'américaine, dont les journaux se moquaient parfois. Pourtant, une vie inquiète l'attendait après la fac. Délits, actes, contrats, le marteau de la justice. Il aurait pu être notaire avec nœud papillon, magistrat d'une petite ville, résidant en banlieue. Webster et Darrow pour inspirateurs, et le chemin de la réussite. Défendre l'Harmonie et la Paix. *Je vous dis de ne pas résister au méchant*[13]. Les mystères deviennent des faits. Avocat, il détestait perdre. Il avait tenté sa chance. Ne jamais être second. Élu procureur, battu au poste de gouverneur, nommé juge fédéral. Washington : quinze ans, dont six chef de la majorité au Sénat. Le deuxième homme le plus puissant des États-Unis.

Jouez à pile ou face, et la pièce ne tombera jamais ni d'un côté ni de l'autre. Il savait écouter ce qui la faisait dévier. Parfois même, à sa grande surprise, elle se plantait de travers. Vietnam. Grenade. Salvador. Koweït. Bosnie. Mexique. À chaque fois le bon sens au bord du précipice. Assurance maladie. ALÉNA. *Clean Air Act*[14]. Sans garantie de bénéfice ou de changement.

Quittant la vie politique, il avait suivi sa propre route, exercé en cabinet, le temps de respirer à l'abri des flashs. Refusant de siéger à la Cour suprême. Mais le président l'appela de nouveau, Clinton avec son charme tranquille, l'ambition faite aisance. Rends-moi service, George. Deux semaines en Irlande du Nord. Comme un congrès, une convention. Recruté. Il irait les deux semaines, pas plus. Quinze jours qui, presque à son insu, devinrent une année, puis deux, et trois. L'ombre de Harland et Wolff[15] planant sur Belfast. Le vague espoir d'interrompre la course du long iceberg bleu, le courant sous-marin de l'histoire irlandaise, les profondeurs.

Il jette un coup d'œil par la fenêtre sur les rangées d'avions, les voiturettes qui s'activent au milieu, les hommes des pistes avec leurs bâtons lumineux. Le monde entier toujours en déplacement, toujours pressé. Les lois, inévitables, de notre importance. Combien au ciel, à l'instant même, contemplent leur image dans cette agitation brumeuse au sol ? Curieux de s'apercevoir dans la vitre, comme dehors et dedans à la fois. Un jeune garçon observe un homme âgé, redevenu père, étonné de se rencontrer. La vie et l'art de distribuer les imprévus. De ne jamais rien achever.

Cent fois, les journalistes lui demandèrent d'expliquer l'Irlande du Nord. Comme s'il allait attraper une formule au vol, une déclaration pour l'éternité. Il aime bien Heaney, le poète. « Deux seaux sont plus faciles à porter qu'un. » « Quoi que vous disiez, ne dites rien. » Illusions dispersées, moments de calme, des voies s'ouvrent dans le paysage. Il n'a jamais pu rassembler tous les partis politiques autour d'une table, encore moins résumer la situation par une phrase. Une qualité bien irlandaise, l'art de détruire et d'étoffer la langue en même temps. L'estropier et la vénérer. Même leurs silences sont poétiques. L'éloquence élevée au rang de menace. Des heures durant, il a écouté leurs logorrhées sans que jamais ils ne lâchent le verbe auquel ils tiennent. Hystériques méandres, tours et détours. Brusquement, il les entend répéter : « Non, non, non », comme si le langage n'avait jamais eu que ce mot pour produire du sens.

Paisley. Adams. Trimble. McGuinness. Jetez-leur une phrase, regardez-les se mettre en branle. Ahern. Blair. Clinton. Mowlam. Hume. Robinson. Ervine. Major. Kennedy. McMichael. Belle distribution. Shakespearienne presque. Dans les coulisses, il attend avec de Chastelain et Holkeri qu'ils brandissent leurs lances. Ou pas.

Ces séjours, il le reconnaît, avaient quand même quelque chose d'électrisant. L'intensité. L'audace. Une nouvelle adolescence. D'autres étagères. Émerger du placard en costume-cravate, les mains levées comme pour se rendre. Volet 1. Volet 2. Volet 3[16]. Il déteste les éloges, les effusions, les démonstrations hypocrites, les références à sa patience, sa maîtrise de soi. S'il faut se mesurer à quelque chose ou à quelqu'un, ce serait plutôt aux fanatiques, les vaincre sur le terrain de la ténacité. Une violence différente qu'il ressent en lui-même, qui le pousse à s'accrocher, se battre. Le terroriste se cache toute la nuit dans son fossé trempé. Le froid, l'humidité remontent au travers de ses bottes, le long du dos jusqu'au sommet du crâne, rejaillissent par ses pores, l'attente glaciale, le départ des étoiles, puis le matin et ses miettes de lumière. C'est cet homme-là qu'il faut confondre ; supporter comme lui le gel, la pluie, la saleté. Le guetter derrière les roseaux, dans le noir, même sous l'eau en respirant par un tube – pour l'empêcher *in fine* de braquer son arme. Qu'importent le froid, l'épuisement qui succède au plus pur ennui. Faire mieux que ce salaud, avoir une longueur d'avance, ne serait-ce qu'un souffle. Ce sera lui qui, transi, n'aura plus la force de presser sur la détente, lui qui, dégoûté, découragé, gravira lentement la colline. Jouer le temps, l'obstruction sous d'autres formes, mais être là lorsqu'il sortira du fossé. Alors le remercier, serrer sa main, l'escorter dans l'allée de ronces, la lame du droit dans le dos.

— Votre thé, monsieur.

Joignant gracieusement les paumes, il remercie l'hôtesse qui lui apporte de petits sandwichs bien faits, du thé et des noix de cajou sur un plateau en métal.

— Quelques noix, monsieur ?

— Ah.

Ne pas sourire de toutes ses dents, encore moins éclater de rire. Des noix, oui[17]. Il aimerait lui dire qu'il en a trop vu, des cinglés, ces derniers temps, ce qu'elle pourrait prendre mal, une remarque grossière. Il sourit quand même, la laisse poser le plateau sur la table basse. De fait, ils sont légion. Paramilitaires, politiciens, diplomates, même chez les fonctionnaires. L'Irlande du Nord est un polygone à six, sept, huit côtés, voire davantage. Une lumière, une luciole, jaillit parfois du noir. Les contextes s'entrecoupent. Rien à exploiter là-haut : ni pétrole ni terrains, et DeLorean est partie. Mitchell n'est pas payé, on lui rembourse ses frais, c'est tout. En guise de salaire, un gain politique, bien sûr, pour lui, le président, la postérité, peut-être l'histoire avec un grand H. Il est des moyens plus simples de prétendre aux vanités, des gloires plus accessibles.

Il sait bien qu'on le croit ici et là suspendu à de longues ficelles. Marionnette de justice. Polichinelle d'une farce de paix. Il s'en fiche, même quand les journaux le représentent, sombre et lugubre, se balançant sous les fils. L'insolence des dessins humoristiques, les railleries perfides. C'est un homme combatif : il a gagné le droit d'entrouvrir les ténèbres, d'accompagner certains jusqu'au pas de leur porte.

Les Irlandais eux-mêmes ont peur de faire traîner les choses indéfiniment, et donc il endiguera les flots, les courants et les crues. Il aura plus de quatre-vingts ans quand Andrew entrera à l'université. Le père qu'on prend pour le grand-père. Tous ces lointains ancêtres, ces fantômes sans âge. Soixante et un enfants nés en Irlande du Nord le même jour que son fils. Soixante et une vies possibles devant eux : la lame du regret qui claque sur les vertèbres. Andrew n'a que cinq mois. Mitchell compte sur les doigts de quatre mains les journées passées avec lui. Combien d'heures, dans ces salles austères, à écouter ces hommes se disputer pour une virgule ou un point, avec une chose en tête : faire une visite surprise à Heather et au petit. Parfois il les regardait, lui-même intervenant peu ou pas. Une langue de cerfs-volants. Leurs nuages de logique impromptus dans le ciel. Pris en flagrant délit d'incontinence verbale. Une expression, soudain, l'élevait au-dessus des cimes, dans ce que le Nord appelle *yonder*, là-bas, toujours plus loin. Immergés dans leurs mots, leurs assemblées plénières, l'atmosphère cassante, la virilité à l'étroit, et l'implacable sollicitude. La main levée, non, ils n'attendaient pas tant de respect. Pourtant, ce qu'ils en avaient besoin ! Ça crevait les yeux.

Il aurait aimé se débarrasser des hommes, remplir de femmes les salles et les couloirs. Le choc, court et cuisant, de trois mille deux cents mères. Celles qui, au supermarché, cherchent dans les décombres les jambes de leur mari. Qui lavent encore à la main les draps du fils jamais revenu. Qui, en cas de miracle, mettent un couvert de plus à table. Les élégantes, les furieuses, les malignes, celles qui couvrent leurs cheveux d'un filet, toutes celles que la mort épuise. Ni photos sous le bras, ni gémissements publics, elles ne se frappent pas le torse. Le chagrin se lit dans leurs pupilles, un puits sans fin dans une mer de lassitude. Mères, filles, petites-filles, grands-mères ne faisaient pas la guerre, mais leurs os et leur sang en portaient les souffrances. Combien de fois les a-t-il entendues ? Deux phrases pour la même chose : il s'appelait Seamus, mon fils est mort, il s'appelait James, mon fils est mort, il s'appelait Peader, mon fils est mort, il s'appelait Billy, mon fils est mort, il s'appelait Liam, mon fils est mort, il s'appelait Charles, mon fils est mort, il s'appelait Cathal, mon fils est mort, il s'appelle Andrew.

Le martèlement de la pluie dehors. Les chariots à bagages s'activent. Mitchell souffle sur son thé trop chaud, prend un biscuit. Ses soirées : dimanche en Irlande, mercredi à Londres, jeudi à Washington, son cabinet d'avocats, vendredi à New York. Retour à Londres le dimanche et Belfast à nouveau.

Comme s'il ne voyageait jamais : des milliers de kilomètres en chambre de décompression, le même thé dans la même tasse dans le même aéroport, la même ville, où l'attend la même berline.

En cas de retard prolongé, il serait si facile de rentrer, monter dans l'ascenseur, la clé dans la serrure, allumer la lumière, redevenir un autre qui l'occupe tout autant.

On le conduit dans l'avion après tout le monde. Le rare privilège de l'homme invisible. Quelle bonne idée : anonyme et influent à la fois !

À Washington, on le reconnaissait. Coups de coude et tapes dans le dos. Les couloirs du pouvoir. Galas, garden-parties et tapis rouges : quelle horreur. Les flashs, les points de presse, les caméras, pénibles nécessités. À New York aussi, on savait qui il était, mais New York, impudique, s'en fout, ne s'occupe que d'elle-même. Dans le Maine, il se sentait chez lui, parmi les siens.

Là dans cette nation d'air et de nuages, il n'est certainement pas un inconnu. On se dépêche d'accrocher son veston au cintre, de placer son sac dans le coffre. Un coup d'œil le rassure, il n'a personne à côté de lui. Pas de sourire forcé, de sourire convenu. On est au courant de ses petites habitudes. Près du hublot, l'attaché-case sous le siège. Il délace ses chaussures, sans encore les enlever. Cela paraîtrait grossier avant même le décollage.

Munie de pinces et d'un plateau, l'hôtesse s'engage dans l'allée. Il saisit la mince serviette brûlante qu'elle lui tend, la passe sur son front, et bien entre les doigts. Elle se rafraîchit très vite. Pour une fois, il regrette de ne pas disposer d'un de ces fichus téléphones portables. Mobiles, cellulaires, GSM, comment appellent-ils ça encore ? Juste pour un bref coup de fil chez lui. Mais il en a fait un point d'honneur, et il persiste, se frappant la poitrine comme un vieux singe. Il a vécu sans ça pendant plus de soixante ans, ce n'est pas aujourd'hui qu'il va s'y mettre. Ridicule, ce truc. Tous ses assistants en ont un. Le groupe des négociateurs. Les journalistes aussi. Une fois ou l'autre, au dernier moment, il en a emprunté un au passager voisin. Dire trois mots à Heather. La main sur le micro pour ne gêner personne.

On lui pose le menu sur les genoux, eh oui, le même depuis le début du mois : bisque de homard, salade du jardin, poulet cordon bleu, nouilles thaïlandaises, filet de bœuf, risotto aux champignons. Les Anglais tentent d'améliorer leur réputation culinaire, dirait-on. Ils font de leur mieux et le montrent. Des durs, ces gens-là, intransigeants, quoiqu'ils se soient bien adoucis depuis quelques années. Gênés par ce qu'ils ont imposé, des siècles durant, aux Irlandais. Prêts à débarrasser le plancher en quatrième vitesse. Ils s'en laveraient les mains tout de suite, s'ils n'avaient pas à le faire devant le reste du monde. Comme ébahis que ça puisse exister, l'Irlande du Nord. Comment ont-ils jamais pu croire qu'elle allait leur rapporter quelque chose ? Tout cela se résume à de l'orgueil. À l'arrivée, comme au départ. Ils aimeraient s'en aller avec un minimum de dignité. Abracadabra. Voyeurs décalés de leurs propres pratiques. Ceux du Sud confrontés au dilemme inverse. Gênés d'avoir été dépossédés. Des siècles de patience ; comme on convoite la femme d'un autre. Et soudain elle est là, disponible, accessible, mais on n'est pas sûr de la désirer encore. À méditer. Où en est la dot ? Le mildiou dans la grange où l'histoire est rangée. Les unionistes, les nationalistes, les loyalistes, les républicains, les planteurs, les gaélistes. Leur interminable musée, salle après salle, de tableau en tableau. Montés sur de grands chevaux, leur drapeau hissé au combat. Des rives et des sièges. Les nouilles alphabet du terrorisme.

Tout d'abord, il eut du mal avec leurs accents. Les consonnes affûtées, nettes, anguleuses. Ils semblaient parler une tout autre langue. Il se penchait pour tenter de les comprendre, derrière leur micro. La fine ponctuation du chagrin. *Ach. Aye. Surely.* Pas notre faute, monsieur le Président. Six et vingt-six ne s'additionnent pas. Ils l'ont enfoncée à coups de pied, cette porte, non ? Le pauvre Peader, jeté de l'hélicoptère. Sans vouloir vous contredire, Sénateur, on ne parle pas aux assassins. Si vous voulez vous faire une idée, pourquoi ne venez-vous pas à Shankill[18], pour une fois ?

Ils jetaient par terre le contenu de tiroirs sans fin. Mais il s'y est mis, assez vite. Il sut distinguer ceux de Belfast, de Dublin, de Cork et de Fermanagh, même de Derry et Londonderry[19]. La géographie entrait dans les mots. Chaque syllabe chargée d'histoire. La bataille de la Boyne. Enniskillen. *Bloody Sunday.* Des indices dans les moindres détails. Gary était un *prod*[20]. Seamus un *taig*[21]. Liz habitait Shankill Road. Bobby à Falls Road[22]. Sean étudiait à St. Columba. Jeremy à Campbell. Le Bushmills, whisky protestant. Les catholiques boivent du Jameson. Personne n'avait de voiture verte. On ne porte pas de cravate orange. En vacances, on va soit à Bundoran, soit à Portrush.

Hissez le pavillon. Choisissez votre drogue. Et votre bourreau.

Tu parles d'un sac de nœuds. Autant s'en servir d'oreiller. Laisser reposer une éternité.

Il commençait pourtant à les apprécier : politiciens, diplomates, relais d'opinion, fonctionnaires, vigiles, même les grandes gueules devant les grilles. Chacun sa musique à lui, une dose de générosité. L'éloquence du linge sale. On lui affirma un jour qu'un vrai Irlandais était capable de parcourir quatre-vingts kilomètres juste pour entendre une insulte – cent, si l'affront était réellement bon. Une tendance à se déprécier, s'effacer. L'esprit toujours en éveil. La fascination de l'impossible. Il s'est pris dans le dédale de leurs disputes, de leurs imbroglios, des marges de manœuvre, des efforts, prêt à apprendre, à glaner quelque chose. Les moments anonymes recèlent toujours une clé. Les femmes de la cantine attiraient son attention. Sourire triste, gentillesse désillusionnée. Dieu vous aide, monsieur, vous perdez votre temps. Sans doute, mais je ne renonce pas.

Il sait aussi que – du moins au début – on l'a pris pour une poire. L'Arabe. Le Yankee. Le juge. Vot' Bonheur. Mohammed. Mahatma. Achab. Cul d'acier. Pour quelque raison bizarre, ils l'avaient même surnommé le Serbe. Mitchell n'allait pas se réclamer de ses origines irlandaises, ou libanaises. La vénération des ancêtres, pas son genre. Devenir minuscule, hors de tout continent.

Assurément, certains auraient aimé qu'il sorte de ses gonds, une fois au moins. Qu'il se prenne les pieds dans le tapis, fasse un impair. Pour eux-mêmes se soustraire aux reproches. Mais il parvint à se fondre dans le décor, gardant le silence, les yeux au-dessus de la monture de ses verres. Il se méfiait de sa propre importance. D'autres avaient lancé le processus : Hume, Reynolds, Major, Clinton. Lui voulait le mener au bout. L'attraper au vol et le faire atterrir, comme ces lourdes machines du début de siècle, grosses caisses d'air, de bois et de filins, qui avaient réussi à vaincre l'océan.

Le soleil lève une paupière rougie derrière le hublot. Londres se devine sous les brumes matinales. Le bourdonnement des moteurs, de l'éclairage. Ses pieds ont gonflé pendant la nuit. Il se lève pour attraper son chandail dans le coffre à bagages.

Un peu gêné que Heather tienne à l'habiller. Elle connaît un tailleur iranien qui lui fait des costumes croisés. Il lui a fallu un peu de temps pour prendre le pli. Pli, plier. Les pull-overs viennent de chez Cenci, ou une de ces boutiques. Réconfortants. Petite soumission au souvenir. Curieux que la distance révèle les passions. Il suffit presque d'enfiler un chandail pour se retrouver dans 67th Street. Curieux, aussi, de voir sa vie réorganisée aussi facilement. L'échec de son premier mariage est certainement celui qui le contrarie le plus. Cela n'a pas fonctionné, tout simplement. Ils avaient pourtant essayé, tous deux s'étaient accrochés, mais ce qui est brisé le reste.

Les cendres ne font pas du bois. Il avait craint, un temps, que sa fille maintenant grande le voie dans son nouveau costume, ses cravates, qu'elle ne dise rien, que son silence accuse le naufrage.

La veste sur les épaules, et en avant. Le sixième à sortir de l'avion. Encore engourdi, pas tout à fait debout, il laisse passer d'autres passagers. L'air lui fouette les mollets.

Au milieu du couloir, une main sur son coude le surprend. Attentat ? Meurtre ? La fin du cessez-le-feu ? Ce n'est qu'un jeune homme aux yeux bleus, un anneau à la narine. Il devait se trouver tout à l'avant. Son visage lui dit vaguement quelque chose. Une star, de la musique peut-être, ou du cinéma. Bonne chance, monsieur le sénateur, nous prions pour vous. Avec l'accent britannique. Un jeune ? Qui prie ? Ces mots-là appartiennent aux vieilles d'Irlande du Nord, ajustant leur résille, perles blanches enroulées autour des doigts.

Il lui serre la main et poursuit son chemin. Ce qu'il déteste ces passerelles. Qui sera venu l'attendre ? Quelles nouvelles consignes de sécurité ? Il y en a toujours plus, de ce côté-ci de l'Atlantique. Il devine leurs silhouettes, tout au bout. Une jeune blonde aux cheveux courts lève un bras à son intention. Il ne l'a vue que deux fois, mais se rappelle son prénom : Lorraine. Deux autres gardes du corps s'avancent à grands pas vers lui. Leurs têtes n'annoncent rien : pas de mauvaises nouvelles, troubles, chagrins. Quelle chance.

— Avez-vous fait bon voyage, monsieur ?

— Oui, très bien, merci.

Bidon, bien sûr, mais pourquoi se plaindre ? Lorraine ne va pas lui tendre un oreiller. Ils filent en bas de l'escalier, vers la voiture, direction le Terminal deux.

— Je suis navrée, monsieur, l'autre avion a trente-cinq minutes de retard.

Elle glisse les pouces sous sa ceinture, trois étuis de téléphone avec lesquels elle jongle avec grâce : les télécoms au Far West.

La British Midland leur a réservé une section du salon privé. Thé, viennoiseries, yaourt. Lorraine lui donne un mémo qu'il parcourt rapidement. Un rapport sur Blair et Ahern. Des concessions sur la coopération Sud-Nord. Une clause de l'accord-cadre de 1995. Statut et habilitation du Conseil des ministres. On s'achemine, dirait-on, vers un consensus à propos du volet 2.

De quoi s'autoriser le luxe d'un bref sourire. Deux heures du matin à New York. Heather et Andrew endormis.

Au sol, le Nord a l'air stupéfié par la lumière du matin. Des flaques jaune vif sur les laisses de vase. Les champs, tellement verts, tellement grands. Lacs et terres inondées. L'estuaire d'argent, et le Lough Neagh, immense. Rejeté par le troupeau, un nuage menu trotte, solitaire, vers l'ouest. L'avion vire et Belfast apparaît, toujours plus petite qu'il ne s'y attend. Les hautes grues des chantiers navals. Un dédale de rues transversales. Les terrains de foot. Les immeubles collectifs. Cette agitation désolée. Des champs encore, puits de verdure. Il ne l'a jamais vu si nettement, le sol ; la journée claire domine le voile de brume. Tout se confond si souvent dans la grisaille, des rues, des murs. Une vague tristesse dans la descente, la gorge se resserre au-dessus du grand lac.

Sur l'herbe en dessous, l'ombre se juxtapose à l'avion, puis disparaît. Bienvenue à Belfast International Airport. Prenez garde à la chute éventuelle d'objets lors de l'ouverture des coffres à bagages. L'hôtesse défroisse son veston. Il échappe aux formalités, sort devant la buvette, jette un coup d'œil à la une des journaux sur les présentoirs en métal. Rien de grave. Bon augure.

Dehors, une légère odeur de fumier. Trois véhicules officiels, moteur au ralenti. Gerald, son chauffeur, le salue d'une main, prend la valise de l'autre.

Dans la voiture, il lui passe un papier couvert de chiffres. Brève inquiétude – ça n'est que les scores du base-ball, version Reuters, recopiés à la main. Ah oui, le début de la saison. Il les étudie en vitesse. Les Sox ont gagné le premier match. Alléluia, chantez avec moi.

— Ça commence bien.

— *Aye, Senator*. C'est où, Oakland ?

— Oh, loin là-bas. Californie.

— Au soleil ?

— Je ne veux que de bonnes nouvelles, Gerald.

— On va voir ce qu'on peut faire, monsieur.

Quittant l'aéroport, le cortège s'engage sur la M2, grosse autoroute bordée de haies, champs, fermes isolées. La circulation reste fluide jusqu'aux abords de la ville. Cela pourrait être n'importe quelle périphérie en Amérique, s'il n'y avait les drapeaux hissés sur les cités et les lotissements, qui revendiquent le ciel et lui donnent leurs couleurs. L'étoile de David pour les unionistes, le drapeau palestinien pour les républicains. Petites guerres, grands territoires.

En grosses lettres blanches sur un mur noir, près de Ballycloghan, un nouveau graffiti annonce : « Jamais nous ne t'oublierons, Jimmy Sands. »

Gerald ne peut réprimer un sourire ironique.

Les premiers temps – lorsqu'il prit part au processus –, il se faisait conduire au Stranmillis Tennis Club, sur les bords de la Lagan.

Une dizaine de courts de plein air, en gazon artificiel, sablé. Dur pour les chevilles. Mais il aimait s'entraîner, jouer avec les jeunes fonctionnaires. Ils s'efforcèrent de ne pas le battre, puis comprirent qu'ils n'y arriveraient pas. Tenace, infatigable, Mitchell jouait en fond de court, près de la ligne, renvoyait balle après balle, sans problème, toujours au-dessus du filet. À voir les photos, on n'aurait pas cru qu'il soit aussi gaillard.

Avec son sweat-shirt bleu, son short blanc et ses chaussettes tube, il persistait des heures dans le crachin irlandais. Se moquait joyeusement de lui-même devant le miroir des vestiaires. L'âge a cet avantage qu'il vainc la fatuité.

Revenant du court le plus au nord, il remarqua un matin, surpris, un groupe de femmes à l'autre extrémité du club. Se faufila parmi elles sans rien dire. Des panneaux étaient disposés en haut des gradins : TOURNOI FÉMININ DES DEUX IRLANDE.

L'idée lui plut. Au moins, elles pouvaient s'associer quelque part. Une dame âgée, qui se déplaçait en fauteuil roulant d'un court à l'autre, retint son attention. Épaisse comme sa masse de cheveux gris, elle devait avoir quatre-vingt-dix ans et se débrouillait très bien avec son fauteuil. Une impression de bienveillance. Elle s'arrêtait devant les barrières, griffonnait au crayon sur les affichettes, appelait les participantes et les arbitres. Une voix chantante, sur fond d'accent américain – à vérifier.

Plus tard dans la journée, il revint après les séances plénières à Stormont. Les chamailleries habituelles l'avaient vidé de son énergie. Et le tournoi n'était pas terminé. Desserrant sa cravate, il retira son veston, se glissa dans la foule pour regarder la finale.

Un plaid sur les genoux, la dame au fauteuil y assistait aussi, hochant la tête à chaque nouveau point, applaudissant en fin de partie : bruyante, animée, mémorable. Il n'aurait pas su dire qui elle encourageait. De temps en temps, elle éclatait de rire, posait la tête sur l'épaule d'une plus jeune à côté d'elle. Bravos et acclamations ponctuaient discrètement le début de la soirée.

Ces moments-là, refuge des anonymes, avaient sa préférence. Les petites choses du quotidien. Un pays sans guerre.

Dernier match, derniers applaudissements polis, on poussa la dame au fauteuil vers le buffet, où elle se servit une coupette de champagne.

Lorsqu'elle fut seule un instant, il remarqua la roue, coincée au bord de la pelouse synthétique. Se présentant, elle lui tendit la main.

— Lottie Tuttle.

— George Mitchell.

— Oh, on sait qui vous êtes, monsieur le sénateur. Tout le monde a vu vos revers lamentables, ce matin.

Il renversa la tête en s'esclaffant.

— Vous êtes américaine ?

— Bon Dieu, non.

Elle termina sa flûte en plastique.

— Canadienne. Plus ou moins.

— Plus ou moins ?

— Terre-Neuve.

— Bel endroit.

— Je me suis appelée Lottie Ehrlich, dans le temps. Ça ne date pas d'hier, quoi.

— Si vous le dites.

— Mes vrais ancêtres s'appellent les druides.

Elle rit, des traces d'irlandais dans l'accent. D'un geste élégant, elle actionna sa roue droite et le fauteuil pivota.

— J'habite dans la péninsule. Strangford Lough.

— Oui, le lac. On m'en a parlé.

— Un petit cottage au bord de l'eau. Vous devriez nous rendre visite, monsieur. Vous serez le bienvenu.

— Je suis un peu surchargé, en ce moment.

— Nous espérons que vous saurez mettre de l'ordre dans cette pagaille.

— Je l'espère également, Lottie.

— Ensuite vous travaillerez votre revers, sourit-elle.

Se propulsant très bien toute seule, elle se dirigea au fond du court pour échanger quelques mots avec la lauréate du tournoi. Hilare, elle se retourna en chemin :

— Il faut apprendre à placer votre jambe derrière vous.

Comme elle était toujours fourrée au club, Mitchell la revit plusieurs fois. Au dire de tous, Lottie avait été plutôt bonne au tennis. Elle avait perdu un petit-fils au début du conflit, des années plus tôt. Le sénateur ne lui posa jamais de question : il ne voulait pas se trouver dans l'obligation de prendre parti – la faute à qui, quel meurtre, quelle bombe, quelle balle en caoutchouc, quelle bureaucratie.

Il aimait sa détermination à manipuler son fauteuil sans l'aide de personne.

Un matin, il la remarqua alors qu'elle se plaçait au milieu d'un court, vêtue comme autrefois d'une jupe large et d'un corsage blancs. Sa raquette était un modèle ancien – grand cadre en bois, cordage rouge et blanc, en boyau. De l'autre côté du filet, sa partenaire, plus jeune, lui envoyait des séries de lobs. Elles jouèrent une demi-heure. Lottie réussit à relancer trois ou quatre balles, puis, épuisée, regagna le fond, où elle finit par s'endormir sous une couverture, une compresse de glace sur son bras enflé.

L'accès aux bureaux de Stormont est difficile. Les rangées de petits immeubles trapus n'ont rien d'un palais. Surnommés le Goulag. Bien vu. Très approprié.

La voiture s'arrête lentement. Les foules amassées devant les grilles, bougies d'un côté, drapeaux de l'autre. Mitchell garde la tête baissée. La banquette arrière est un nouveau chez-soi. Dans un coin là-bas, il aperçoit un homme qui porte un panneau : « Incroyable, mais possible ». Un frisson de joie le transporte.

Alléluia, pense-t-il, tandis que le portail s'ouvre. Le véhicule avance au pas, les flashs réfléchissent sur la vitre.

Il s'élance depuis le parking, monte les marches deux à deux. Décalage horaire ou pas, il va y aller à l'énergie.

Tous sont ici réunis : le Nord, le Sud, l'Est et l'Ouest. Les unionistes au bout du couloir, les républicains à l'extrême opposé. Deux gouvernements : les Irlandais au rez-de-chaussée, les Anglais à l'étage. De jeunes diplomates tâtent le terrain d'entente. Des modérés un peu partout. Les jolies observatrices de l'Union européenne déambulent avec leurs blocs-notes. Le bourdonnement des photocopieuses, le cliquetis des claviers, l'odeur de café bouilli.

Il avance prudemment, mais d'un pas décidé : poignée de main, œillades, hochements de tête, sourires. Tim. David. Maurice. Stewart. Claire. Seamus. Charles. Orla. Rory. Françoise. Bonjour. Ravi de vous revoir. Le rapport sera prêt à midi, monsieur le Sénateur.

Du punch dans la démarche, le long du morne couloir, vers les toilettes étroites, où il change de chemise. Les deux bras dans les manches, en vitesse. Il n'aimerait pas être vu torse nu. Plus près du miroir, maintenant. Les cheveux grisonnent trop vite, trop clairsemés là-haut.

Le peigne, la raie, il s'asperge le visage d'eau fraîche. Le nom de la Kennebec lui revient à l'esprit, sans qu'il sache pourquoi. Lors d'un dîner à Dublin, ils avaient chanté cette chanson : *Flow on, lovely river, flow gently along / By your waters so sweet sounds the lark's merry song*[23]. Bons musiciens, les Irlandais, mais tous leurs chants d'amour sont tristes, et tous leurs chants de guerre sont gais. Il les a souvent entendus, tard le soir dans les bars, les notes montant jusqu'à sa chambre d'hôtel.

Son équipe l'attend à la réception. Martha. David. Kelly, les yeux cernés comme lui par le manque de sommeil.

Ils appellent le standard pour qu'on fasse monter de Chastelain et Holkeri, suivis de leurs propres équipes, composées l'une et l'autre d'Irlandais et d'Anglais. Une longue procession d'épuisement.

— Bon voyage, monsieur ?

— Excellent, merci.

Ils rient doucement : bien sûr que ce n'est pas vrai. Ils ont leurs récits de guerre, leurs vols retardés, les anniversaires oubliés, la canalisation de Joy Street qui a explosé. Un mariage sans eux à Newcastle-upon-Tyne. Le pneu crevé sur la route de Drogheda, une nièce malade en Finlande. Quelque chose les réunit dans leurs distinctions. Tous en ont par-dessus la tête du processus, mais la date butoir fait office de sursaut.

— Alors, demande-t-il, où en sommes-nous exactement ?

Ce dont ils disposent : un avant-projet de soixante pages, deux gouvernements, dix partis politiques, et moins de quinze jours devant eux. Volet 1. Volet 2. Volet 3. Rien de coulé dans le marbre. Le tissage impossible des mots. Toutes les pièces de la mosaïque en suspension, jusqu'au plus petit atome. Les nœuds mal ficelés. Un amendement, peut-être ? On serait déjà en train de tout réécrire. Repousser la date limite. Ils ont avancé, à Londres ? Et à Dublin ? Que se passe-t-il à la Maze[24] ? Long Kesh, c'est comme ça qu'ils l'appellent ? On a demandé les minutes des séances plénières. Que veulent-ils dire par « négociations substantielles » ? Les services de sécurité ont-ils vérifié l'appartenance politique du personnel à la cantine ? Cette ferme, à la frontière du comté de Tyrone, où on aurait découvert des caisses pleines de lance-roquettes antichars ? Grâce à qui le rapport du MI-5 a-t-il atterri au *London Times* ? Quand va-t-on démanteler le *Sunday World* ? Paisley veut organiser une manif devant les grilles. Il paraît que Mo Mowlam a encore enlevé sa perruque ? Vous vous rendez compte qu'ils ont essayé de planquer un magnéto, ici, sous un canapé ? Des rumeurs d'assassinat dans la prison elle-même. Une bombe de deux cents kilos désamorcée à Armagh. Quelqu'un a jeté un cocktail Molotov dans le jardin d'une crèche catholique. La Women's Coalition fait un appel au calme et à la retenue. La lumière est restée allumée dans le bureau de Trimble jusqu'à quatre heures et demie du matin. Il faut absolument faire effacer le graffiti sur Jimmy Sands à Ballycloghan. En tout cas, s'assurer que les photocopieuses marchent parfaitement. Que toutes les pages portent bien le tampon « projet ». Les choses sont-elles parfaitement claires, maintenant, pour le Conseil ministériel Nord-Sud ?

Tout le monde quitte un refuge précaire, s'élance dans les airs, invente une trajectoire avant de toucher terre.

Plus tard ce matin-là, seul dans son bureau, Mitchell allume la lampe. La pièce a été nettoyée, le cadre des photos épousseté. Papiers, montagnes de dossiers. Le voyant rouge du répondeur clignote. Il saute d'un message au suivant : sept en tout, l'avant-dernier est de Heather. Elle a dû téléphoner au milieu de la nuit. « Écoute », dit-elle. Son fils qui dort. « Écoute. » Le souffle court d'un bébé. Il le repasse deux fois, puis une troisième.

Soixante et un enfants.

Il retire ses boutons de manchette, remonte ses manches, appelle en bas pour, s'il vous plaît, qu'on lui apporte une autre théière.

Un été en Acadie, il a appris à jouer aux échecs. Pièce après pièce, coup après coup. Lenteur, prudence, prise en passant. Le roque le fascinait. D'abord rapprocher le roi de la tour et placer celle-ci de l'autre côté. Un intérêt particulier pour les limites du plateau : quatre coins, quatre rangées. Proverbe : « Cavalier au bord, cavalier mort. »

Il aimait garder le cavalier au-dessus de la ligne des pions jusqu'à ce que, plus tard dans la partie, il puisse le planter au milieu de l'échiquier. Alors il régnait sur huit cases d'un coup.

L'équipe et lui séjournent trois nuits à l'Europa, en plein centre de Belfast. « Chez Isorel », comme ils disent. Le palace en miettes. Parti en morceaux vingt-sept fois au fil des ans. L'hôtel le plus plastiqué d'Europe. Celui que préfèrent les journalistes, pour quelque raison bizarre. Il les appelle, presque tous, par leur prénom ; ils traînent au piano-bar du matin au soir ; il les voit souvent, au fond, un premier verre devant eux, prenant la pose, insondables, tout à leur dédain nonchalant. Comme si on les forçait à boire. Une sorte d'obligation. Le premier verre est vite remplacé, et au bout de six autres ils deviennent invisibles. Ils ont fait Sarajevo, Srebrenica, le Kosovo, sans doute. L'Irlande du Nord n'étant qu'une légère régression, une vague mélancolie. Pour la plupart, le processus de paix a une valeur sentimentale. Un mystère au fond d'eux réclame l'échec avec l'épopée. Ils sortent pratiquement tous les soirs, à la recherche des tonneaux en feu, des filles aux genoux brisés, d'une fuite, une indiscrétion, un parfum de scandale, une secte libidineuse. Lorsqu'il traverse la réception, ils tentent de lui arracher un commentaire. Mitchell comprend : l'impulsion à donner à l'article. Alors ils offriront au monde leur propre version des faits. Avant tout, éviter les tabloïds : le *Sun*, le *Mirror*, *News of the World.*

Prendre garde à qui l'accompagne dans l'ascenseur, au cas où un photographe, par surprise, voudrait les immortaliser.

Ils le considèrent comme le fugitif d'un autre siècle, sage, poli, réservé. Un Américain d'autrefois, mais c'est aussi une forme de camouflage : ils devinent qu'en dessous il attend son heure, il est forgé pour la fin du XXe. Personne n'est parvenu à lire dans ses pensées, abhorre-t-il les forces du mal, est-il motivé par la promesse de jours meilleurs, ou bien nage-t-il dans les eaux troubles ? Discrétion. Secret. Sommeil.

La petite suite est sombre à l'étage. Le lit étroit. Le couvre-lit usé, brillant. Au moins y a-t-il un saladier de fruits sur la table, et des fleurs sur la commode. Clin d'œil : des lys de Pâques[25].

Bagages par terre. Veston. Chemise. Ceinture. Pantalon. Heather n'est pas là pour mettre de l'ordre. Il s'allonge, épuisé de travail, les trilles de la journée dans les oreilles. S'inquiète pour les deux gardes postés dans le couloir. Aimerait les inviter à s'asseoir, ouvrir le minibar, leur offrir un soda. Tous des types bien, mais quel travail de passer ses nuits devant une porte, sans rien que le silence d'un homme qui a appris à s'assoupir n'importe où, n'importe quand.

Les chambres d'hôtel affûtent sa solitude. La rumeur persistante de ceux qui y ont dormi.

Au restaurant en bas, une des assistantes a perdu une lentille de contact, près de la fenêtre. À genoux, elle la cherche le long des plinthes – un peu de poussière, la moquette qui rebique – et l'aperçoit collée au mur. La détachant du bout du doigt, elle remarque, pour la première fois, que le lé de papier peint est neuf, entre deux autres plus anciens. Le carré découpé aux bonnes dimensions, mais mal posé. Une trace de brûlé en dessous, le noir aujourd'hui cramoisi. Sûrement un cocktail Molotov, quelques années plus tôt. Les hiéroglyphes de la violence.

On lui a dit que les femmes de Belfast gardent une couverture mouillée près de la porte d'entrée, au cas où.

Il repousse la sienne, passe à la salle de bains. Dans sa garde-robe fantôme qui le suit partout, il trouve son pyjama et l'enfile en vitesse. Plus agréable pour se coucher, même deux ou trois heures.

Hume, Trimble, Adams, Mowlam, Mallon, McMichael, Cooney, Hill, Donoghue, McWilliams, Sager viennent séparément lui rendre visite. Des hommes, des femmes qui portent l'inquiétude sur leur visage. Tous ont quelque chose à perdre, quelque chose à donner aussi – le prix de l'échec, d'un possible renoncement, il sait.

Ils sont à l'aise avec lui car ils le connaissent. Mitchell évite de rester derrière son bureau. Pas de territoire enclavé. Il s'assied avec eux à la table qu'il a fait installer, près de la fenêtre, avec quatre chaises en bois.

Avec chaque nouveau visiteur arrivent un nouvel assortiment de biscuits et une théière fumante. Il sert le thé. Un de ses petits gestes, tactique peut-être, surtout un agréable rituel. Les plateaux s'entassent ensuite les uns sur les autres. Son protocole à lui : il ne veut pas être dérangé pendant les entretiens. Mise en scène ou pure courtoisie, il ne saurait le dire.

Il descendra la vaisselle à la cantine, où les dames aux filets à cheveux se pressent vers lui en s'excusant.

— Mais enfin, monsieur !?

— Il ne fallait pas !

— *Ach*, vous exagérez ! Ce n'est pas votre travail !

— Si je n'étais pas mariée, je vous embrasserais.

— Vous ne voulez pas venir nettoyer ma cuisine, tant que vous y êtes ? *Aye*, ça en ferait un, de processus de paix, je vous le dis !

Si les tables sont vides, il se poste dans un coin pour les observer. Il aime leurs voix chantantes, leur chahut. Elles lui rappellent les filles du Maine, dans les restaurants populaires. Celles des postes à péage, derrière leurs fenêtres noircies par les échappements, celles qui se penchent vers vous.

L'une des femmes de service, Claire Curtain, a une cicatrice à gauche sur le front, en forme de fer à cheval. Elle l'a surpris un après-midi, alors qu'il la regardait, et Claire lui a joyeusement donné l'explication : un attentat. Elle se rendait à un concert, au kiosque à musique, quand la bombe a explosé. Un régiment à cheval était stationné à proximité, elle marchait dans l'avenue bordée d'arbres, et lorsqu'elle a repris conscience, sonnée, Claire a vu, ébahie, les fers qui se balançaient, accrochés aux branches.

Les couloirs bourdonnent. On perçoit les slogans de la foule au loin devant les grilles. Les hélicoptères inquiets tournoient dans le ciel. Un paquet de McVitie's calé sous la manche du veston, il prend l'escalier du fond pour regagner son bureau.

L'été dernier, Gerald est passé par une ferme, sur la Plantation Road, près de Derry. Ils revenaient d'une conférence à Coleraine, et il était encore tôt : Mitchell n'était pas censé retrouver Belfast avant minuit.

Il aurait aimé longer la mer, prendre la route des caps, mais ils avaient viré à l'ouest, dans un coin reculé de l'arrière-pays où Gerald avait grandi.

De grands châtaigniers déployaient leurs branches sur les chemins. Les troupeaux paradaient dans les prés. La lumière rasante prolongeait les ombres des haies et des arbres. Une végétation exubérante, gorgée de pluie comme dans le Maine.

À l'orée d'une forêt soigneusement entretenue, Gerald montra son école primaire, les champs, le club de boxe. À neuf ou dix heures du soir, le ciel était encore clair, les oiseaux voletaient au-dessus des meules de foin.

— Déjà venu par ici, monsieur ?

Il fit signe que non. Passé une petite colline, le chauffeur se gara devant un portail bleu. Dans le vallon en bas, de grosses pierres brunes permettaient de traverser la rivière à gué. D'énormes chênes se penchaient sur l'eau. Un tracteur avait laissé de grossières empreintes sur la rive.

Gerald descendit de voiture et s'adossa au portail, les mains sur les joues. La fumée légère d'un feu de bois dérivait dans l'air. Pourtant la soirée d'été était douce.

— J'habitais ici quand j'étais môme, dit-il en indiquant une fermette à l'ombre des grands chênes. Ma petite sœur est toujours là.

Mitchell comprit où il voulait en venir. Pas de problème, pensa-t-il. Il commençait à être tard, mais ils avaient bien une heure devant eux.

— Rendons-lui visite.

— *Ach*. Sheila vit là avec ses gosses. Elle va avoir une crise cardiaque en me voyant.

Le chauffeur se réfugia dans le silence, comme s'il attendait un commentaire, mais il n'y en eut pas. Le soleil peignait lentement les prés. Le sénateur ouvrit la barre du portail et poussa celui-ci. Il grinça, résista. Le fermoir était rouillé. Quelques écailles de peinture bleue se détachèrent.

— Je vais me dégourdir les jambes, dit-il.

Du dehors, le champ avait curieusement paru très plat, régulier. Mais les herbes épaisses, hérissées d'épines, cachaient des mottes de terre et de vieux tas de fumier. Il s'approcha des arbres imposants. Ses bons souliers semblaient aspirés par le sol. Gerald l'appela, puis Mitchell entendit le bruit sec de la portière, le ronronnement du moteur à l'allumage. Se retournant, il vit la voiture se mettre en marche, le toit dépassant juste de la haie.

Quand Gerald klaxonna, Mitchell répondit d'un signe de la main, et poursuivit son chemin. Le soleil bas lui faisait une ombre oblique. Au nord, le ciel se colorait. Une aurore boréale au loin. Des rouges, des verts, des mauves. L'ourlet de son pantalon s'accrochait aux herbes. La boue clapotait sur ses talons.

Arrivé devant la rivière, il pensa à rebrousser chemin. Le klaxon insistait. Gerald ne le voyait plus. Mitchell desserra sa cravate. Les pierres du gué paraissaient glissantes. Lorsqu'il se baissa, il crut distinguer des vairons filant sous son reflet. Le couchant imprimait des cercles irisés sur la surface. Il se retint d'abord à une branche, s'accroupit légèrement de crainte de tomber, mais se posa sans problème sur la pierre du milieu.

Le feuillage bruissait autour de lui. Des odeurs de mousse, de roseaux, de truite. Réjouissant que de tels moments puissent encore exister. Il leva la tête sous l'immobilité des arbres. Un éclat de ciel. S'accrochant aux herbes hautes devant lui, il gagnait presque l'autre rive lorsqu'il trébucha. Un tourbillon glaçant autour de sa cheville. Il se hissa sur la berge escarpée. La chaussure, libérée, lui raclait le talon. De nouveau le klaxon au loin.

À cinquante mètres de la ferme, il l'aperçut dans la cour, devant la corde à linge, entre les bâtiments en pierre et les épaves de voitures. Jeune, en tablier, les cheveux en chignon au-dessus de la nuque. Haute et longue d'une trentaine de mètres, la corde blanche était fixée à deux poteaux. Un grand panier en osier sur la hanche, cette femme détachait d'interminables draps de lit. La sœur de Gerald.

Elle pinçait les épingles à linge, une par une, et les plantait dans ses cheveux.

À l'ouest, un globe posé sur l'horizon teintait les draps de reflets roses.

Mitchell entendit le téléphone sonner à l'intérieur : le silence portait les sons. Elle se baissa, posa son panier sur les pavés et, d'un air las, se dirigea vers la maison. Parut soupirer à la porte. La sonnerie s'arrêta.

Un cri retentit un instant plus tard, et il la vit ressortir, un ouragan en tablier, pinces et cheveux au vent. D'un geste, elle arracha le dernier drap sur la corde, en jetant autour d'elle des regards affolés.

La voiture remontait l'allée en klaxonnant. Mitchell quitta son abri sous les arbres. Gerald, hilare, avait baissé sa vitre.

— Monsieur le sénateur, dit-il à sa sœur.

— *Ach*, dans quel état sont ses chaussures ! Qu'as-tu fait à ce pauvre homme ?

— Entièrement ma faute, expliqua Mitchell.

— Moi, c'est Sheila.

— Enchanté.

— Il vous a lâché au milieu des champs ?

— Pas exactement.

— Il a jamais eu sa tête, notre Gerry.

Elle prit Mitchell par le coude pour le conduire à l'intérieur. Il essuya soigneusement ses pieds sur le paillasson, traversa une sorte de souillarde puis, en chaussettes, s'engagea dans un long couloir carrelé. Le gros fourneau rouge dégageait de la chaleur. Une odeur de cuisine récente. De la vaisselle toute simple, des poteries sur les étagères murales. Dans la grande pièce, trois enfants tranquilles, en pyjama, regardaient un jeu télévisé. Très blonds, avec des taches de rousseur. D'une voix aiguë, cassante, Sheila les appela. Ils éteignirent la télé et se levèrent. Posant un genou devant eux, Mitchell les salua un par un.

Il leur demanda leur nom. Cathal, Anthony, Orla. L'absence se réveillait : il leur montra une photo d'Andrew que, sans comprendre, ils étudièrent sans rien dire.

On l'invita à s'asseoir. À la cuisine, la bouilloire sifflait déjà sur le feu. Gerald prit place à table en face de lui, les mains jointes, un généreux sourire aux lèvres.

Des papillons de nuit traversaient le jour de la lampe au fond de la pièce. La tapisserie avait un motif à fleurs. Une rangée de photos disposées sur le buffet. Plusieurs représentaient un beau jeune homme aux cheveux longs. Elles semblaient le condamner, l'emporter à un certain âge. Mitchell ressentit une vive inquiétude : le beau-frère de Gerald avait-il été mêlé aux Troubles ? Y avait-il eu un meurtre ? Une fusillade ? Ou une sentence, la détention ? Une barre d'angoisse sur les épaules. L'Américain craignit d'avoir commis une grave erreur – s'aventurer dans ce champ, entrer dans cette maison, retirer ses chaussures. On pourrait l'accuser de partialité. Comment se sortir de ce guêpier ? Dans ce pays, il avait toujours pesé chacun de ses actes, de ses gestes. Un accident était vite arrivé.

Deux phares balayèrent le plafond de leur faisceau. La nuit était tombée abruptement. Des voitures, dehors, sur la route. Peut-être les avait-on suivis. Même pris en photo. Oui, les rideaux n'étaient pas fermés. Il s'éloigna de la fenêtre, une main sous le nez. Se maudissant, les doigts noués.

Sheila ressortit de la cuisine et s'avança vers lui. Sa mince silhouette, souple et menue. Son visage s'éclaira sur le pas de la porte. Son regard dur, l'odeur étonnante de son corps. Elle passa une main sur le buffet. La posa sur un cadre et se figea.

— Cela fait six ans, maintenant.

— Pardon ?

— Mon mari.

— Oh, je suis navré.

— En mer du Nord.

Elle jeta un coup d'œil aux enfants, assis sur le tapis près de la porte-fenêtre.

— Il travaillait sur une plateforme pétrolière.

Sheila baissa la voix.

— Je préfère ne pas en parler devant les petits.

Une vague qui le souleva. Merci, merci. Elle avait deviné ce qui le terrorisait. Il voulut prendre sa main dans les deux siennes. La joie de s'être trompé, de pouvoir se le dire. Mais que lui répondre ? Il avait imaginé le pire. L'Irlande. Toujours le pire.

Il se tourna une seconde vers la fenêtre.

— Pourrait-on tirer les rideaux, Gerald ?

Libéré, Mitchell ne pensait qu'à s'affaisser sur son siège. Les tasses de thé, la théière en terre cuite. Demain, il aurait bien le temps de jouer les cyniques. Demain.

Il porta la tasse à ses lèvres. Une petite peau froide, déjà, sur la surface de l'infusion. Il regarda l'horloge sur la cheminée. Bientôt dix heures et demie. Sheila remplit de nouveau la bouilloire. Il étendit ses jambes devant lui. Entendit les enfants gigoter, chuchoter. Quelque chose de drôle se tramait. Ce monsieur célèbre. Son accent américain ? Sa dégaine ? Cette façon de tremper le gâteau dans le thé ? Lorsqu'ils se mirent à ricaner, Sheila se raidit et leur jeta un regard furieux. Ils se turent. Ses yeux se voilaient.

Elle coupa d'autres tranches de cake. Gerald alluma le radiateur électrique. Il avait tant à raconter.

Mitchell consultait l'horloge. À onze heures, il se leva pour dire au revoir. Les petits recommencèrent à rire.

Lorsqu'il lui tendit la main, Sheila le tira vers elle comme un intime, presque pour l'embrasser. Elle lui murmura simplement à l'oreille :

— Je peux la raccommoder, si vous voulez ?

— Comment ?

Tout bas encore :

— Vous ne circulez pas en chaussettes, à Stormont, si ?

Se penchant, il remarqua le trou au talon, sur celle de droite. C'est Sheila qui riait maintenant, tout près de lui.

— J'en ai pour une minute, dit-elle.

Le même soir au téléphone, Heather riait elle aussi à l'autre bout du fil. Trois jours plus tard, il reçut en courrier express – ouvert et étudié par les services secrets – cinq paires de chaussettes neuves, grises, unies. Cinq pour les cinq jours de la semaine, Heather le réclamait ce week-end.

Changement d'hôtel le vendredi. Des rumeurs d'attentat à la bombe, d'assassinats. Ranger pyjama, brosse à dents, garde-robe, et le soir, les services de sécurité l'emmènent au Hilton sur les quais. Dans quelques jours encore, il reviendra au Culloden, celui qu'il préfère.

La belle affaire. Il passe ses journées dans les couloirs sombres du « goulag ».

Blair et Ahern au téléphone. Clinton. Nelson Mandela a adressé ses encouragements. Václav Havel un mot signé de sa main. Tard le soir, il parcourt les couloirs avec Holkeri. La lumière filtre sous les portes. Les murmures dans les ombres. À attendre les nouvelles versions, les phrases remodelées, les paragraphes restructurés, des documents entiers. Il pense aux saumons qui se trompent de chemin en remontant les fleuves. Les escaliers parallèles aux barrages. La Kennebec et ses méandres. Les remous devant la scierie. Le soleil dans les tourbillons, ondes stationnaires, vagues immobiles.

La valise diplomatique arrive de Londres le dimanche soir avec deux jours de retard. Le cœur lui tombe dans l'estomac. Ahern et Blair sur le Volet 2 : à peine lu, il comprend que ça ne marchera pas. Réunion avec de Chastelain, Holkeri et les assistants. Le temps se rafraîchit. Au loin, entrecoupé, lui revient le poème de Frost étudié à l'école. « Je crois savoir à qui sont ces bois. » « Tout ce chemin à parcourir avant, enfin, de pouvoir dormir. » Il aimerait dépouiller le processus, le frapper au coin de l'absolue nécessité. À prendre ou à laisser.

Il a parcouru des volumes entiers consacrés à la non-violence. La paix ne peut se concevoir sans impératifs moraux. Nulle coexistence sans la reconnaissance de toutes les parties. Les exclus du milieu. Le dépassement du moi. Pas de supériorité culturelle. Conscience individuelle, responsabilité collective. Et toujours, toujours répéter ce qui devrait être compris depuis longtemps.

À la conférence de presse, il lèvera les mains en signe d'apaisement. Il est entraîné. Tout un art : les bras écartés pour ne pas encadrer le visage, les doigts ouverts au bout. Détourner les questions sans les refuser. Quelle que soit la réponse, prendre son temps avant de la donner. Parler d'une voix égale, tranquillement, lentement : la voix du droit. Parcourir la salle du regard. Ne pas remonter ses lunettes sur l'arête du nez – un geste fabriqué. Il encaisse déjà les reproches. Sa faute, sa négligence, ses retards. Qu'importe. Il faut avancer.

Il remercie les Premiers ministres et leurs représentants. Grâces leur soient rendues. Tant d'efforts, d'énergie, de concentration. Leur ardeur au travail. Nous les encourageons à continuer. La loi du bon sens. Nous continuons à discuter. Pouvez-vous reformuler votre question ? Cette affirmation, monsieur, est inexacte.

Les flashs des photographes. Lorsqu'un portable se met à sonner, des rires nerveux se réverbèrent dans la salle. Il répond plus vaguement. Contourne la vérité, sur la pointe des pieds. Courtois toujours, jamais courroucé. Son rôle est de combattre la confusion. Retrouver l'heure de la simplicité. Proclamer, de nouveau, les raisons de leur présence. Les Irlandais du Nord attendent depuis assez longtemps.

Il faut signer les papiers, après quoi l'on négociera la paix. Il y aura encore des années de disputes, il le sait. Pas de baguette magique. Mais que le bec des plumes crisse le papier. Pour l'instant, plus que tout, il aimerait en finir avec cette conférence, marcher dans la lumière, que le matin s'emboîte dans le soir, qu'à l'est, à l'ouest, le soleil se lève et se couche en même temps ; et à ces moments-là, il veut se rappeler qu'il est un homme de mots croisés, pantoufles et pyjama, tout ce dont il a besoin, c'est de remonter dans l'avion, traverser l'entrée de 67th Street, retrouver sa deuxième chance, sa deuxième vie à lui, le silence, la paternité.

Par e-mail, il assure à Heather qu'il rentre bientôt. Le dimanche de Pâques au plus tard. Faire attention à ce qu'il écrit – le message peut être intercepté. Ni fioritures ni déclaration enflammée. Il clique sur Envoyer, puis s'en va en promenade dans le parc de Sir Thomas et Lady Dixon, au milieu de la nuit, poussant un caillou du pied entre les roses, suivi au centimètre par les hommes de la sécurité.

La photo apparaîtra le jour du vendredi saint dans les journaux. L'édition de Pâques. Le sénateur jouant avec son caillou. Une pierre dans le noir, loin du tombeau de lumière. En Irlande du Nord, rien n'échappe aux regards, pas même l'évidence.

Dans un récit mythique, il aurait inspecté un silo à grain. Vide, et dont les parois résonnent. Posons-le au sol, ce monsieur, dans l'obscurité. En haut, d'autres hommes regardent le fond, la main en visière, puis lâchent sur lui leurs sacs de grain. Des grains qui sont, en fait, des mots. Une légère pluie d'abord, faite de rancœur, de vanité, d'histoire ; un cliquetis métallique dans le silence. Immobile, il laisse faire, mais bientôt le bruit change, des flots de paroles s'écoulent, il faut les repousser, agiter les bras, se ménager un espace pour respirer. La paille, la poussière volent autour de lui. Les grains, vannés, pleins d'amertume, viennent des champs de ces hommes et, sans rien dire, toussant, crachant, il se démène pour ne pas se noyer. Personne ne remarque – pas même lui – que le niveau monte, le silo se remplit, et Mitchell s'élève en même temps ; les mots se transforment, s'amassent et durcissent sous ses jambes. Arrivé tout en haut, il époussette ses épaules et se dresse sur un pied d'égalité avec ces messieurs qui n'en reviennent pas d'avoir déversé tout ce grain. Ils se dévisagent. Trois façons de descendre. Ils peuvent sauter depuis le bord du silo et oublier ; tomber, s'enfoncer, sombrer dans la masse ; ou apprendre et répandre, et planter peu à peu.

Le matin est à peine une rumeur dans la nuit. Il a son gros manteau gris, une écharpe, un bonnet en laine. Jamais de béret, trop connoté, on le prendrait pour un partisan. Fatigantes exigences de paix. Il tape sur l'épaule de Gerald lorsqu'ils entrent à Stormont.

— Vous êtes sûr, monsieur ?

Les gardes prennent position quand il descend de voiture. Le froid est mordant. L'aube annonce la pluie. Au cas où, il laisse la portière entrouverte. Groupés autour des barils, hommes et femmes se réchauffent les mains. Lèvent les yeux en l'apercevant. Combien de bougies ont-ils apportées, qui ont brûlé toute la nuit ? Le long du mur, des rangées de fleurs, l'une derrière l'autre. Quels mots pour parler des morts ? Il a imaginé ce que ressentent ces gens. La hantise. Combien d'autres nuits ont-ils attendu devant les grilles ? Commerçants, plombiers, musiciens, bouchers, ferblantiers, professeurs. Leurs afflictions, leurs fléaux. Il n'est pas étranger parmi eux. Une jeune fille a l'œil brillant de tristesse. Un homme baisse sa capuche usée pour s'adresser à lui. « *Aye*, sénateur. Et vous ? Glacial, hein ? » Des journalistes se fraient un chemin dans l'affluence. Une musulmane porte le voile : elle aussi est là. L'espérance et l'ardeur résistent dans la froidure, se répandent en murmures.

Soudain Mitchell se fige en voyant son visage au loin. Pas sûr de la reconnaître. Il regarde par-dessus les épaules, les vagues de la foule. Près des barricades, enveloppée dans ses couvertures. Poliment, il joue des coudes pour la rejoindre.

— Bonjour.

— Salut.

Son nom lui échappe pour l'instant. La dame de Stranmillis, qui a perdu son petit-fils.

— Pas de tennis, aujourd'hui ?

— Je voulais voir la fin du match.

— Holà, espérons que ça le soit.

— Jeu et set, monsieur.

— Ce n'est pas encore gagné.

— Sortez-nous de ce guêpier.

Elle s'interrompt, puis :

— S'il vous plaît.

Il hoche la tête. Elle a son plaid collé au menton. Dehors par un temps pareil, à quatre-vingt-dix ans passés. Ce serait si simple d'affirmer qu'il mènera les choses à bon port. Oui, oui, il fera tout ce qui est en son pouvoir. Mais ce n'est pas lui qui décide, en définitive. L'affaire ne lui appartient pas, repose sur d'autres bras.

— Merci d'être venue, Lottie.

— Bonne chance.

— Encore merci.

— Vous connaissez ma fille, Hannah ?

— Bien sûr.

Lottie en plus jeune. Cinquante ou soixante ans. Énergique, perspicace.

— On ne saura jamais vous remercier assez, dit la mère.

— Ce n'est rien.

— Un peu que c'est quelque chose, tiens !

Lottie gigote dans son fauteuil, retire un gant, lui tend la main en ajoutant :

— Vous n'avez pas idée de ce que cela représente.

Lorsqu'on le reconduit à la voiture, il s'assied à l'avant – pour une raison bizarre, qu'il n'expliquerait pas – et pose les poings sur le tableau de bord. Comme s'il s'agissait d'une frontière à franchir, dont rien ne saurait l'écarter. Gerald passe la barrière, qui se referme derrière eux. Vous n'avez pas idée. Sans doute est-elle dans le vrai – s'est-il vraiment rendu compte pendant ces semaines et ces mois ? Maintenant il sait, il sait tout. Et il ira jusqu'au bout, se battra bec et ongles. Le point de non-retour. D'autres cris derrière lui, des slogans, un *lambeg drum* et son bruit de tonnerre.

La portière s'ouvre devant le bâtiment. Mitchell conseille à Gerald de rentrer chez lui, de dormir un peu, mais à l'évidence le chauffeur restera dans le parking, montera le chauffage, inclinera son siège. La radio allumée, il se tortillera dans ce lit de fortune, la buée comme un rideau sur le pare-brise.

Quelques marches, la porte, les lourds couloirs du sinistre immeuble de bureaux. Mitchell serre les mains, pince les épaules. Appelle chacun par son nom. Ils sont polis, respectueux, et ils ont peur. L'affaire est dans leurs mains, et leurs mains peuvent tout perdre. Une fois par millénaire, la paix n'a pas de prix.

Il monte au troisième étage. La cage d'escalier pue le tabac. Entrouvre la fenêtre de son bureau.

La nouvelle arrive dans la matinée. Meurtre à Derry. Un membre des paramilitaires. Revendiqué, diffusé. Les hommes de la violence, leurs absurdes représailles. Trevor Deeney. Dans sa voiture à côté de sa femme, tué à bout portant. Pour quoi faire ? Y a-t-il jamais une raison ? Des représailles qui en vaudront d'autres, déjà annoncées. Assassiner les assassins. Six ans plus tôt, son frère avait participé à un massacre dans un bar, le Rising Sun[26]. Une manière d'ironie, sans doute. Mitchell se voûte sur son bureau. Attachés à une roue, nous ne céderons pas[27].

Si vis pacem.

Il décroche le téléphone. Ça ne peut plus continuer. Il faut produire une déclaration. Nette et précise. Il y a des limites ! N'ayons pas peur.

Para bellum.

Il passe d'un bureau au suivant. S'attelle au communiqué de presse. Tout le monde est d'accord : plus rien ne nous fera dévier. Trop, c'est trop. Nous ne céderons pas. Cette maxime est maintenant la nôtre : nous ne céderons pas.

Il apprend plus tard que la mère de Bertie Ahern vient de décéder à Dublin. Le *Taoiseach*[28] arrivera de toute façon demain par hélicoptère. Blair aussi, avec son convoi. Éminences grises et figures de proue. Les héritiers du problème, tous au même endroit, dans le même bâtiment. Mûrs, préparés. On parle d'un millier de journalistes. Un millier. Il n'en revient pas. Des quatre coins du globe. À lui de coordonner la fin du match. Quoi qu'il advienne. À son bureau, il décapuchonne son stylo-plume. « Il n'est pas question de report ou d'interruption. J'informe toutes les parties que je rejette toute discussion dans ce sens. Il n'y aura aucun sursis, ni d'une semaine, ni d'une journée, ni même d'une heure. Soit nous l'obtenons, cet accord, soit il n'y en aura jamais. »

Il ouvre un peu plus sa fenêtre. Le vent de la mer. Les bateaux là-dehors. Tant de générations qui fuirent. Huit cents ans derrière nous. Notre vision de l'histoire préfigure notre avenir. Toutes ces traversées, dans un sens ou dans l'autre. Passé, présent, et un futur fuyant. Une nation. Le présent remet tout en cause, à chaque instant. Le temps, cet élastique tendu, jour après jour. Tension, rupture, violence, ainsi de suite. Vous n'avez pas idée, monsieur.

Pendant deux jours, il dormira à peine, mangera à peine. Évitera l'hôtel. Refusera de quitter son bureau, où il passera ses nuits. Il se lavera devant le lavabo du petit cabinet de toilette. Ouvrir le robinet, presser le distributeur de savon, se frotter méthodiquement les mains. S'asperger la nuque. Repartir dans le couloir.

Réunions avec Hume et Trimble. Écouter attentivement le moindre de leurs mots. Deux hommes de valeur, les piliers du processus. Des heures au téléphone avec Clinton, à étudier chaque volet dans le détail. Bouffées de rêve. La parade des bruits de pas dans le bâtiment. Avant-projet, projet, nouveau brouillon. Il suppliera les employés de ne divulguer aucun document, page ou chapitre. Se dressera devant la photocopieuse, avec les mémos, qui ne quitteront pas ses mains. Il ira jusqu'à numéroter les copies. L'escalier, les étages, la cantine, le bureau. Un rendez-vous après l'autre. Chefs de parti, députés, diplomates, fonctionnaires. Il croit tenir la même conversation dix fois, vingt fois. Se reprend au milieu d'une phrase – n'est-ce pas ce que j'ai dit il y a une minute ? Le sang qui monte aux joues. La gêne. Comment reformuler ? La crainte d'une émeute, d'un nouvel assassinat, d'un attentat. Il surveille la télévision, la radio, descend se renseigner aux grilles. Rien pour l'instant. Si l'on frappe, c'est chez lui, constamment. Les sandwichs, les théières. Des sirènes retentissent au-dehors, des vivats, des sifflets. Les plis qu'on glisse sous sa porte. Plaintes, murmures et prières. La nourriture, intacte, s'entasse sur les plateaux. Claire Curtain. Lottie Tuttle. Sheila Whelan. Ses journées en pièces détachées. Le besoin de dormir est aussi oppressant que celui d'obtenir la paix. Il faudrait appeler. L'a-t-il fait ? Sa voix. Le souffle du bébé. Sommeil.

Les filles de la cantine terminent leur service à vingt-deux heures, mais ses assistants redescendent, rallument le feu, font bouillir l'eau, jettent les feuilles. En haut, il manie la théière, sert tasse après tasse. Cet épisode de sa vie aura goût de thé.

Blair est cassant. Cravate et costume impeccables. Ahern ébouriffé, affairé dans son chagrin. Imposants l'un et l'autre. L'espace leur appartient. Un bureau au deuxième. Un bureau au troisième. Les réunions, les coups de fil se succèdent. Blair a l'impression d'entrer dans un caisson, dit-il. La tension monte graduellement. Fermente. Une sensation connue, comment appelle-t-on ça, déjà ? Il y a un mot, une expression. Mitchell ne voit pas. Si fatigué. Les douleurs aux épaules. Il cherche, mais en vain.

Quatre heures du matin, chez Blair. Son bureau parfaitement rangé. Le stylo posé en équilibre sur une tasse. La chemise ouverte jusqu'au deuxième bouton. Bloqués sur une question de termes. Les Anglais, leurs mots. Les Irlandais, les méandres du sens. Une mer minuscule les sépare, et pourtant…

Blair passe une main dans ses cheveux. Bizarre, ça, ils sont mouillés. Et les joues brillantes. Il vient de se raser ? A-t-il pris une douche ? Dans ce cas, où ? Comment ? Impossible : pas de salle de bains dans le bâtiment. Depuis des mois qu'il est là, Mitchell n'en a pas vu, pas entendu parler. Inutile, d'ailleurs, il y a l'hôtel pour ça. Mais une douche, là… Rien que d'y penser. Un geyser. Se laver correctement. Il pourrait poser la question, seulement il y a les convenances.

Le décorum. Grossier, sûrement, d'aborder un sujet intime avec le Premier ministre de la reine. Bien. Se concentrer. Les prisonniers, la détention, renvoi de l'instruction. Les termes à choisir. Huit cents ans d'histoire. Différer, ou renvoyer, ou surseoir, et que je te manipule le verbe. Comment forcer la main des unionistes ? Adams rentrera-t-il dans le jeu ? Ahern peut-il glisser un mot à l'oreille de McGuinness ? Conclure, mais quoi ? Où est Hume ? La lumière filtre encore sous la porte de Trimble. L'intrusion de l'ordinaire. Fatigue, quelle fatigue. Blair et ses cheveux mouillés : c'est obsédant.

Il quitte son bureau à cinq heures quarante-cinq et attend quinze minutes pour envoyer prospecter ses assistants. Ils reviennent radieux. Oui, il y a bien une douche, et ils ne l'apprennent que maintenant. Vraiment incroyable. La seule dans le bâtiment, au troisième : guère plus grande qu'un placard. Mitchell monte, se dévêtit, se glisse à l'intérieur, colle la tête au carrelage sale et humide. Lui est égal. Le jet lui fouette les épaules. Chaud, dru sur le visage. Un caisson, oui, tiens. Les crampes. Voilà ce qu'on dit pour le mal des caissons. Les crampes.

Il se sèche avec sa chemise, retourne dans son bureau d'un pas léger, les chaussettes mouillées par l'eau qui coule dans le couloir.

Le vendredi saint, en début d'après-midi, Gerald lui tend une enveloppe. Il déplie la feuille. S'adosse à son fauteuil. Il avait complètement oublié. Les Sox. Eh bien, voilà. À la fin de la neuvième manche.

Il entend des cris à l'étage en dessous, des applaudissements dans le couloir, comme si le pays entier venait d'apprendre la nouvelle.

Mitchell se retourne vers la fenêtre en percevant un petit *tac-tac*. La pluie, légère, tombe en diagonale sur le verre. Étonnées de rencontrer un obstacle, les gouttes hésitent, puis roulent vers le bas, où elles s'accumulent avant de poursuivre leur chute. Il traverse la pièce, tourne la poignée, ouvre en grand. L'air humide s'engouffre dans le bureau avec le ronronnement de la circulation, les klaxons au loin. Des hourras devant les grilles. Les bruits de la rue s'estompent et laissent place au silence. Il aimerait faire durer l'instant, le retenir, s'en envelopper, se l'attacher. Les mains sur le cadre de la fenêtre. La pluie qui caresse ses poignets.

Le téléphone sonne, il entend frapper doucement à la porte, puis avec insistance.

Les cris de joie redoublent dans le couloir.

Paumes à plat sur le carreau. Considérer un tel bonheur, n'est-ce pas le diminuer ? Soixante et un enfants. Il sait déjà que l'ordinaire l'attend, des journées de mollesse et d'indolence, probablement les Troubles lui retomberont sur la tête lorsqu'il s'y attendra le moins – mais ce moment fugace, cette instance suspendue : l'impossible s'est produit.

Il pose le front sur la vitre froide.

Dimanche de Pâques, à l'aube, direction l'aéroport. La journée promet tacitement d'être claire. Les marches de pierre devant le Culloden, la voiture. Les yeux las, les mâchoires et les épaules lourdes. Son corps appartient à un autre fuseau horaire.

Un hélico rôde à l'horizon. Des arbres au loin bercent leurs branches. Les nuages s'effilochent dans les couches de bleu.

Plusieurs journalistes postés dans l'allée devant l'hôtel. *The Irish Times. The Independent. Die Zeit. Le Figaro.* C'est déjà pour eux l'« accord du vendredi saint ». Il les rejoint, les mains dans les poches, comme d'habitude en costume bleu, la chemise ouverte pour une fois, un V bronzé sous le cou, la peau blanche au-dessus. Il n'a que dix minutes et connaît leurs demandes : un tête-à-tête. Fintan. Dirk. Lara. Dominique. Le prénom, toujours. Alors quelques pas, côte à côte, sur le gravier, la poussière grise qui marque ses chaussures. Le calme de ses réponses l'étonne lui-même. Non, il ne faut pas délirer de joie. Le vrai travail ne commence que maintenant. Je suis d'un optimisme circonspect. Disons que l'espoir est intact. Nous avons toujours su qu'il serait possible d'arriver à quelque chose, et nous passons le relais aux Irlandais, du Nord comme du Sud. Par essence, la démocratie a le pouvoir de dire oui quand les puissants disent non. Je reconnais que, parfois, j'ai pensé que nous allions tomber dans le précipice.

Il aimerait dire à l'un d'eux que l'ivresse régnait dans les couloirs de Stormont, qu'il entendait les bouchons de champagne sauter en bas à la cantine, que, la tête contre la cabine de douche, il a pleuré de joie. Mais une certaine retenue est de mise. Le sens de la mesure. Attention où l'on met les pieds, ils se sont tous fait prendre un jour ou l'autre.

En définitive, explique-t-il, l'histoire remettra son verdict. L'accord appartient maintenant au peuple. La paix n'aurait pu être obtenue si l'envie n'était pas là au départ. Il fallait une aspiration, un désir. Tout le monde a coopéré. Non, cela n'est pas courageux de tirer dans le dos d'un policier. Ça l'est beaucoup plus de descendre dans l'arène pour se battre et débattre. Ne faisons pas semblant de croire que tout est fini. Ni que cela vient seulement de commencer. Ce n'était pas une espérance, non, mais une conviction. Des générations de mères le comprendront. Rien de sentimental, pas du tout. Le cynisme est une attitude facile. Un cynique avec du courage vous ferait un optimiste.

La voix prise, brusquement. Réfléchissez, dit-il, c'est assez simple. Nous sommes contraints de changer car nous sommes contraints de nous souvenir. Et nous ne pouvons faire face sans le souvenir. Soixante et un enfants.

Il regarde l'hélico qui continue de tourner, là-bas, qui se penche un instant, disparaît derrière les cimes. Mitchell ressent un choc, lourd, dans sa poitrine, mais les rotors poursuivent leur danse mécanique et le bruit se fond dans le paysage.

Les journalistes le remercient. Poignées de main. Il retrouve Gerald qui l'attend, adossé à la voiture. Un mince sourire aux lèvres, il lui tend un papier. Mitchell le prend, le range, le lira dans l'avion.

Les pneus crépitent sur le macadam. La masse verte, indistincte, des haies. Les entrepôts au loin, la ligne des toits. Le chant aigu des flûtes, les écharpes colorées, les lambeg drums, le tam-tam. Assez. Les deux fusils en croix de l'IRA, les mélopées, les bérets noirs. Au revoir, terminé. Celui qui m'a amené ici devra me raccompagner chez moi.

C'est le matin à New York. Correspondance à Londres, l'Amérique à midi. Premier à descendre et, un instant au moins, oublions les convenances. Passé la douane, elle sera là, penchée sur la barrière. Sa mèche grise dans ses cheveux bruns, ses lunettes noires relevées. Le meilleur comité d'accueil. Il prendra Andrew dans ses bras. Les étreindra tous deux.

Ou il l'appellera avant d'arriver, lui demandera de l'attendre en bas. L'entrée marbrée, les mains sur le verre, Andrew dans le porte-bébé. Le mouvement de la jambe, le talon qui fend l'air. Comme les femmes d'autres guerres. Le tourbillon de la porte à tambour, avec ses quatre vantaux comme les quatre provinces. Il n'en connaît qu'une aujourd'hui, celle du désir.

Ou encore il jouera la surprise. Débarquer sans prévenir. Quitter l'aéroport, filer au bout du couloir, deux secondes de lumière, Ramon garé à côté de la passerelle, la visière sur le front. *Highways*, ponts, panneaux verts, le flot des taxis jaunes. L'arche du péage. Le dernier pont, Harlem à l'ouest, 122nd Street peut-être, et zou ! Broadway. Les familles en balade sous le soleil blanc. Jeunes femmes avec leur chien, gamins et casquettes de base-ball. Ralentir à l'approche du Lincoln Center, se faufiler d'une voie à l'autre. Ramon se glissera vite sur la place réservée. La mallette restera dans le coffre. Je vous en prie, pas de journaux, pas de caméras. C'est lui qui pousse la porte à tambour. Sourires, un œil à droite, à gauche, le portier veut prévenir en haut, non, non, une surprise est une surprise. Pourvu qu'elle n'entende pas le *cling !* de l'ascenseur. La clé doucement dans la serrure, à pas feutrés sur la moquette, un fantôme dans le salon, puis la chambre, ne pas les réveiller, la sieste de midi. Se planter un instant à la porte, pour les regarder. Ses cheveux défaits. Son long corps, mince et tranquille sur le drap. Le bébé tout contre elle. Chaussures, veston, chandail par terre. Se faufiler près d'eux. L'oreiller frais. Un sillon de soleil dans la pièce. Un rire pour desserrer leurs paupières. Le pincement sur la peau, la courbe lente de sa hanche.

Promenade à Sheep Meadow[29]. Des pas dans l'herbe douce. Ces immenses gratte-ciel gris derrière les arbres. Le bonheur de redevenir minuscule, d'embrasser l'insignifiant. Le couchant sur Manhattan, la nuit repoussée de quelques heures.

Pour l'instant, Gerald file dans la campagne, Belfast derrière eux. La lumière rasante sur les champs, clôturés ici, ouverts là.

Il y a toujours assez de place pour deux vérités au moins.

DEUXIÈME PARTIE

Mais ce n'est pas l'histoire d'une vie.
C'est celle de plusieurs vies, soudées,
qui se chevauchent tour à tour,
et se relèvent d'une tombe à l'autre.

Wendell BERRY, *Rising*, « The Wheel »

1863-1889

Glacière

ELLE SE TENAIT PRÈS DE LA FENÊTRE. Cela faisait cent vingt-huit jours qu'elle les regardait mourir. Ils remontaient la route en chariots à chevaux. Jamais encore elle n'avait vu une telle boucherie. Avec leurs yeux trop grands, trop tristes, même les chevaux avaient peine à le croire. La poussière qu'ils soulevaient, le grincement des essieux. Alignés dans l'allée, les chariots s'enfonçaient dans les arbres. Et les arbres s'enfonçaient dans la guerre.

Elle descendit l'escalier, passa les portes ouvertes, la chaleur l'enveloppa. Les bâches étaient relevées sur les derniers arrivants. Improbable silence. Les hommes avaient épuisé leurs cris. Ne leur restait que de courts geignements, de minuscules soupirs. Assis, ils paraissaient dormir. Les autres, allongés, serrés, respiraient d'un seul souffle, formaient une masse compacte. Des contorsions de membres et de sang. Le cuir des hauts-de-chausse pourrissait, leurs chemises en flanelle puaient. La chair déchirée : les joues, les bras, les orbites, les testicules, la poitrine. Le fond des chariots était noir de sang, le sang avait coulé sur les roues, les roues dévidant leur vie sous leurs yeux.

Un soldat avait des galons de sergent sur la manche, une harpe en fil d'or sur son revers. Elle avait soigné beaucoup d'Irlandais, comme lui. La compresse sale sur sa blessure au cou. Des projections de poudre avaient noirci sa figure. Ses dents cassées à force de mordre les cartouches. Il gémit et sa tête retomba sur le côté. Elle nettoya la plaie de son mieux. La trachée faisait un bruit de ferraille. Il serait mort dans quelques minutes, elle le savait. Des ombres lui rayaient le visage. Elle leva les yeux. Les vautours planaient patiemment, leurs ailes immobiles dans les courants d'air. Elle pensa brièvement à étouffer le blessé.

Inutile. Effleurant ses paupières, elle sentit la vie s'enfuir sous ses doigts. Comme tirer un petit rideau rouge. Beaucoup attendaient pour cela les mains d'une femme.

On lui tapota le coude. Le médecin. Un homme replet, trapu, portant un tablier en caoutchouc et un nœud papillon taché de sang.

— Il faut vider les chariots, dit-il, allonger les soldats au sol.

Douze infirmiers, dont quatre femmes, s'affairaient en même temps.

Ils les soulevèrent aussi doucement qu'ils purent, les étendirent sur l'herbe qui conservait l'empreinte des précédents, retirés quelques heures plus tôt. L'herbe suffoquait sous le poids de la guerre.

Les médecins faisaient le tour des mourants, choisissant ceux qu'ils sauveraient peut-être. Les soldats grognaient, étiraient leurs bras. Elle voulut immédiatement les décrasser. Les seaux d'eau en bois étaient prêts, les éponges posées dessus. Elle immergea une serviette.

Des eaux, elle en avait parcouru plus qu'elle n'aimait se souvenir. Lily avait souvent pensé que l'Atlantique ne serait pas trop grand pour laver tous ces hommes.

Ils transportèrent les survivants sur des civières aux bras glissants, maculés de rouge. À l'intérieur, les autres blessés contemplaient le vide. L'hôpital avait été une verrerie. Des malades avaient récupéré toutes sortes d'objets transparents pour les disposer autour de leur lit. Excepté quelques carreaux de vitrail destinés aux églises du Missouri, le gros des stocks avait été emporté et vendu.

Un terrible fracas résonnait parfois lorsqu'un soldat tombait de son lit ou, perdant la tête, renversait sa table de nuit, se débattait contre ses draps ou ce qui se dressait sur son chemin. De grandes feuilles de verre étaient toujours entreposées dans les caves, ainsi que des miroirs par dizaines, que l'on avait cachés afin que les hommes ne puissent pas voir ce qu'ils étaient devenus.

Lily avait quitté St. Louis la même semaine que son fils, pour rester à proximité de son régiment. Il avait dix-sept ans, une belle tignasse châtain. Un garçon timide, soudain enflammé à l'idée de faire la guerre.

Au bout de plusieurs jours de marche, elle avait repéré un ensemble de constructions basses, non loin des champs de bataille : l'hôpital de campagne. On lui confia au départ la blanchisserie, à l'écart, une bicoque bâtie en vitesse avec de gros rondins, bâchée d'une grande toile goudronnée, posée de biais, qui claquait dans les courants d'air. Elle servait d'auvent à six tonneaux de bois, quatre pour l'eau chaude, deux pour l'eau froide. Lily enfilait de longs gants et des bottes épaisses. Le dos de sa robe était constellé de taches de boue, l'ourlet noirci, épaissi par le sang. Elle lavait les draps de lit, les serviettes, les bandages, l'uniforme des médecins et des infirmiers, les vareuses déchirées et les calots, qu'elle essorait ensuite dans un tambour en bois. Un septième tonneau en contenait deux autres plus petits, que l'on faisait rouler ensemble pour extirper la poussière. Après des journées entières à la manivelle, Lily avait les mains couvertes d'ampoules.

Le soir, elle pressait des citrons verts dans les fûts, censés supprimer les odeurs, puis elle étendait sa lessive. La nuit, les coyotes sortaient leurs longues pattes de la forêt, bondissaient sous les cordes et déchiraient le linge propre. Au matin, Lily apercevait des lambeaux blancs dans les broussailles.

Une Noire venant la remplacer au bout de quatre-vingt-six jours, on l'affecta dans les baraquements auprès des infirmiers. Lui confia un boléro noir, une robe de coton fin, ainsi qu'un bonnet, avec l'insigne de l'Union, pour couvrir son chignon.

Elle vidait les bassins de lit, renouvelait l'eau des cuvettes, changeait les draps, garnissait les matelas de paille fraîche, imbibait de camphre ses tampons d'ouate. Frottait les tables d'opération avec du sable. La puanteur – les excréments, le sang – restait intolérable. Lily aurait préféré retrouver sa bicoque, mais elle travaillait bien et les médecins l'appréciaient. Ils lui laissaient faire quelques sutures, changer les pansements. Elle soulevait les malades par les épaules, les redressait dans leur lit, les aidait à expectorer des humeurs noires. Les nourrissait : avoine, haricots, bouillon maigre, graisse de cheval. Revenait nettoyer à chaque nouvelle crise de diarrhée, portait la tasse aux lèvres, leur donnait de la rhubarbe contre la fièvre. Ignorait leur concupiscence, les sifflets qui l'accueillaient en entrant. On immergeait les fous dans des bains de glace, où ils perdaient conscience. Elle leur plongeait la tête sous l'eau, regardait le froid anesthésier leurs bras.

Certains proféraient des obscénités à son approche. Immonde vocabulaire. L'érection de la colère. Pour les calmer, elle se prétendait quaker, bien qu'il n'en fût rien. Alors ils imploraient son pardon. Elle leur effleurait le front, passait son chemin. Ils voulaient l'appeler ma sœur. Lily ne se retournait pas.

En cas d'urgence, elle assistait les chirurgiens : deux fois par jour, il fallait affûter les scies avant les amputations. Les hommes recevaient un mors en caoutchouc pour serrer les dents. Ils le recrachaient, elle le remettait en place. Maintenait leurs épaules, les tampons de chloroforme sur la bouche, le nez. Ils hurlaient quand même. De grands baquets de bois étaient disposés sous les tables pour recueillir le sang. Les membres atterrissaient dans les seaux :

bras, fémurs, doigts, chevilles. Elle lessivait le sol, frottait avec un mélange d'eau et de phénol. Essuyait son balai dehors, dans l'herbe. La terre rougissait. À la fin de la soirée, elle s'en allait vomir au fond du bâtiment.

Peu étaient ceux qui restaient plus d'un ou deux jours. On les envoyait vite dans un autre hôpital à l'arrière des lignes, ou sur le champ de bataille. Comment arrivaient-ils à reprendre le combat, allez savoir, mais, tête baissée, ils repartaient. Ils avaient été mécaniciens, intendants, majordomes, cuisiniers, menuisiers, maréchaux-ferrants. Aujourd'hui ils portaient les bottes des morts.

Ils revenaient parfois, le surlendemain peut-être, et alors on jetait leurs corps dans la longue tranchée, creusée dans la forêt. Lily s'enduisait les narines avec du camphre, pour ne plus sentir.

Lorsqu'elle demandait si l'on avait rencontré son fils, elle parlait d'une voix hésitante, comme on tâte la chair autour de la plaie. Si elle devait le revoir, ils n'auraient sans doute pas beaucoup de temps, pensait-elle. Thaddeus Fitzpatrick. Sa belle carrure de petit homme, ses taches de rousseur, ses yeux si bleus. C'est ainsi qu'elle le décrivait aux inconnus : il était bâti autour de ses yeux. Son père, John, avait disparu depuis longtemps. Lily avait été forcée de garder le patronyme. De toute façon, un autre nom n'aurait rien changé. Ils appartiennent à ceux qui les donnent. À St. Louis, où elle avait été femme de chambre, elle s'était fait appeler Bridie. Changez les draps, Bridie. Nettoyez la cheminée, Bridie. Venez me coiffer, chère Bridie. Un nom de femme, ça se remplace. Elle était aujourd'hui Lily Fitzpatrick. De temps à autre Bridie Fitzpatrick. Mais pour elle, toujours Lily Duggan : si elle avait conservé quelque chose, c'était cela. Duggan, c'était Dublin, les Liberties[30], la grisaille, les pavés. En Amérique, on pouvait tout perdre, sauf le souvenir de son nom.

Thaddeus portait celui de son père, Tad. Elle l'avait élevé seule, d'abord à New York, puis à St. Louis. Un beau petit gars. L'école lui avait appris à lire et écrire. Il aimait bien les chiffres. Un poseur de clôtures l'avait pris, à douze ans, comme apprenti. La chair de sa chair, planter des piquets dans le sol. Elle avait rêvé qu'il s'installe à l'ouest dans la prairie. Grands cèdres, longues chutes de neige, vastes pâturages. Mais la guerre l'avait enraciné. Combattre la tyrannie, disait-il. Quatre fois il avait menti sur son âge, quatre fois il était revenu dans son uniforme cousu main. Toujours plus effronté. Gentleman avec un fond de cruauté. Comme s'il ne se comprenait pas lui-même. Un jour, il l'avait brusquement frappée d'un coup de poing. Lui avait ouvert la peau, sur l'arcade sourcilière. Le fils de son père. Puis il avait boudé, assis à la cuisine, sans s'excuser. Il s'était calmé une semaine ou deux, jusqu'à ce que la colère le pousse de nouveau au-dehors, les épaules serrées dans l'uniforme. Son pantalon trop long qui ramassait la boue.

Il y avait de la musique dans les rues de St. Louis. Trompettes, mandolines, tubas, fifres. Sur les rives du Mississippi, des hommes en nœud papillon chassaient les jeunes recrues, arboraient leurs écharpes militaires, leurs épées de cérémonie. La gloire, le devoir, la virilité. « Sortez le pays de son étau ! Qu'il reprenne conscience de sa destinée ! Benton Barracks[31] vous ouvre les bras ! » Prime d'engagement, soixante-quinze dollars. Tad pensait que la guerre ne durerait que quinze jours, une fredaine de jeunesse. Son havresac sur le dos, il se précipita chez les soldats de l'Union. À gauche, gauche ! Demi-tour, droite ! En avant, marche !

Les tambours marquaient la cadence, les régiments brandissaient leurs drapeaux. Volontaires d'infanterie : First Minnesota, Tenth Minnesota, Twenty-Ninth Iowa. Les bribes d'un chant flottant çà et là. *The sun's low down the sky, Lorena. It matters little now, Lorena. Life's tide is ebbing out so fast*[32].

Si elle ne croyait pas en Dieu, Lily priait quand même pour qu'il ne lui arrive rien, pour ne pas le découvrir dans le prochain chargement. N'était-ce pas le condamner au champ de bataille ? se demandait-elle. Si jamais il revenait sain et sauf, quelles horreurs, quelles terreurs allait-il rapporter ? Des cercles dans les cercles. Des formes sur une croix.

Lorsqu'elle sortit de la salle, descendit l'escalier, il faisait nuit dehors. Elle détestait l'immensité du noir, qui lui rappelait trop la mer. Lily écouta les criquets. Leurs incantations faisaient une meilleure prière.

En janvier 1846, elle avait fait la traversée depuis Cove, à l'âge de dix-sept ans. Huit semaines ballottée, secouée par les flots. Elle avait rarement quitté sa paillasse dans l'entrepont, les autres femmes, leurs enfants. Les lits étaient serrés, agglutinés. La nuit, elle entendait les rats détaler dans la soute. La nourriture était rationnée mais, grâce aux vingt livres que lui avait données Isabel Jennings, elle réussit à subsister. Du riz, du sucre, de la mélasse, du thé. Pain de maïs et poisson séché. Les billets cousus dans l'ourlet de son bonnet. Elle avait emporté une robe de calicot, un châle, une paire de chaussures, quelques mouchoirs, du fil, un dé et des aiguilles. La broche d'améthyste qu'Isabel avait glissée dans sa main, par cette fin d'après-midi pluvieuse – épinglée, invisible, sous la ceinture de ses jupons. Recroquevillée sur sa couchette, terrifiée par la hauteur des vagues, le vent dément, les rafales qui éreintaient les mâts. Des bleus aux tempes à force de se cogner sur le bois. Les ravages, autour d'elle, de la fièvre, de la faim. Un soir où elle montait sur le pont, elle les vit jeter un cercueil par-dessus bord. Il s'ouvrit dans l'écume, qui engloutit une jambe. Un haut-le-cœur, et elle redescendit dans la puanteur. Les jours s'amoncelaient dans les nuits, les nuits dans les journées. Elle entendit un cri. Terre ! Exubérance. Fausse alerte.

New York surgit comme une toux de sang. Le soleil se couchait derrière les entrepôts, les grands immeubles. Des hommes, sur les quais, affichaient leur déchéance. Un autre aboya : « Nom ? Âge ? Lieu de naissance ? Parlez ! Parlez, bon Dieu ! » On l'aspergea de poudre contre les poux, on la déclara apte. Elle se fraya un chemin entre les débardeurs, la police, les mendiants. Les eaux huileuses dégageaient leurs relents. Décrépitude, crudité, saleté. Lily n'avait pas connu beaucoup d'Américains – chez

M. Webb, à Dublin, modèles de dignité, de hautes figures comme Douglass Frederick. À New York, il n'y avait que des ombres. Des nègres voûtés, recroquevillés, marqués au fer. Libres, où ça ? Leurs cicatrices, béquilles, bras cassés. Elle les évita. Les femmes grossières – blanches, noires, mulâtres – aux lèvres peinturlurées. Leurs robes révélaient leurs chevilles. Pas du tout ce qu'elle avait imaginé. Ni beaux carrosses tirés par de puissants chevaux, ni dandys en nœud pap, ni discours enflammés sur les berges de l'Hudson. Mais d'infects Irlandais lui jetant des propos méprisants. Les Allemands taciturnes, les Italiens furtifs qu'elle croisa dans sa confusion. Gamins dans leurs hardes de coton écru, chiens au coin des trottoirs, des razzias de pigeons dévalant le ciel. Son châle serré sur les épaules, Lily s'éloigna des charretiers, des cris, des colporteurs. Le cœur battant sous sa petite robe, elle partit dans les rues, son bonnet dans sa main, terrifiée à l'idée de se faire dépouiller. La vidange collait aux chaussures des passants. La pluie, l'agitation, un paysage de briques et d'éclats de voix. Elle longea les ateliers mal éclairés où s'affairaient les petites mains. Les messieurs en haut-de-forme au seuil des merceries. Les gamins à genoux qui posaient les pavés. Un gros homme et son orgue de Barbarie. Une jeune fille affairée à ses découpages, figures de papier. Anéantie, Lily pressa le pas. Elle avait faim. Un rat se pavanait sur le trottoir. Elle dormit dans un hôtel de 4th Avenue. Les punaises cachées sous la tapisserie. Les hennissements d'un cheval qu'on battait à coups de trique la réveillèrent au matin. Son premier en Amérique.

Les feuilles de verre étaient fabriquées avec les sables les plus purs. Elle aperçut son image à la cave : trente-six ans, menue, les cheveux blonds encore, malgré les tempes grises. Le tour des yeux ridé, de longs sillons dans le cou.

Lily surprit un soir un soldat qui avait cassé le verrou en bas et bâti une sorte de cage autour de lui. Couché dans son cercueil de verre, il riait comme un fou. Il avait les cheveux bruns. Elle le reconnut. Il avait vidé son flacon de laudanum.

Le lendemain matin, les plaques de verre étaient rangées, proprement empilées dans un coin. L'homme était de ceux qui repartaient au combat. Celui-là survivrait, pensa-t-elle.

— Essayez de trouver mon fils.

Il ne la regarda pas.

— Il s'appelle Fitzpatrick. Thaddeus. Tad. Une harpe sur le revers de la vareuse.

Il finit par hocher la tête, les yeux rivés ailleurs. Assurément, il ne l'avait pas entendue. Un cri retentit et il se mit en marche avec les affligés. Ils plièrent leurs ponchos, récurèrent leurs gamelles, marmonnèrent une prière, partirent.

Un spectacle ordinaire de les voir maintenant disparaître derrière les arbres, témoins muets de leurs mousquets.

Elle alluma la mèche de la lampe au mur. La flamme vacilla, bleue et jaune. Lily replaça le globe, referma la porte de la salle. Puis elle éclaira le couloir, l'escalier devant elle, et s'assit sur les marches ouvertes à la nuit. Une fine brise émaillait la chaleur, les arbres plus noirs que l'obscurité. Les chouettes huaient dans les branchages, les chauves-souris voletaient dans les saillies du toit. Elle entendait au loin les coyotes glapir. Parfois un cri dans le bâtiment, un chariot brinqueballant à l'étage supérieur.

De la poche de son boléro, elle sortit sa pipe, tassa le tabac dans le fourneau à l'aide d'une brindille. Inspira profondément la fumée. Petites consolations. Les dents serrées sur son brûle-gueule, elle attendit, les bras autour des genoux.

Le chariot de Jon Ehrlich faisait un bruit particulier. S'arrêtant devant l'hôpital, il la salua, lui lança la bride du harnais qu'elle attacha à un crochet de métal, près de l'entrée de la cave. La routine. Ehrlich portait une casquette avec une visière en cuir, une veste et une chemise de bûcheron, même en plein été. Ses cheveux blonds grisonnaient, son dos était voûté à force de travail, mais il ne fallait pas s'y méprendre : à cinquante ans passés, il était vigoureux. Parlait peu, avec un léger accent scandinave.

Un médecin militaire l'avait recruté pour l'approvisionnement. Huit caisses de glace étaient empilées à l'arrière, le chargement soigneusement enveloppé. Une partie du transport se faisait par voie d'eau. Jon avait ses glacières dans le nord du pays.

— M'dame, dit-il, le doigt à la visière. Alors ?

— Oui, quoi ?

— Des nouvelles du petit ?

— Oh. Non.

Hochant la tête, Ehrlich fit le tour du chariot, délia les cordes et les lança à terre. Une petite flaque s'était déjà formée sous le châssis.

Il détacha la charnière et le panneau bascula. Il planta un long crochet de métal dans la caisse la plus haute, pivota sur lui-même, la chargea sur son dos. Les genoux fléchis, il grogna. On remarquait alors qu'il boitait un peu.

Elle lui éclaira le chemin : une mare jaune et mouvante. L'escalier, les feuilles de verre, la cave, leurs ombres décuplées autour d'eux, la caisse grosse comme une malle-cabine. Éreintant. Lily entendait son souffle lourd, saccadé. Elle ouvrit la porte de la chambre froide : les quartiers de viande accrochés à leurs esses, la pharmacie rangée sur les étagères, des conserves de fruits. Une vague bleue de fraîcheur la saisit. Jon entra, empila dans un coin les vieilles barres de glace, dont les bords s'étaient arrondis. Difficile de les caler durablement. Bientôt, il n'en resterait rien.

Il posa son fardeau contre un mur. Recommença l'opération sept fois. Entre eux deux, le silence. Sa veste était trempée par l'eau et la sueur.

À l'aide de courtes tenailles, il retira lentement les clous de chacune des huit caisses, qui libérèrent un flot de sciure et de paille. À bout de bras, il dégagea l'un après l'autre les énormes blocs de glace, qu'il essuya de ses mains gantées. Les nouvelles barres étaient parfaitement droites et planes, avec un cœur très blanc, des reflets bleuâtres aux extrémités.

Ehrlich les disposa en ordre serré – pour qu'elles se conservent mieux, expliqua-t-il. Lily le regarda faire un moment, puis monta à la cantine lui chercher à boire. Lorsqu'elle redescendit, il l'attendait déjà dehors, assis sur les marches, un vieux livre corné sur les genoux. Il avait beaucoup transpiré. Elle jeta un coup d'œil sur la page. Les lettres étaient muettes.

— La Bible ?

— Oui, m'dame.

Elle se méfiait des hommes qui l'emportaient partout avec eux. Ceux qui croyaient, pensait-elle, y reconnaître leur voix. Lily en avait vu, devant les églises de New York et de St. Louis, aboyer à pleine gueule sur la terre entière.

— Pas que je sois toujours d'accord, mais il y a du bon sens.

Il referma son livre, la salua d'un geste, fit faire demi-tour aux chevaux. Le vide résonnait maintenant dans son chariot.

— Au revoir, m'dame.

— Lily.

— Oui, m'dame.

Elle redescendit à la cave, se munit d'un vieux bloc, glissant et fondu aux trois quarts, guère plus grand qu'un plateau de cuisine. Elle l'apporta en haut, où l'attendaient les veilleuses de nuit. Elles posèrent la glace sur une table, la brisèrent avec un couteau pointu, ramassèrent les éclats et les lamelles qu'elles purent introduire dans la bouche des blessés.

L'après-midi, parfois, Lily regardait la vieille négresse qui, à la blanchisserie, s'échinait à laver les uniformes. Elle travaillait silencieusement, ni chant d'esclave ni cantique, rien que les claquements de la bâche pour rythmer la chaleur. Jetait de temps en temps un regard vers les brancardiers, qui, du matin au soir, évacuaient de nouveaux cadavres.

Lily le reconnut à ses pieds, perdus dans une masse d'hommes, entassés les uns sur les autres, bras et jambes enchevêtrés, patchwork épouvantable. Son visage invisible en haut de la pile, nul besoin de le retourner. Elle comprit tout de suite. Petit, il s'était cassé la cheville, ses orteils écrasés, le cou-de-pied difforme. Elle l'avait massé, ce pied, lavé, pansé.

Broderick, le brancardier, le sortit du chariot, l'allongea par terre, déplia un mouchoir sur son visage. Les mouches étaient déjà agressives.

— Il faut vite l'enterrer, madame Fitzpatrick.

Faisant signe que non, elle souleva les épaules d'un survivant. Broderick tassa son calot sur sa tête et prit les jambes. Ils en dégagèrent un second, un troisième. Elle les installa sur un lit, tailla les uniformes à coups de ciseaux, nettoya les chairs lacérées. Les hommes rapportèrent leur déroute, les « gris » les avaient encerclés, le brouillard se levant brusquement, le piétinement des chevaux, un tonnerre de sabots. La dernière note du trompette. Les balles claquaient dans les troncs, les feuilles pleuvaient.

Elle les soigna tous. Les mains, l'éponge, la cuvette, la serviette.

Bien plus tard, sans en avoir négligé un seul, elle s'approcha de la fenêtre pour regarder les corps étendus dans l'herbe. Des tas de chair inanimée, dont les uniformes reviendraient marcher en rang. Vareuses, bottes et boutons. Se réfugiant un instant dans l'escalier silencieux, elle se composa un masque de fer et redescendit. Agenouillée devant lui, elle caressa sa joue, son menton imberbe. Vomit le feu dans ses deux mains glacées. Le dévêtit. J'espère que ton âme m'écoutera maintenant. Dieu et diable là-haut, va les maudire pour moi. Leur dessein monstrueux de sang et d'os. Leur bête abreuvée de bêtise, la solitude de toutes les mères. Elle déboutonna sa tunique. Posa une main sur son cœur. La balle aurait pu passer sous l'aisselle. Comme s'il avait levé les bras en signe de reddition, mais qu'elle avait tenu à se planter là. Minuscule blessure. Pas de quoi l'emporter.

Sa cuvette près d'elle, Lily lava la plaie avec du savon blanc. Elle habilla son fils comme s'il était vivant, puis elle traîna son corps dans l'herbe.

Pas de lune dans le grand noir. Le claquement des sabots. En bottes et chapeau à bord court, Jon Ehrlich mit pied à terre, sa montre dans la poche du gilet. L'attendant sur les marches, comme à son habitude, elle alluma la lampe en l'entendant arriver. Une pointe de fraîcheur : le temps allait changer.

— Lily, dit-il, le doigt à la visière.

Elle l'aida à sortir la première caisse, à l'arrimer sur son dos. Courbé, les genoux serrés, la posture familière. Elle le précéda jusqu'à la cave, traçant des ronds de lumière dans l'ancienne fabrique. Des rats détalèrent dans un coin, se cachèrent derrière les plaques de verre. Lily s'arrêta devant la chambre froide et se détourna.

Du bout du bras, il actionna la poignée gelée, ouvrit la porte, vit le garçon étendu de tout son long sur ce qu'il restait de glace. L'uniforme reprisé était impeccable, les chaussures lacées, les cheveux propres et peignés. La harpe sur le revers de la vareuse.

— Bon Dieu.

Il posa la caisse sur le sol, puis sa main sur le livre dans la poche de sa veste. Sifflant un cri d'animal, coupant, viscéral, Lily s'approcha de lui, tête baissée. Il l'esquiva, elle le poursuivit, sauvage, le poing brandi. Lui frappa le torse, libérant son chagrin. Jon recula. Un souffle s'échappa de sa bouche. Campé sur ses deux jambes, il ne bougea plus. Elle le frappa encore, de toute la force de son petit corps. Cria, cogna jusqu'à tomber d'épuisement contre lui, la tête sur son épaule mouillée.

Le jour n'était pas levé lorsqu'ils enterrèrent Thaddeus à deux cents mètres de l'hôpital. Un aumônier les rejoignit avec ses prières grises et soûles. Quelques hommes se regroupèrent aux fenêtres pour les observer. Tel un écueil, le soleil affleura à l'horizon.

Elle savait qu'elle partirait avec lui. Regardant droit devant, Jon ne posa pas de question lorsque, prenant place à l'avant du chariot, elle lissa les plis de sa robe. Elle entendit les chevaux brouter, l'herbe broyée, ballottée dans leur gueule.

Lily l'accompagna chez lui au nord de la rivière Grande, où elle adopta sa religion. Protestante. Cela ne semblait guère différent de ce en quoi elle préférait ne pas croire. Depuis Dublin, où elle y avait été forcée, elle n'entrait plus dans les églises. Assise au deuxième rang, elle reçut une bible et une pièce de dentelle en guise de souvenir. Une cérémonie rapide, sèche, quelques mots de norvégien, beaucoup d'anglais. Le pasteur voulut savoir qui était là pour renoncer au mal, recevoir le divin sauveur. Ehrlich lui tapa sur le coude avec un signe de tête : « Moi », dit-elle, se levant. Les yeux baissés, elle s'avança vers l'autel et attendit. Deux ou trois alléluias retentirent dans la salle. On lui ouvrit la porte latérale, vers une rivière où l'on pêchait les truites. Rassemblés derrière elle, les fidèles toussèrent leur cantique. Emportez-moi loin des ténèbres vers la paix du Seigneur. On la porta dans l'eau peu profonde entre les roseaux. Battant follement des ailes, un héron s'envola à proximité, ses plumes labourant la surface, soudain parcourue de plis. Le pasteur demanda à Lily de se pincer le nez, puis la retint par le creux du dos. Lorsqu'on l'immergea, elle ne sentit que le froid.

Elle ne savait au juste en quoi consistait le culte protestant. Un mot vide. Lily se rappelait les réunions de quakers à Great Brunswick Street, Webb qui présidait l'assistance, les mains serrées, ses longs discours sur le destin, la paix, la fraternité. Elle n'en avait rien dit à Ehrlich, de peur qu'il se referme sur lui-même. Il avait bon fond. Ne pas le rendre jaloux d'un souvenir. L'Irlande était loin, maintenant. Ces jours-là appartenaient au passé. Elle avait fait son chemin.

Ils se marièrent aussitôt après le baptême. Jon l'emmena dans sa maison près du lac. Lily Ehrlich descendit dans la terre sèche et observa les alentours.

— Je vis simplement.

Un paysage plat. Le lac immobile. D'autres, plus petits, étaient visibles au loin, derrière les nuages de moustiques. Les glacières, des hangars en bois, se dressaient près de la route. Les chevaux, énervés, secouaient leur crinière.

— Ce sera mieux dedans, offrit-il.

Jon avait un sourire franc et tranquille. Elle resserra sa robe comme un bouton de fleur, lui fit la révérence.

— Te poser à plat.

Elle rit pour la première fois depuis une éternité.

— Il serait temps, dit-elle.

Ravi, il lui ouvrit la porte. La poussière argentée dansa dans la lumière. Dans un coin, le lit était un arrangement de petits rondins et de ficelles entrelacées. Il la regarda se déshabiller, puis retira ses bottes, détacha ses bretelles, et ses vêtements tombèrent autour de lui.

Pour un homme de son âge, elle le trouva plein d'enthousiasme et de vigueur. Ils étaient essoufflés lorsqu'elle posa la tête sur son épaule. Le ciel encore noir quand elle le réveilla. Souriant, il se tourna vers elle.

— Même la Bible n'y voit rien de mal.

Lily avait trente-sept ans lorsqu'elle donna vie au premier de six petits Ehrlich – Adam. Puis il y eut Benjamin, Lawrence, Nathaniel, Tomas, et leur unique fille, Emily, naquit en 1872, sept années après la fin de la guerre.

Le lac commença à geler aux premiers froids. Jon Ehrlich se levait et s'habillait dans la chaleur résiduelle du feu, puis sortait chaque jour se rendre compte de la progression. À partir de dix centimètres d'épaisseur, la glace supportait le poids d'un homme. Il partait à l'autre bout du lac, sans s'éloigner du rivage. Sa silhouette, haute et mince, diminuait peu à peu. À cette distance, on remarquait à peine qu'il boitait.

Le vent cinglait sur la rive, projetant la neige par tourbillons. Les arbres noirs s'enfuyaient au loin. Lorsqu'ils furent assez grands, Jon emmena Adam et Benjamin avec lui.

Père et fils traçaient des cercles, éprouvant la solidité de la glace, se rapprochant lentement du milieu. La tournée du faucon, disait-il. À la fin de chaque boucle, Ehrlich frappait du pied sur la surface pour vérifier qu'elle résistait. Lily regardait les garçons l'imiter. Le claquement des talons martelait le silence. Elle craignait à tout moment de les voir disparaître, engloutis avec chapeaux, écharpes et passe-montagnes, le lac prêt à se refermer sur eux. Prudents et méthodiques, ils progressaient en spirale vers le centre. Au bruit de leurs bottes, ils savaient estimer l'épaisseur de la couche.

Un matin, ils commençaient à forer. Jon utilisait une longue vrille d'acier pointue. Tournait la manivelle comme on baratte le beurre, pensait-elle. Des gerbes de cristaux se détachaient de la croûte. Transformant le lac en damier, ils perçaient trou après trou, espacés d'un mètre. La vrille à peine retirée, ils enfonçaient un long bout de bois effilé pour vérifier qu'ils atteignaient l'eau en dessous. Elle remontait en glougloutant, recouvrant la surface d'un trou à l'autre, déroulant un mince drap de givre.

Jour après jour, ils revenaient sur leurs pas, brisaient la glace qui s'était reformée dans chacun des petits puits, refaisaient jaillir l'eau profonde. Lily leur portait à déjeuner sur place : miches de pain, carrés de jambon, bouteilles de lait au goulot recouvert d'un linge maintenu par une ficelle. Jon s'essuyait la bouche avec sa manche. Le voyant faire, Adam et Benjamin suivaient l'exemple. Bientôt Lawrence, Nathaniel et Tomas les rejoignirent sur le lac.

Lily avait entretenu le feu quand ils rentraient le soir. Jon se lavait dans la cuvette, s'asseyait à la table sous la lampe à pétrole. Quittant une vie pour l'autre, il chaussait ses lunettes, lisait sa Bible à haute voix. Tard le soir, il sortait avec elle vérifier que le gel poursuivait son œuvre. Sans patins. Même s'il faudrait l'aplanir tôt ou tard, il ne voulait pas rayer la surface.

Ils continuaient de percer la couche, semaine après semaine. Le travail était plus aisé en cas de neige et, certaines nuits, la glace pouvait épaissir de dix centimètres d'un coup.

Leurs fines silhouettes dans l'immensité blême. Dès que le lac offrait assez de résistance, ils tiraient derrière eux un grand cadre en bois chaussé d'un couperet en métal, récoltaient la neige qui s'amassait en rangées successives sur la rive ouest – les gros sourcils blancs, disait Lily.

Après avoir déblayé, Jon et ses fils arasaient la surface et délimitaient de grands carrés, de la taille d'une moitié de porte. Puis ils traçaient des sillons parallèles au moyen d'une charrue et du cheval de trait. Le givre fusait en geysers de poudre. Quand les sillons étaient assez profonds, ils découpaient les blocs avec de grandes scies. La meilleure glace avait la pureté du cristal, en bien plus dur.

Le sol des remises était recouvert de tannée. Pas de fenêtres, les doubles murs remplis de sciure, pour isoler. Les blocs empilés jusqu'au toit, si près les uns des autres qu'on avait peine à insérer une lame de couteau entre deux colonnes.

Un mystère pour Lily : pourquoi ne fondaient-ils pas, comment gardaient-ils leur forme jusqu'au printemps ?

Chaque année, le froid revenait et ils préparaient leur récolte. Emily, la plus petite, finit par les aider à tirer les cubes, à l'aide de gaffes et de grosses pinces, jusqu'au cheval qui attendait patiemment sur la rive. Il suffisait d'un geste imprudent du poignet pour qu'un bloc glisse à toute vitesse, vingt mètres plus loin sur le lac gelé. Lily aimait voir sa fille les guider soigneusement sur la surface – ses gestes intelligents et étudiés.

Quand les confluents dégelaient, ils transportaient leur moisson jusqu'à St. Louis, sur un chaland qui gémissait sous le poids. Les blocs installés dans des caisses tapissées de paille pour limiter la fonte. Des orignaux arpentaient le rivage, les faucons pèlerins s'élevaient dans la voûte bleue.

Jon évitait les bancs de sable à l'entrée du port, mettait son chargement à l'abri dans des caves creusées sous les berges. Le détaillant de Carondelet Avenue venait inspecter la cargaison, faisait craquer ses billets neufs. C'était une bonne affaire. Comme si la Reconstruction n'avait besoin de personne pour remettre de l'ordre. Hôtels. Restaurants. Bars à huîtres. Beaux messieurs, belles demeures. Même les sculpteurs voulaient confronter leurs burins aux grands carrés bleus et blancs.

Jon obtint la concession d'un autre lac, plus au nord. Testa de nouveaux modes d'isolation. Imagina un système de canaux, toboggans, leviers et poulies pour remplir ses remises. On demandait maintenant de la glace tout au bout du Mississippi, jusqu'à la Nouvelle-Orléans. Ils bâtirent une seconde maison, de l'autre côté du lac, à la lumière du levant. Un fumoir également, avec bacon et jambons suspendus au plafond. Des plantes médicinales aussi : nard, bistorte, séné, anis. Des casiers remplis de patates douces. De beaux tonnelets de beurre. Compote de pommes et pêches au sirop.

Lily, qui n'avait jamais tant vu de vivres entreposés, parcourait les étagères d'un œil brillant.

Le dimanche, ils emportaient dans leur charrette ce qui risquait de se perdre, faisaient la distribution dans le calme devant l'église. Jon ne fouettait jamais les chevaux. L'âge commençant à le rattraper, il respirait péniblement, se figeait peu à peu, comme un lac en hiver. Mais il n'avait besoin de personne pour décharger les surplus. L'église n'inspirait guère Lily, mais c'était l'occasion d'échapper aux corvées, et elle était contente de donner cette nourriture. Elle avait vu les ravages de la faim en d'autres temps, des temps qui ne lui manquaient pas. Des familles d'Irlandais, d'Allemands, de Norvégiens attendaient à la petite porte, raidies dans leur fierté, suggérant une détresse qui, bien sûr, ne devait être que passagère.

Revenant d'un voyage d'une semaine sur la route, par une soirée douce du printemps 1876, Jon attacha les chevaux près des glacières et, muni d'une grande toile au cadre doré, traversa leur nouvelle cour pavée. Il appela Lily. Pas de réponse. Il entra, retira ses bottes, l'appela de nouveau. En pantoufles, traînant des pieds, elle le rejoignit depuis la cuisine à l'arrière.

— Bon Dieu, tu en fais, un raffut !

Il lui montra le tableau. Elle pensa, au départ, à une sorte de boîte. S'approchant, elle étudia son mari, et cette boîte. Une rivière en Irlande, à l'ombre des arbres. Les arches d'un pont, un cottage en arrière-plan.

Ne sachant quoi dire, Lily effleura le bord du cadre. C'était regarder par la fenêtre, mais une autre fenêtre, ailleurs. Les nuages. Les rapides. Des oies en rangs serrés, boulets lancés dans le ciel.

— Pour toi.

— Pourquoi ?

— Je l'ai acheté à St. Louis.

— Pour quoi faire ?

— Ton pays.

Le peintre avait bonne réputation au marché. Jon avait choisi le tableau chez lui.

— Ta patrie.

Les mains tremblantes, Lily recula vers la porte.

— Lily !

Sans bouger, il la vit sortir, marcher vers le lac, cernée d'un tourbillon d'insectes printaniers. Elle s'assit sur la rive, la tête dans les bras. Jon ne comprenait pas. Il posa la peinture contre la table, près de la porte, n'en parla plus. Le lendemain, pensa-t-il, il s'en débarrasserait.

Emily et Tomas dormaient près d'eux lorsqu'ils se couchèrent, ce soir-là. Lily, remuante, s'écarta de son mari, mais se retourna soudain vers lui. Elle se confia. Ses parents étaient des vicieux. Des ivrognes. Elle n'avait jamais rien dit. Préférait oublier. Ne voulait pas qu'on juge, refusait la pitié. Son père buvait. Sa mère buvait. Parfois, on aurait cru que les rats, les portes, les poutres, le toit buvaient aussi. Dans le lit avec papa et maman. Un taudis. Le bruit du sommier. Une fausse couche à quatorze ans. Ils l'avaient envoyée travailler. Femme de chambre. Un monde de caves, de crottes de rat, d'escaliers de service, de louches de soupe. Une demi-journée de congé par semaine pour traîner dans les rues noires et humides. Elle achetait du tabac. Son seul réconfort.

Aucun endroit d'Irlande ne ressemblait, même de loin, à la toile qu'il avait achetée. Ce pays-là lui était inconnu, hormis, peut-être, ce qu'elle avait vu en se rendant à Cork, tant d'années auparavant. Elle avait quitté une demeure de Great Brunswick Street, puis marché, marché, marché. Quinze, seize, dix-sept jours, de Wicklow à Waterford, par les montagnes, jusqu'à la mer au sud. Une jeune fille simple réalisait son vœu. Elle se rappelait la voûte des arbres, le jeu de la lumière dans les champs, les vallées, le bord des rivières, le vent qui jetait la pluie dans ses yeux, la faim qui sortait de terre, l'odeur de pourri qui recouvrait tout, hommes, femmes, enfants.

Et maintenant ce tableau ? Pourquoi ? Il semblait traduire une chose qu'elle n'avait jamais comprise. Une volée de cloches résonne à Dublin. Un cheval hennit. Sackville Street. La mouette au-dessus de la Liffey. Pourtant, elle se rappelle mal les bruits de son enfance, évasifs, émiettés. Pourquoi certains moments reviennent-ils ? Qu'est-ce qui peut bien les réveiller ? Elle pressa la joue contre l'épaule de Jon. Que faire de ces pensées ? Lily avait la sensation d'être coupée en deux. La petite Duggan – celle qui avait disparu – n'aurait jamais cru posséder un jour quoi que ce soit. Surtout pas un tableau. Quarante-huit ans, plus de trente aux États-Unis, elle était devenue américaine. Quand, à son insu, s'était-elle retournée ? Quel matin, ou quel soir, sa vie avait-elle choisi pour révéler son sens ? Impossible de mettre le doigt dessus. Oui, elle avait été une fille simple. Femme de chambre dans une maison moins innocente, elle avait entendu des discours, des mots pour elle hors d'atteinte, mais qui suggéraient une alternative. Démocratie, foi, esclavage, bienveillance, l'Empire. Alors je suis partie. Je ne savais pas où j'allais, Jon Ehrlich. Je n'avais rien prévu. J'ai marché, et c'est tout. Regarde-moi, veux-tu ? Ce tableau que tu m'apportes. Tu me mets ça dans les bras.

Elle reposa la joue sur son épaule. Jon ne savait comment accueillir ses larmes. Épuisée, Lily se blottit contre lui et sombra dans un lourd sommeil.

Le cadre trouva sa place sur le manteau de la cheminée. Parfois, Lily croyait voir Isabel Jennings se promener le long de la rivière, entendre l'élégant froufrou de sa longue robe. Tout plein d'austère contrariété, Richard Webb se dressait au-dessus d'une arche, sur le pont, étudiant les remous, la force du torrent. Puis, d'une idée à l'autre, elle s'en revenait à Frederick Douglass. S'il n'entrait pas vraiment dans le tableau, il restait à proximité, prêt à faire irruption, peut-être caché derrière cette colline, là-bas, sur la route devant le cottage. Un souvenir précis la fit sursauter : elle l'avait surpris dans sa chambre en train de soulever des haltères. Son visage dans la pluie le jour de son départ. Les paumes roses de ses mains. La voiture qui s'éloignait dans Great Brunswick Street, puis, en haut, la serviette élégamment posée sur la cuvette. Les manches bouffantes de sa chemise blanche, lorsqu'il écrivait, voûté sur son bureau.

Elle savait qu'il avait pris position pour le parti d'Abraham Lincoln, décédé depuis peu. Qu'il militait pour le droit de vote des Noirs. On l'admirait, on le détestait aussi. Oui, ils avaient conquis leur liberté, mais à quel prix ? En Irlande, il lui était apparu comme un vrai gentleman, grand, pénétrant, imposant. Son image était ici moins nette. Lily n'avait rien contre les nègres, et pourquoi ? Cela n'avait pas de sens. Des hommes, des femmes, comme les autres, qui mouraient de faim, se défendaient, pliaient. Plantaient, moissonnaient, récoltaient. Ils avaient quelque chose d'inquiétant, quand même. Les Irlandais à New York s'étaient révoltés, eux aussi. Des hommes pendus aux réverbères. Des enfants avaient péri, leur orphelinat incendié. Les violences bestiales dans les rues. Comment y voir clair ? Tout se mélangeait. Et l'œuvre du temps. Son propre fils s'était engagé dans l'armée, mort au combat pour ces mêmes idéaux que poursuivait Douglass, des décennies plus tôt. Pourtant, jamais Thaddeus n'avait parlé d'esclavage, de noirauds, de liberté. Il voulait se battre, un point c'est tout. Mourir dans l'ineptie de la gloire.

Lorsqu'elle se rendait à St. Louis, ou à Des Moines dans le Nord, qu'elle voyait les nègres dans les rues, Lily sentait une répugnance à leur égard et s'en voulait aussitôt. Un péché, il ne fallait pas. C'était là, flou, voilé.

À l'église, elle baissait la tête et demandait pardon. Les vieilles prières, les incantations de toujours. Elle ouvrait sa bible devant elle. Se demandait s'il n'était pas temps d'apprendre à lire. Au moins le silence, lui, était pur. Elle voulait se souvenir des mots de Frederick, au salon à Dublin, mais elle pensait plutôt aux hommes qu'elle avait accompagnés, leurs yeux bleus chaleureux sous les paupières inertes, la chair virant déjà au gris.

Elle regardait Emily, sept ans, qui écoutait son père, collée contre lui. La petite suivait ses gros doigts le long des lignes. Job, Daniel, l'Apocalypse. Lily avait chaud au cœur. Les livres d'école s'entassaient autour du lit de la fillette. C'était étrange d'avoir une enfant si différente de soi, de sa chair, de son sang.

Parfois Lily la trouvait endormie, une mèche de ses longs cheveux insérée entre deux pages, comme un signet.

Lorsqu'un cri retentit dehors, elle n'y fit pas attention. Revenant du fumoir, elle ouvrit un bocal de farine dans la cuisine, saupoudra la table en bois, s'adossa à la chaleur du fourneau, dont elle referma un tiroir du bout du pied. Elle chercha le babeurre. Un autre cri fusa.

Ils semblaient provenir des glacières. Cette fois, elle marqua un temps. Une série de bruits secs, puis le silence, alors elle s'approcha de la fenêtre. Le ciel était si pâle. Maintenant un grognement continu, en creux vers l'abandon. Adam, sa voix dans la neige.

Lily sortit en courant dans le froid vif, projetant la poudreuse derrière elle. N'entendit plus qu'un calme brutal.

L'écurie, le toboggan de la nouvelle glacière, et elle appela leurs noms. De la sciure en suspension devant une des baraques. Elle fit le tour. Les clous avaient sauté, les planches volé en éclats, une grosse charnière en fer atterri près d'une gaffe, plantée dans la congère. Poulies et câbles, défaits, par terre.

Un filet de sang sinuait dans la glace écroulée. Lily se précipita vers Benjamin, puis Adam, revint vers le premier. Son petit corps broyé par un seul bloc. Elle dégagea sa poitrine, posa la joue sur ses lèvres. Pas un souffle. Muette, elle balaya la sciure sur ses sourcils, sur ceux d'Adam. Elle entendit les blocs encore empilés, qui, instables au-dessus d'elle, observaient une sorte de silence respectueux. Enjambant quelques planches, elle se rapprocha de son mari.

Lorsqu'il tenta un geste, une bulle de sang se forma à sa bouche. Elle retira la glace éclatée sur ses jambes. Ne t'en va pas, ne me fais pas ça. Clignant des yeux, il tourna la tête. À peine. Tu n'as pas le droit de mourir.

Comme un vague hochement, et sa gorge se mit à gargouiller. Elle sentit la vie qui s'évadait, le soulageait, la fonte, la débâcle. Se redressant, elle lâcha un gémissement aigu, une main sur le haut du crâne.

La remise tenait encore sur trois murs, qui bâillaient, murmuraient. Le lac réveillé dans la glace, l'eau impatiente de se libérer. Sautant sur les planches éparpillées, Lily s'agenouilla de nouveau devant Benjamin.

Passant les bras sous ses épaules, elle essaya de dégager le corps prisonnier des décombres. Sa botte s'accrocha à une poutre. Lily sentit le cuir se déchirer, tandis qu'elle tirait, tirait. Les blocs remuèrent.

Un rire s'échappa de lui. Elle se pencha plus près. Ce rire. Oh ! Benjamin ! Elle lui releva le front, qui retomba, inerte. Le secoua. Debout, debout, tu es vivant ! Ses yeux immenses étonnés, immobiles. À quatre pattes, Lily se faufila sur le sol dur jusqu'à Adam, posa son visage contre sa bouche. Rien. Du froid. Et soudain d'autres rires, sans aucun doute. Où, qui ? Cette fois, elle les localisa. Un hoquet dans la poitrine. La maison, les enfants en sortaient là-bas, avec leurs voix aiguës. Lily se hissa sur ses pieds, refit le tour de la glacière, ramassa une gaffe, la brandit. On rentre ! Nathanael, du bois dans la cheminée ! Emily, essuie la farine sur la table ! J'arrive tout de suite, restez à l'intérieur ! C'est compris ? Tomas ! Lawrence ! Tout de suite ! Dépêchez-vous, bon Dieu !

Sa fille la regardait, clouée au sol. Allez ! hurla Lily. Allez !

Il fallait continuer de dégager les corps. Les trois murs résistaient apparemment. Tout pouvait s'écrouler sans prévenir.

Elle les allongea sur le sol, son mari, ses deux fils, puis rejoignit les autres. Il lui fallait des pièces à coller sur leurs yeux. Lorsqu'elle poussa la porte, les garçons étaient cachés dans le garde-manger. Emily regardait par la fenêtre. Lily l'appela. Pas de réponse. Elle recommença. Emily ne bougeait pas. Sa mère s'approcha et la força à se retourner. La petite avait un regard vide, distant.

Lily lui flanqua une bonne gifle, lui ordonna de s'habiller : ils avaient du travail. Lorsque, enfin, elle réagit, Emily posa la tête sur son épaule. Maman, dit-elle.

Elle embaucha un charpentier qui arriva, le surlendemain, pour dresser un nouveau mur et fixer les barres de glace. Le temps était détestable. Un vent strident s'abattit par rafales tout au long de la nuit.

Le dégel ne tarderait pas. Lily devrait apprendre à s'occuper elle-même du transport. Charger les barges et naviguer sur les rivières.

Elle dormait entourée de ses quatre enfants. Les garçons étaient maintenant grands, pensa-t-elle. Emily saurait tenir les comptes. Ils n'étaient pas sans ressources. Elle jeta un coup d'œil dehors : la lune soupirait sur le lac. Elle réveilla Tomas, puis les deux autres. Ils sortirent dans la nuit, vers les glacières. Leurs bouches dessinaient des fantômes de buée. D'abord, on dispose les chariots, dit-elle. Assurez-vous que les chevaux ont mangé.

Les livrets arrivèrent par la poste depuis Cincinnati. « McGuffey Readers[33], une offre incomparable. Apprenez à lire en vingt-neuf jours à peine. Satisfait ou remboursé. » Elle ne savait qu'en faire, les phrases n'étaient que des gribouillis. Comment lire pour apprendre à lire, quand on ne sait pas lire ? Ses yeux s'embuaient de larmes, puis elle avait la tête qui tourne et la gorge serrée. Elle rangea les livrets sur l'étagère.

Lily loua une voiture pour descendre à St. Louis. Deux jours de voyage. Le linge virevoltait sous les fenêtres d'immeubles beaucoup trop hauts. Des messieurs en stetson attachaient leurs chevaux aux balustrades. Le sifflement des trains à la gare de chemin de fer. Elle demanda à un jeune homme de lui indiquer la librairie. La sonnette tinta à la porte. Terrorisée à l'idée d'être reconnue, elle parcourut les étagères. Les mots au dos des livres préservaient leur mystère.

Un employé monta sur l'échelle pour trouver celui qu'elle cherchait, rangé dans les hauteurs. Un portrait reproduit sous le titre : c'était bien lui. On lui enveloppa l'ouvrage dans du papier brun avec un tour de ficelle.

Chez elle, Lily promena un doigt hésitant le long des caractères. Ceci est un I. Un W. Un A, un S, un B[34]...

Trois ans après la mort de Jon, elle avait constitué une équipe : deux Norvégiens, deux Irlandais, et le contremaître, français, était breton. Les fils travaillaient également. Une mince figurine sur le lac, légèrement voûtée par l'âge, creusée par le chagrin, et cependant sa voix portait dans tout le domaine. Ils s'étaient pourvus des outils les plus modernes : doloires, perçoirs, becs d'âne, harnais. Les scies projetaient des flammes de glace. Les chevaux fumaient sous l'effort. De nouvelles remises furent construites, plus résistantes.

Au retour de l'école, Emily donnait toujours un coup de main pour tirer les blocs sur la surface.

Lily se rendait à la ville une fois par mois. Le voyage, épuisant, lui prenait jusqu'à trois jours dans chaque sens. Elle marchandait au bureau de Carondelet Avenue. Le fossé – un abîme – entre la somme qu'on lui remettait et le prix du détail. Exaspérant.

Elle sortait le stylo de Jon de son petit sac en lamé, traçait une signature sur le bas de la feuille. Au moins, elle avait appris cela : imprimer de sa plume ce qui ressemblait peut-être à un nom. Le détaillant se massait la base du nez avec son pouce. Un homme maigre et sec, taillé à la serpe.

— Vous savez écrire ?

— Évidemment que je sais écrire. Vous me prenez pour qui ?

— Je ne pensais pas à mal, madame Ehrlich.

— J'espère.

Repartant d'un pas vif sur les quais, elle observait les jeunes femmes parées de leurs beaux atours, grandes coiffes et robes de dentelle ; les bateaux à aubes, les steamers. Le commerce prospérait d'un bord à l'autre du fleuve. Les crieurs de journaux n'avaient que l'or à la bouche, ou le chemin de fer. Survolant le Mississippi, un ballon à air chaud s'éloignait vers l'ouest. Autour de l'Opéra, un homme paradait sur une machine à deux roues ourlées de gros rubans. Les passants appelaient ça un vélocipède. De jeunes cow-boys à chapeau descendaient de cheval devant les saloons. Rares étaient ceux qui la regardaient maintenant, mais ça lui était égal. Elle s'inventa une démarche chaloupée. Tant d'années sur le lac, son dos avait souffert. Lily avait trois tenues élégantes pour les rendez-vous d'affaires. La plupart du temps, elle s'habillait simplement, des couleurs sombres, un reste de noir endeuillé.

Quatre ans avaient passé lorsqu'elle négocia un prix avec le Breton, lui vendit la maison, les concessions, tout le matériel. Elle emballa d'abord le tableau qu'Ehrlich lui avait donné. Puis les caisses, les meubles, les chaises, la vaisselle, les livres. Quatre chariots pleins, le tableau près d'elle. La poudre de calcaire répandue sur les routes. Son nouveau domicile de Florissant Avenue était une maison de brique rouge à deux étages, avec de hauts plafonds. Un tapis bleu pâle, bordé de roses entrelacées, courait le long du grand escalier. Lily accrocha son tableau au-dessus de la dernière marche et, sans perdre de temps, lança son nouveau commerce. Middle Lake Ice. Un peintre en lettres, britannique, lui dessina une estampille sur les portes de l'entrepôt. Son accent la troubla. Un Anglais, voyez-vous, qui la saluait bien bas. Elle, Lily Duggan, Bridie Fitzpatrick. Les tombereaux de la mort, autrefois la famine, et la neige par-dessus.

Jamais plus elle n'aurait besoin de toucher la glace de ses mains, c'était un émerveillement. D'autres au nord, dans le Missouri, l'Illinois, l'Iowa, la récolteraient pour elle. Elle étudia soigneusement les coûts, les salaires, le transport, les pertes et les profits. La logique stupéfiante de l'argent. La vitesse à laquelle il peut apparaître, ou se volatiliser. Lily obtint une ligne de crédit fixe à la Wells Fargo de Fillmore. S'adressait aux caissiers qui connaissaient son nom. Comment allez-vous, miss Ehrlich ? Ravi de vous revoir. Les passants dans la rue, hommes et femmes, la saluaient poliment. Une angoisse pour elle. Les plis de sa longue robe dans ses mains, elle bafouillait des bonjours. Au marché, les grossistes lui proposaient des morceaux de choix. Elle entra chez le chapelier de Market Street, acheta une superbe parure plantée d'une plume d'autruche. Revenue chez elle, elle s'aperçut dans le long miroir ovale, comprit qu'elle ne supporterait pas un tel accoutrement, remit le chapeau dans une boîte qu'il ne devait plus quitter.

La demande affluait. Hôpitaux, vapeurs, restaurants, poissonniers, écaillers, confiseurs. Certains hôtels commençaient à servir de la glace avec les boissons.

Six ans plus tard, Lily Ehrlich pouvait envoyer le plus âgé de ses enfants, Lawrence, étudier à l'université de Chicago. Puis, à leur tour, Nathaniel et Tomas. À l'hiver 1886, Emily fêta son quatorzième anniversaire. Elle passait la plupart de son temps dans sa chambre à l'étage, entourée de ses livres. Lily craignit d'abord qu'elle souffrît d'une grande solitude, mais découvrit qu'elle n'aimait rien tant que fermer les rideaux, allumer une bougie et tourner les pages dans la danse des ombres. Pièces de Shakespeare, essais d'Emerson, poèmes de Harte, Sargent, Wordsworth. Les livres étaient si nombreux qu'ils masquaient le papier peint.

De son côté, Lily avait abrégé ses expériences littéraires. Elle avait conçu cette enfant, c'était déjà pas mal.

À l'hiver 1887, elle partagea son affaire en trois parts égales. Pour les fils. Lawrence rentra de l'université en costume gris et nœud papillon, titulaire d'un accent de la côte est. Les deux plus jeunes aimaient tant le bruit du chemin de fer, les locomotives et leur panache de fumée qu'ils vendirent leurs parts, et au revoir, le doigt sur le bord du chapeau. Nathaniel choisit l'Ouest et San Francisco, Tomas l'Est à Toronto. Emily ne reçut rien : non par esprit de malveillance, c'était simplement l'usage. Cela n'aurait pas effleuré l'esprit de sa mère. Emily avait bien assez avec ses livres. Lily acheta pour elles deux une maison plus petite dans Gravois Road, dotée d'un jardin potager qu'elles entretenaient. Elles recevaient peu. Le dimanche, elles s'habillaient pour aller à l'église : longs gants, grands chapeaux, les yeux couverts d'une voilette blanche. On les voyait à l'occasion se promener ensemble. Les soupirants ne se pressaient pas autour de la jeune fille, personne ne la trouvant spécialement jolie. Elle n'en attendait guère plus. Les livres la possédaient entièrement. De temps en temps, Lily lui demandait le soir de la rejoindre au lit. Emily se glissait sous les couvertures et, le dos contre l'oreiller, lui faisait la lecture. *Je suis né à Tuckahoe, près de Hillsborough, à environ douze miles d'Easton, dans le comté de Talbot, État du Maryland.*

La maison de Great Brunswick était maintenant bien loin, avec ses habitudes, ses bruits, son quotidien, les années se refermant sur l'ombre de Lily. Quarante ans écoulés, l'Amérique.

Elle n'était pas très versée dans la mode, mais elle portait parfois une longue polonaise violette sous une jaquette cintrée, la broche d'améthyste bien en vue sur son col, ses cheveux gris sous l'ourlet double d'un bonnet mauve.

Lily descendit lentement de la voiture à chevaux et prit le bras de sa fille, vêtue d'une simple robe d'alpaga. La soirée était fraîche, la nuit venait de tomber. Le passage incessant des corps devant la lumière la troubla un moment. Elles se faufilèrent entre les colonnes de granit et gagnèrent l'hôtel, sous le regard cursif des grooms. Les notes aiguës d'un piano flottaient dans le hall. La douleur, devenue constante, sourdait dans les mains, les genoux, les chevilles.

Un coup d'œil à la grosse horloge en bois lui apprit qu'elles étaient très en avance. Autour d'elles, des femmes en robe et châle élégants. Quelques messieurs en veste et cravate noires. L'agitation, le va-et-vient. De petits groupes de Noirs, en retrait. Des hommes surtout. Tout le monde tiré à quatre épingles.

Elle se fraya un chemin avec appréhension, certaine d'être épiée. Longea le mur treillissé, fit semblant d'admirer les tableaux paysagers, tira Emily près d'elle.

— Silence, maintenant.

— Je n'ai rien dit, maman.

— C'est pareil.

Elle reconnut son nom sur les grands chevalets de bois disposés aux quatre coins. En dessous, l'inscription : *National Woman Suffrage Association*[35].

Par petits groupes, les dames déambulaient sous les grands lustres. Leurs propos sérieux. Les volutes de fumée paraissaient roses au-dessus du bar. Les verres tintaient.

Le pianiste joua les premières mesures d'un nouvel air. Se tournant vers sa fille, Lily lui cacha sous l'oreille une mèche de cheveux échappée de sa natte.

— Maman.

— Chut.

— Le voilà.

Lily le vit traverser le hall. À soixante et onze ans, Douglass avait encore une sacrée chevelure, aujourd'hui grise. Il portait une veste noire avec un mouchoir blanc à la pochette, une chemise blanche également à col montant. S'il avait pris du poids – les ans l'avaient voûté –, il dégageait toujours la même impression de puissancc. Il était plus à l'aise aussi. Une dizaine de femmes l'entouraient, prêtes à recueillir ses attentions. Il gardait une légère distance. Elles rirent lorsqu'il fit une remarque à voix basse. La scène avait quelque chose d'apprêté, de mécanique.

Douglass étudia les lieux. Elle ne pouvait en être certaine, mais peut-être s'était-il attardé sur elle ? Ou était-ce un mouvement, un éclat de voix dans son dos ? Lorsqu'elle se retourna vers lui, il avançait vers la salle de conférences.

Une ruée derrière lui, comme une rafale, un train de lumière, une poussée dans l'entonnoir. Lily soudain irrésolue. Elle se revit à dix-sept ans, devant la maison de Richard Webb, en train de lui dire au revoir dans les lueurs du matin. Il leur avait serré la main à tous. Personne ne faisait jamais ça. La voiture avait démarré en grinçant. Les reproches, par la suite, de Charles, le majordome. Qu'est-ce que c'est que ces manières ? Les instants les plus fugaces durent, persistent, réapparaissent. Les fers claquent sur le pavé. Cette façon qu'il avait eue de la regarder, il avait ouvert la journée, le tableau des possibles. Je n'ai rien ici, ou si peu. Une mansarde sous le toit. Comme si je leur appartenais. Vendue. Elle s'était éclipsée en pleine nuit. La honte qui l'attendait à Cork, chez les Jennings, à la table du dîner, quand il ne l'avait pas reconnue. Sur les quais, également. Il était resté en selle. Elle n'était rien pour lui qu'un papier qu'on ramasse, un tapis qu'on brosse, un plancher balayé, un lé de calicot. Qu'avait-elle voulu ? Qu'avait-elle cru ? Elle entendit les chevaux hennir bruyamment, les mouettes piquer comme des pierres tombées du ciel, la pluie, la pluie qui lui griffait les yeux. Une destinée. Monter à bord, partir. Elle était si jeune, tout s'enchevêtrait. Un soulagement quand la sirène du bateau avait retenti.

Lily reprit sa fille par le bras. Postés devant la porte, deux policiers les observèrent sans un mot, les gourdins claquant sur leurs cuisses. La salle était presque pleine, des rangées de femmes alignées les unes derrière les autres sur les chaises pliantes, leurs robes déployées autour d'elles.

Elles s'assirent dans le fond. Lily retira ses gants, posa une main sur celle d'Emily, frotta doucement du pouce le creux de son poignet.

Une fille très pâle dans une simple tunique noire présenta l'orateur. Sous les acclamations, Douglass quitta son siège au premier rang, monta les quelques marches qui le séparaient de l'estrade. Il savait masquer sa lenteur. Deux enjambées vers le pupitre, sur lequel il plaça ses mains en étudiant l'assistance. Il remercia la jeune femme pour ses mots aimables, c'était pour lui un plaisir de se présenter dans une ville si importante pour les progrès démocratiques qu'il soutenait de toutes ses forces. Sa voix chevrotait légèrement.

S'interrompant, il s'écarta un instant du pupitre comme pour se montrer de pied en cap. Ses souliers cirés, son pantalon noir, le liseré à l'ourlet du veston. Il avait la peau plus claire qu'elle ne se rappelait. Ouvrant les bras, il imposa le silence. « Dans les ouvrages qui consacreront la fin de l'esclavage, les femmes reconnaîtront le rôle de premier plan qu'elles ont joué dans cette affreuse histoire. » Il avait l'air de l'affirmer pour la première fois, comme si les mots venaient à peine de s'imposer. Il poursuivit en murmurant presque, confiant une sorte de secret. « Ce sont elles, plus que les hommes, qui ont épousé la cause des esclaves. » Les réactions furent immédiates. Une digne et vigoureuse représentante de la gent féminine se dressa pour applaudir, imitée par quelques autres. Puis un homme au premier rang jeta un cri et le livre qu'il tenait en main. « Va au diable, sale nègre ! » Une échauffourée, des bras, des jambes qui battaient l'air, quatre femmes escortèrent le perturbateur jusqu'à la porte. De nouveau, Douglass leva les bras, ses paumes blanches tournées vers la salle, vite rassérénée. « Lorsqu'une vérité essentielle triomphe, il n'est aucun pouvoir capable de la retenir, de l'emprisonner, de la contester. » Elle voyait en lui un orchestre, une polyphonie d'instruments et de gammes. Sa voix redevenait un tambour. « Et rien ne l'arrêtera avant qu'elle ait conquis le monde entier. » Il arpentait l'estrade, jouant de l'ombre et de la lumière, ses talons claquant sur les planches. « De cette vérité découle l'égalité des hommes et des femmes, qui doivent jouir des mêmes droits, d'une liberté comparable. Ce qu'elles ont toujours su, sans avoir les mots pour le dire. Sans leur vote, il n'y aura jamais d'État ou de gouvernement dignes de ce nom ! » Lily sentait la main de sa fille se resserrer sur son poignet, plus ferme à chaque seconde. Dans l'air, les grains de poussière autour de l'homme noir semblaient ajouter quelque chose.

Il posa un bras sur son front, comme pour faire surgir une idée. Il paraissait prier lorsqu'il ferma les yeux.

Lily se demanda s'il n'allait pas rester figé, comme elle une éternité, tout à l'écoute de son esprit. Elle se retrouva dans l'escalier à Dublin, il la frôlait en descendant dîner. Elle sentit son cœur se gonfler. Les femmes se levaient, des applaudissements, des vivats résonnaient dans la salle, mais elle resta assise. Ce qu'elle éprouvait était unique, incomparable et pourtant ordinaire, tous les instants de sa vie réunis ici même, la porte de sa chambre qui se refermait, la mince bande de lumière au sol, son éclat grandissant dans le noir. Elle comprit qu'elle avait voyagé si loin, parcouru ce chemin pour ouvrir une autre porte, que sa fille se trouvait à l'intérieur avec l'histoire de Lily, sa chair et ses secrets, pour lire dans le halo d'une lanterne d'autrefois.

On raccompagna Douglass aussitôt la conférence terminée. Une voiture attendait devant l'hôtel. Le cheval piaffait dans la nuit étouffante. Un ongle de lune suspendu au-dessus de St. Louis. Les réverbères gonflaient l'obscurité comme de la pâte à pain.

Des protestataires s'étaient groupés au bout de la rue, manches de chemise et bretelles larges, devant un cordon serré de policiers indifférents.

Lily vit Douglass relever le menton, jeter un coup d'œil amusé dans leur direction. Il tenait une Blanche par la main, qu'il aida à monter. Sa deuxième épouse. Les cris redoublèrent tandis qu'il faisait étalage de bonnes manières.

Il s'inclina en refermant la portière, contourna le véhicule, baissa les épaules et prit place à son tour. Le cheval, grand et beau, s'ébroua en claquant des sabots.

Lily eut envie de le rejoindre, se coller à la vitre, le saluer, se rappeler à son souvenir, mais elle se tassa dans l'ombre. Que pouvait-elle dire ? Pour quoi faire ? Peut-être feindrait-il de l'exhumer de sa mémoire, peut-être même pas. Elle avait sa fille. Ses fils.

Elle entendit le harnais crisser, les roues grincer dans le noir. Elle agita les plis de sa robe, tapota le bras d'Emily.

— Il est temps de rentrer, dit-elle. Allons.

1929

Vêpres

UNE BOULE DANS LA GORGE au début de chaque article. Elle éprouvait parfois des difficultés à parler. La clé sera toujours sous la surface. Une sorte de nostalgie s'emparait d'elle devant la feuille blanche. Son imagination luttait contre la force de l'immédiat. Nulle formule magique ou théorie pour la ressourcer, mais des éclairs fulgurants, et le déclic. Alors Emily Ehrlich partait au galop, pleine d'une joie envahissante qui la hissait par-dessus tout. Quelques secondes de nirvana.

Son esprit implosait. Le temps, la lumière disparaissaient dans l'infini de son encrier. Un noir frémissement au bout de la plume.

Des heures d'exode et d'évasion, d'échecs et de démence. Gratter ce mot-là, le buvard en travers d'une page à jamais illisible, puis la feuille déchirée en lambeaux.

La recherche pointilleuse du mot. On déroule la chaîne au-dessus du puits, le seau descend dans l'obscurité. On le remonte vide chaque fois, jusqu'à ce que, au moment le plus inattendu, il arrive à draguer le fond. Porter le précieux chargement à la lumière, puis de nouveau fouiller le néant.

La cabine en première était petite et blanche. Deux lits. Un hublot à bâbord. Les fleurs, fraîches, dans le vase en cristal. Un mot de bienvenue du capitaine. Un lustre toujours droit, insensible aux intempéries.

Dans un tonnerre de parasites, les haut-parleurs crachaient la voix monocorde des stewards : heures des repas, attention aux coups de soleil, messages des clubs.

Mère et fille se moquaient des apparences mais, le premier soir, elles s'habillèrent mutuellement avec soin.

Pas si facile de se brosser les cheveux à tour de rôle, même si, par temps calme, le navire tanguait à peine. Emily cala un miroir de poche dans l'encadrement du hublot. Ses cheveux étaient maintenant gris, ceux de Lottie coupés court, à la mode du jour. Derrière leur image, elles devinaient les lumières mouvantes d'autres bateaux sur l'eau.

Emily était clouée par ses kilos en trop. Cinquante-six ans, et les miroirs lui en donnaient souvent dix de plus. Les chevilles constamment gonflées, comme les poignets et la nuque. Il fallut ajouter deux tailles à ses chaussures. Elle marchait en s'aidant d'une canne en épine noire, avec pommeau d'argent et embout de caoutchouc, que lui avait confectionnée un artisan de

Quidi Vidi. Consciente de l'espace qu'elle occupait, elle avançait timidement comme si son corps anticipait, la prévenait des souffrances à venir.

Lottie, grande, rousse, pleine d'assurance, portait une longue robe de taffetas, une babiole de collier par-dessus l'échancrure. À vingt-sept ans, elle avait quelque chose d'anticipé, comme si ses pas arrivaient trente secondes avant elle. Elles se montraient rarement l'une sans l'autre. Cousues aux deux extrêmes d'une même orbite.

Emily au bras de sa fille, elles se faufilèrent jusqu'au restaurant. Le bas de la rampe était garni de fleurs. Une longue balustrade en forme de vague dominait la salle. Elles s'étonnèrent. Puis le spectacle de la richesse. Jeunes hommes en costume sombre, chemise claire, col à grands rabats. Sveltes créatures au cou de cygne, bras élancés, plumes dans les cheveux. Businessmen en petits groupes dans la fumée des cigarettes.

La cloche retentit, saluée par des acclamations. Le port était assez loin pour qu'on puisse boire à la santé de la prohibition. L'air du large semblait déjà enivré de gin.

On les assit avec le médecin de bord, canadien, élégant, une mèche en point d'interrogation au milieu du front. Chemise sur mesure, bracelets de manche, des joues creuses et les rides du rire. Penché sur la table, il parlait de Lomer Gouin, de Henry George Carroll, de curieux frémissements à la Bourse de New York. Du prix du blé, des anarchistes de Chicago, de Calvin Coolidge et ses bons amis de la finance.

Et encore de Pauline Sabin, qui militait contre la… prohibition.

Vaisselle de porcelaine pour tout le dîner. Au bout de quelques verres, le médecin commença à bafouiller. Les accords mineurs de l'orchestre, la trompette chavirait, le piano roulait. *Wolverine Blues. Muskrat Ramble. Stack O'Lee Blues.*

Emily griffonna quelques mots dans son carnet, pendant que Lottie remontait dans leur cabine chercher son nouvel appareil, un Leica gris acier. Emily espérait qu'elle saurait rendre en noir et blanc les mille chatoiements du bateau sous les minces galaxies de fumée.

Six mois de voyage au moins, et leur première journée à bord. Les articles d'Emily et les photos de Lottie pour le magazine de Toronto. L'Europe resplendissait d'idées nouvelles. Les peintres de Barcelone. Le Bauhaus à Dessau, Freud à Vienne. Le dixième anniversaire de la première traversée de l'Atlantique. Big Bill Tilden en tennis simple à Wimbledon.

Leur malle en bois contenait le strict minimum, car elles souhaitaient se déplacer facilement. De quoi se changer, des vêtements de pluie, deux exemplaires du même roman de Virginia Woolf, les petits carnets, la pellicule, les médicaments pour l'arthrite.

La dérive des heures dans leurs longues journées. Repoussant l'horizon et ses courbes, le gris majestueux de l'océan se déployait autour d'elles. Mère, fille sur le pont dans le couchant flamboyant.

Elles lisaient Woolf en tandem, tournant les pages au même moment. L'extraordinaire tristesse qui suintait de cette voix. « Détachée de tout corps, de toute passion, explorant, solitaire, un monde sans réponses, et qui se brise sur les rochers – cette impression. » Emily aimait surtout l'aisance qu'elle suggérait. Les mots s'entrelaçaient naturellement. Une vie traduite dans son intégrité. Et, dans les mains de Woolf, une vision de l'humilité.

Elle se demandait parfois si elle-même ne péchait pas par manque de conviction. Les articles qu'elle rédigeait depuis près de trente ans suscitaient quand même un certain intérêt. Un éditeur de Nouvelle-Écosse avait publié deux recueils de ses poèmes, évanouis quelque part. Avait-elle une vague idée de beaucoup de choses, ou une idée précise de seulement quelques-unes ? Elle l'ignorait. Comme si, devenue allergique à la profondeur, elle préférait effleurer la surface. Nager sur une paroi de verre, ciselée avec goût. Sans doute avait-elle battu en brèche tout ce qu'on attendait d'une femme – elle était mère célibataire, journaliste de surcroît –, mais cela ne suffisait pas. Depuis si longtemps, elle s'efforçait de se faire une place et, les années passant, elle avait l'âge de ne plus savoir ce qui importait vraiment. Épuisée, en fait. Quelle lourdeur.

Son désir la portait vers une proximité inaccessible, qu'elle n'était jamais sûre de pouvoir définir : quelque chose d'autre, un point au bout de la ligne, une page à tourner, la portée d'un mot, une habitude à découdre. Elle enviait Virginia, la maîtrise, le potentiel de la jeune Anglaise, la profusion des voix et la capacité de vivre dans plusieurs corps. Là était sans doute la raison de cette traversée : déstructurer, jeter une impulsion nouvelle dans la trame des jours. Lottie et elle avaient vécu côte à côte au Cochrane pendant des années. Dans leur chambre minuscule, elles avaient su se mouvoir les yeux bandés, sans jamais se déranger.

Les parties de badminton s'enchaînaient sur le pont. Emily observait à l'écart la course du volant, hésitant en plein vol, comme ralenti par une force magnétique émanant du bateau. Renvoyé dans l'autre sens, il paressait une seconde, sensible à un souffle de vent, avant de filer une fois de plus à toute allure.

Brassant l'air avec une raquette d'emprunt, Lottie remonta de la cabine en jupe longue. Elle avait toujours eu une énergie folle. Sans prétentions ni grâce particulière, mais une vraie pile, stupéfiante de souplesse et de mobilité. Qu'importe si elle n'était pas jolie, le rire de sa jeunesse s'entendait de loin. Lottie ne cherchait jamais longtemps un partenaire en double mixte.

Le garçon en livrée patrouillait entre les passagers avec un plateau de verres au-dessus de la tête. Revenant de ses explorations américaines, un vieux couple serbe se promenait, main dans la main. Deux Mexicains superbement vêtus marchaient sous l'éclat noir de leur chevelure. L'orchestre ambulant répétait près de la proue. Emily observait l'ombre de la cheminée qui progressait lentement d'un bord à l'autre du paquebot.

Comment imaginer que sa mère, quatre-vingts ans plus tôt, avait emprunté un bateau-cercueil, surchargé, rongé par la fièvre et la mort, et qu'elle, Emily, voyageait aujourd'hui en première classe avec sa fille, destination l'Europe, dans un navire où la glace était produite par un générateur électrique.

Elle quitta la salle à manger d'un pas ponctué de coups de canne. Des gradations de noir soulignaient les vagues d'une nuit sans lune. Le reflet des étoiles ricochait sur les houles, comme propulsé du fond de l'océan. Au loin, la mer était plus sombre que le ciel. Le pont aspergé d'écume. De temps à autre, les moteurs se taisaient, le navire poursuivant sur sa lancée dans un calme souverain.

Aidée par un steward, elle s'engagea prudemment dans l'escalier. Elle le salua devant la cabine, coucha enfin ses membres endoloris. Des voix résonnèrent dans le couloir, entrelacées, lointaines, s'éteignant, revenant. Puis une pluie de rires, un instant de silence, des portes qui se referment, un pas de danse, peut-être sur le pont, un verre se brise, et d'autres voix mouvantes. Le dessous de l'oreiller devait être plus frais.

Un tour de verrou, et la porte s'ouvrit enfin. Lottie reprit son souffle. Elle avait bu. Sa robe, épuisée, échoua sur le sol. Le couvercle de la malle fit un aller et retour. Un pied nu s'élevant après l'autre. Emily vit sa fille se glisser sous les draps.

Pour une large part, l'amour lui était resté étranger. Pas de mari. Un homme seulement, qui avait disparu un beau jour. Vincent Driscoll, rédacteur en chef à St. Louis. Le front haut et brillant, de l'encre sur les doigts, quarante-deux ans, une photo de sa femme dans son portefeuille. Emily était secrétaire au bureau de la publicité. Chemisiers à boutons et l'améthyste au col. Vingt-cinq ans et toutes sortes d'ambitions. Elle avait frappé à sa porte, soumis l'article qu'elle avait écrit à propos de l'Union chrétienne des femmes pour la tempérance. Un style féminin, chargé, tourmenté, avait-il remarqué. Lui s'exprimait par phrases courtes et dures. Il lui avait posé une main dans le creux des reins, elle l'avait laissé faire. Cynique, il rayonnait d'orgueil.

Driscoll l'avait emmenée à l'hôtel Planters House, où il avait commandé des huîtres frites, une selle d'antilope, un Gruaud Larose. À l'étage, ses bretelles avait mollement quitté ses épaules. Il avait joui comme une grosse miche de pain, blanche et humide.

Emily avait rédigé un nouvel article, puis encore un autre. Il pointait avec son crayon, mettait au propre, expliquait-il. Les crues printanières du Mississippi. L'explosion d'une chaudière à Franklin Avenue. L'ours abattu au zoo de Forest Park. Tom Turpin et son *Harlem Rag*, la musique nègre de Targee Street. Driscoll resserrait tout ça. Ouvrant le journal un matin de 1898, elle avait lu son premier article imprimé :

réflexions sur l'œuvre de Frederick Douglass, décédé trois ans plus tôt. Elle en avait écrit chaque mot. C'était signé V. Driscoll. Elle avait vacillé sur ses jambes, comme si on la vidait de son sang. À l'hôtel, il était boursouflé dans son luxueux costume blanc. Les efforts à fournir pour boutonner sa veste. Ce tic à la lèvre inférieure. Elle devait se réjouir d'être publiée. Ferait mieux de le remercier – il lui prêtait son nom. Il acceptait de collaborer, il ne fallait pas en demander plus. Emily s'en était allée le long du fleuve sous un ciel rouge. Les crieurs brandissaient le journal, plein de ses mots à elle. Elle était rentrée dans sa petite chambre de la pension de Locust Street, avec cuvette en émail et porte-serviette en bois. Quelques vêtements sans vie dans un réduit qui servait de penderie ; le bureau minuscule à replier contre le mur. Elle s'était fait une table entièrement avec des livres. Sa plume gratta sur le papier. Elle attendrait son heure.

Emily était revenue au bureau à l'étage, avait glissé son nouvel article sur le sous-main. Il l'avait regardée en haussant les épaules. Ce serait : V. E. Driscoll. Une concession de sa part. Le E pour Emily. Un secret entre nous.

Le feu d'artifice, une explosion de couleurs, couronnait St. Louis pour le siècle naissant. Dans la chambre d'hôtel, elle lui coinçait les genoux sous ses chevilles. Il brandissait le drap comme un drapeau blanc. Emily lui avait trouvé un mot : il enflait – son front, sa taille, sa notoriété. Elle prenait patience, sans être sûre de savoir pourquoi. Il la rendait malade. Son pouvoir, sa posture – il fallait tolérer ça. Dans la rue, les vendeurs criaient toujours le nom de Driscoll. Elle ne les écoutait plus. Son ventre remuait. Les nausées le matin. Voilà ce qu'elle attendait. Incroyable. Elle pensa à consulter un médecin, puis se ravisa. Il n'y aurait pas de père, elle était une femme en avance sur son temps, et au diable les convenances. Pour ce qu'elle en savait, l'amour était plus de la sueur qu'autre chose. Tout ce qu'elle voulait, lui disait-elle, c'était son nom à elle. Mais il n'y avait pas de place pour une femme à la rédaction, n'y en avait jamais eu. Les pages mondaines, à la rigueur. Les mains sur le ventre, elle avait parlé de sa grossesse. Il avait blêmi. Les bébés crient à la naissance, et le monde les écoute. Il avait étalé ses paumes sur son immense bureau, calmement. Ses mains étaient très blanches. Du chantage ? Emily restait sage, modeste, les doigts enfouis dans les plis de sa robe. Il tapotait son crayon sur le bois. Le portrait encadré de ses enfants. Alors seulement les initiales. Elle écrirait toujours sous le nom de Driscoll, et elle aurait une autre rubrique, signée E. L. Ehrlich. On pourrait croire que c'était un homme. Elle s'en sortait bien. Le L pour Lily. Personne n'y toucherait.

Emily avait accouché au début de l'hiver 1902. Le soir, tandis que l'enfant dormait, elle continuait de travailler, de ciseler ses phrases pour que ses articles aient la concision et le rythme d'une poésie. Les mots reculaient vers le bord de la page. Elle révisait, révisait toujours. Les concours d'improvisation au Rosebud Café, où l'on martelait les pianos. Une réunion d'anarchistes dans la cave d'un immeuble de Carr Square. Les matchs de boxe à mains nues, du côté de 13th Street où habitaient les crieurs de journaux.

Toujours une digression dans ses écrits – soudain elle révélait les niches des oiseaux migrateurs sur les berges du Missouri, vantait l'excellent cheese-cake du petit restaurant allemand d'Olive Street.

Elle aimait sa solitude. Au fil des ans, quelques hommes s'étaient intéressés à elle : un marchand de tapis persans ; un pilote de remorqueur ; un vétéran, très vieux, de la guerre de Sécession ; un menuisier anglais, qui dessinait les plans d'un village esquimau pour l'Exposition universelle. Mais elle s'en revenait à son cocon, étudiait leur veste froissée dans le dos, lorsqu'ils partaient. Elle avait sa fille pour les promenades au bord du fleuve, leur souffle mêlé, l'unisson de leurs robes. Toutes deux avaient emménagé dans un appartement de Cherokee Street. Emily s'était payé le luxe d'une machine à écrire. Les touches cliquetaient jusqu'au fond de la nuit. Cela ne la dérangeait pas de pondre les papiers de Driscoll, habiter son esprit étroit l'amusait même. Ses mains grandissaient sur le clavier lorsqu'elle rédigeait les siens. Le bonheur l'emportait. Les cheveux de sa fille flamboyaient sous la brosse. Ce furent des jours de grande libération : elle remontait du plus profond du puits.

En 1904, on avait découvert Driscoll effondré sur son bureau, foudroyé par une crise cardiaque, la troisième consécutive. Emily l'imagina tremblant dans son gilet serré. Elle s'était présentée aux obsèques en grand chapeau et longs gants noirs, sous le soleil éclatant de St. Louis. En retrait, elle tenait sa fille par la main. Quelques jours plus tard, on l'avait convoquée. Le cœur battant, elle s'était rendue au journal. Ils allaient lui reconnaître son nom, sa signature, ses droits. Trente et un ans, l'heure était venue, elle tenait sa chance, tant d'autres histoires à raconter. La ville était resplendissante pendant la Foire universelle. La ligne des toits s'élevait dans le ciel. Les accents des rues. Elle saurait tout dire. En haut de l'escalier, les propriétaires attendaient, les mains croisées. D'un air absent, l'un deux se grattait le lobe de l'oreille avec une branche de ses lunettes. Elle grimaça en s'asseyant. Ils lui coupèrent la parole. Driscoll avait laissé une lettre, la concernant, dans le tiroir de son bureau. Pendant qu'on lui faisait lecture, elle avait senti ses lèvres trembler. Le défunt affirmait avoir écrit la totalité des articles de E. L. Ehrlich. Intégralement, tournures de style et fioritures comprises. Son cadeau d'adieu, une gifle en pleine figure.

Ébahie par le soin porté à la vengeance. Les hommes lui annoncèrent qu'elle ne retrouverait pas d'emploi. Elle avait tenté d'ouvrir la bouche, ils avaient refermé leurs dossiers. Un autre s'était levé pour lui ouvrir la porte. L'avait regardée passer comme on regarde un cheval.

Cachée sous son chapeau, elle avait longé, de nouveau, la rive du fleuve. Comme sa mère, Lily Duggan, des années plus tôt. L'eau qui succède à l'eau. Arrivée à l'appartement, elle avait jeté son chapeau, rempli un sac avec quelques affaires pour elle et pour Lottie, abandonné sa machine à écrire. Elles s'étaient installées à Toronto, chez Tomas, devenu ingénieur des mines. Une chambre pour deux mois. Son épouse avait protesté, pas de mère célibataire chez nous. Alors Emily et Lottie étaient parties en train à Terre-Neuve, où la mer ne gelait pas.

Elles avaient loué une chambre au troisième étage de l'hôtel Cochrane. Deux jours plus tard, Emily frappait à la porte de l'*Evening Telegram*. Son premier article fut un portrait de Mary Forward, la patronne, qui déambulait sous une tempête de cheveux gris. Ses bracelets glissaient sur ses bras lorsqu'elle mettait de l'ordre dans ses mèches. L'hôtel lui-même était décrit à grands traits. Les jeunes mariés à la table du petit déjeuner – des paysans pour la plupart, la peau sur les nerfs. Le piano qui ne se taisait jamais. Les rampes en forme de point d'interrogation. Mary Forward aimait tant l'article qu'elle l'afficha à l'entrée du bar. Emily en écrivit un autre, à propos d'un schooner échoué sur les rochers. Le suivant consacré au capitaine du port, qui n'avait jamais pris le large. Elle signait de son nom entier. Se glissait dans la peau d'une ville où elle se sentait bien. Les bateaux de pêche amarrés, le tintement des clochettes sur l'eau. Les orages, jamais loin. La palette des rouges, des ocres et jaunes le long des quais. La recherche constante du mot approprié. Des silences, des blasphèmes, des batailles. Les habitants se méfiaient des nouveaux arrivants, mais Emily, qui avait la texture des jours de pluie, s'était fondue parmi eux. Et Lottie s'était vite adaptée. Les années avaient passé, un éditeur de Halifax avait publié les poésies de sa mère. Les recueils ne connurent pas un grand succès, mais cela n'importait plus guère : ils avaient eu une vie, trouvé une étagère sur leur chemin. Comme elle et sa chronique hebdomadaire : sans doute sa part d'amour lui avait-elle échappé, mais il y avait bien d'autres chapitres pour remplir une vie.

Lottie dormait encore, une mèche de cheveux en travers du visage, que sa respiration soulevait gentiment. Emily se glissa hors du lit. Des vapeurs de gin dans la chambre.

Elle enfila ses collants, se bagarra avec ses chaussures, agrippa sa canne, approcha de sa fille, l'embrassa. Lottie frémit, sans se réveiller. Son front était chaud.

Pas un bruit dans la blancheur du couloir. Emily s'adossa à un mur pour reprendre son souffle. Un vide effrayant, indéfinissable. Le navire tanguait, couinait. Contre quoi s'escrimait-elle, la migraine ?

Un jeune steward l'aida à continuer. L'air frais la calma un instant. Remuant comme un dessin d'enfant, l'océan revêtait toutes les teintes de gris.

La mer était houleuse et l'air sifflait. On repliait les parasols avant de les ranger et d'empiler soigneusement les transats.

Quelqu'un avait oublié sa guitare sur le pont supérieur. Du bois d'érable, le manche noir strié de gouttes de pluie. Emily la saisit, revint lentement vers l'escalier dans l'intention de la rendre à son propriétaire. Une douleur vive derrière le front. Elle était au bord de l'épuisement. Sa canne lui échappa et ricocha sur les marches. Se retenant à la rampe, elle s'assit lentement, en prenant soin de ne pas heurter l'instrument. Le bateau roulait.

Des odeurs de vomi flottaient dans le couloir. Puis les pleurs d'un enfant, une annonce distordue aux haut-parleurs. Une chose s'imprima dans sa mémoire : le fracas de la guitare sur les marches quand la dernière vague se brisa sur la coque.

Le médecin de bord était penché sur elle lorsqu'elle se réveilla. Il prenait son pouls, le stéthoscope sur la poitrine, un miroir frontal au-dessus des yeux. Lorsqu'il recula pour la regarder, elle aperçut son image floue dans le rond de métal. Fit l'effort de se redresser, de bafouiller. Le monde était enveloppé d'une gaze.

Debout en arrière-plan, avec son grand corps, ses yeux clairs et sa coupe au bol, Lottie se rongeait les ongles.

Le médecin tâta les bras, chercha une grosseur dans le cou. Pensant qu'elle avait eu une attaque, Emily marmonna quelques mots. Il lui posa une main rassurante sur la joue. Il portait l'alliance à gauche.

— Ce n'est pas bien grave, madame Ehrlich.

Elle se contracta. Lottie s'adressa à voix basse au médecin, qui haussa les épaules sans rien dire et rangea son stéthoscope. Se tournant vers les placards derrière lui, il choisit un bocal de comprimés, en compta un certain nombre dans une coupelle métallique, qu'il versa dans un flacon en verre.

On la garda trois jours à l'infirmerie, linge humide sur le front. Emily s'était gravement déshydratée, lui apprit-on, son cœur pouvait avoir souffert. Elle devrait subir des examens en arrivant à Southampton. Lottie demeura auprès d'elle du matin au soir.

Emily se demanda si, malgré elle, elle n'était pas tombée malade pour profiter davantage de sa fille. Ne pas la perdre, la garder à proximité. Vivre dans cette deuxième peau.

À l'approche de l'Angleterre, on l'emmena sur le pont. Un voile brun se devinait sous le brouillard, une forme sombre et indistincte. Les côtes de l'Irlande, expliqua Lottie. Cork et ses caps s'évanouirent derrière le navire, mais il restait une phosphorescence.

À Southampton, Emily donna quelques shillings au porteur pour qu'il s'occupe de leur malle. Elle n'irait pas à l'hôpital. Une voiture était réservée pour les conduire à Swansea. Trop tard pour changer de programme.

Avant de débarquer, elle vit Lottie serrer la main du médecin. Eh bien, voilà, c'était donc tout. Elle ressentit une vague tristesse.

Mère et fille descendirent la passerelle bras dessus bras dessous. Les jambes molles, Emily s'arrêta un instant pour reprendre son souffle, ajuster son chapeau, puis elles se dirigèrent vers la rangée de chauffeurs qui patientaient à quai, devant une vieille Ford, une Rover, une Austin.

Un jeune homme corpulent, rasé de près, s'avança vers elles. Il se présenta en tendant une main douce.

Ambrose Tuttle portait l'uniforme marine de la RAF, une chemise bleu clair, l'ourlet du pantalon en accordéon sur les chevilles. Lottie mesurait une tête de plus que lui. Il la regarda comme on regarde un berger sur échasses.

Ambrose leur indiqua une Rover marron, avec roues à rayons et un bel emblème argenté sur le capot.

— Sir Brown nous attend, dit-il.

— Ce sera long ?

— Long voyage, oui. Nous n'y serons sans doute pas avant la tombée de la nuit. Installez-vous confortablement. Les routes ne sont pas en très bon état.

En se penchant pour charger la malle dans le coffre, il révéla une bande de peau nue au-dessus de la ceinture. Emily prit place à l'avant, Lottie sur la banquette arrière. La voiture s'éloigna du port. Ils quittèrent la ville sous un tunnel de châtaigniers, et le soleil soudain éclatant.

À ballotter sur les cahots. L'ombre des branches zébrait la carrosserie. Les haies longues et vertes paraissaient impeccables, charmantes, même enjôleuses.

Ils roulaient à près de soixante-cinq kilomètres-heure. Emily jetait de rapides coups d'œil à sa fille, l'ourlet de son corsage qui papillonnait au vent. Le ciel était du même bleu depuis midi, la route peu encombrée. Si différente de Terre-Neuve, la campagne anglaise semblait jouir de son bon ordre, pensa-t-elle. Ses champs bien disposés. Impériales, dépouillées, courtoises, les nationales rétrécissaient à l'horizon toujours visible. Emily ne s'y était pas attendue : ni terrils ni crassiers, une Angleterre propre et lumineuse.

Le bruit du moteur rendait la conversation difficile. Aux environs de Bristol, ils firent une pause dans un petit salon de thé. Ambrose cachait de belles boucles blondes sous sa casquette. Il parlait avec un curieux accent. De Belfast, annonça-t-il, d'un ton sous-entendant une enfance aisée. Il faisait plus anglais qu'irlandais – un mélange de raideur et de musicalité.

La RAF l'employait depuis quelques années aux transmissions, mais il n'avait pu rejoindre les forces aériennes, leur confia-t-il en tapotant son ventre en guise d'explication.

Le ciel s'assombrit. Lisant une immense carte qui se gonflait au vent, Lottie traçait l'itinéraire à haute voix. Ambrose se retournait vers elle comme si elle menaçait de s'envoler. Il tenait plutôt à la voir rester, sans parachute pour lui échapper.

Au soleil déclinant, il ralentit, négociant adroitement les virages, suivit d'autres routes, d'autres haies. Ils approchaient du pays de Galles. Ses douces collines évoquaient la silhouette d'une femme allongée sur le flanc.

Lorsqu'ils se perdirent, au début de la soirée, Ambrose se gara près d'un champ dans lequel un fauconnier faisait voler l'oiseau au bout d'une corde – une grande boucle dans le ciel, et les limites qu'il lui dictait. Le faucon plana un instant et vint gracieusement se poser sur le poing ganté.

Ils durent passer la nuit à Cardiff, dans un hôtel quelconque. La mer parlait d'orages. De nouveau fiévreuse, Emily eut un vertige. Lottie lui prit le bras dans l'escalier et se glissa près d'elle sous les draps.

Le lendemain matin, le soleil dissipait les brumes en s'élevant derrière eux. Des enfants leur firent signe depuis les fossés, des garçons en short gris, des fillettes en blouse bleue, certains pieds nus. Ici et là brinquebalaient des bicyclettes aux garde-boue crottés. Une vieille femme brandit sa canne à leur passage en lançant des cris dans une langue incompréhensible. Des meules dorées traçaient une ligne droite au milieu d'un champ.

Ils s'arrêtèrent près d'un petit ruisseau pour ouvrir leur thermos de thé, utilisant l'unique tasse tour à tour, jetant les dernières gouttes dans l'herbe. S'éloignant le long de la rive, Emily entendit le rire de sa fille résonner dans les airs. Quelques pas la menèrent à un bosquet qui cachait un vieil homme en cuissardes. Immobile au milieu du courant, sa canne à pêche en main, en pleine contemplation, il paraissait enraciné. Emily le salua d'un geste, mais il regardait au-delà. Elle n'était personne ici, ce qui lui convenait bien. Elle était maintenant sûre d'avoir son tête-à-tête avec Brown.

L'homme se retourna, sans lancer sa canne. Comme s'il pêchait simplement la lumière. De nouveau, Emily leva la main, et il lui fit signe. À l'évidence, plus par devoir que par cordialité.

Lorsqu'elle retrouva Ambrose et Lottie, ils partageaient une cigarette, blottis l'un contre l'autre.

La maison était plantée au bord de l'eau dans la banlieue ouest de Swansea, au bout d'une longue allée bordée de clôtures blanches. Grande et toute en brique rouge. Emily compta trois cheminées sur le toit mansardé, sous les hautes branches d'un marronnier d'où s'échappa un couple de corbeaux. Le gravier crissait sous les pneus.

Brune, grave, jolie, réservée, Kathleen Brown les accueillit sur le pas de sa porte. Elle fit entrer Emily dans le salon lambrissé, décoré avec goût, aux portes-fenêtres cernées d'épais rideaux marron, ouvrant sur un admirable jardin intérieur. Le vent semblait les aimer, ces rideaux : il se glissait par les vantaux entrouverts, froissait l'étoffe, parcourait la pièce en relevant les senteurs. Des photos sur les étagères – Alcock et Brown avec Sa Majesté, puis avec Churchill. Des ouvrages d'aéronautique, une collection reliée marron et beige, des trophées en cristal taillé, des diplômes dans leurs cadres en bois. Dans le grand vase sur la table, une douzaine de roses jaunes un peu fanées, aux pétales tachetés de rouge.

Emily s'assit laborieusement sur une chaise près de la fenêtre. On avait oublié par terre, devant le canapé, une tasse et sa soucoupe, sur laquelle quelques miettes répandaient leur tristesse. Elle étudia le salon, la pelouse au-dehors, jusqu'à la mer d'argent. Il avait fallu écrire tant de lettres à la RAF pour retrouver la trace d'Arthur Brown. On parlait de whiskey, d'une vie brisée, d'échec. Il enviait la célébrité d'un Lindbergh. Il était abattu. Sur les photos, il avait l'air d'un homme désintégré.

Elle entendit les lattes du parquet craquer à l'étage, puis comme des meubles qu'on poussait, des portes qui se refermaient.

Kathleen annonça que son mari descendait tout de suite, il cherchait quelque chose, présentait ses excuses. Ses cheveux avaient l'éclat du fil de l'eau.

Elle revint quelques instants plus tard, posant près d'Emily un plateau noir laqué, avec thé et biscuits. Le motif circulaire sur la soucoupe n'avait ni commencement ni fin. Dix ans plus tôt, Emily traversait le champ d'hiver à Saint-Jean de Terre-Neuve. Un gant de givre sur chaque brin d'herbe. Les vols d'entraînement à la tombée de la nuit, les cris de métal du Vickers. Les roues qui creusaient la terre, projetaient des mèches de boue.

La voix d'un enfant surgit de nulle part. Tirant sa chaise plus près de la fenêtre, elle observa de nouveau la pelouse, la tôle ondulée d'une mer grise.

Une toux la fit sursauter. Telle une ombre, Brown se dressait à contre-jour devant la porte-fenêtre, un jeune garçon devant lui en short et blazer marine repassés. Les chaussettes accrochées aux mollets par de bons élastiques. Bien peigné, la raie droite dans les cheveux. Brown referma la fenêtre, quitta l'ombre pour la lumière. Il portait un veston en tweed, une cravate bien nouée. Il guida le petit par les épaules vers leur visiteuse. Le garçon, bien élevé, tendit sa main.

— Enchanté, madame.

— Pareillement. Comment t'appelles-tu ?

— Buster.

— En voilà, un joli prénom. Moi, c'est Emily.

— J'ai sept ans.

— Tu ne me croiras peut-être pas, mais je les ai eus aussi.

Buster se tourna brièvement vers son père. Brown resserra un instant son étreinte sur ses épaules, lui donna deux petites tapes, et le garçon s'élança vers les fenêtres, qu'il ouvrit en grand. Des senteurs maritimes s'emparèrent de la pièce.

Ils le regardèrent bondir dans le jardin, vers le court de tennis, sauter par-dessus le filet distendu, disparaître derrière les haies.

— Charmant, ce petit, monsieur Brown.

— Si on le laissait faire, il galoperait toute la journée. Teddy.

— Comment ?

— Appelez-moi Teddy.

— Ravie de vous revoir, Teddy.

— Votre fille ?

— Elle va nous rejoindre.

— Une personnalité, si je me souviens bien.

— Elle prend quelques photos du bord de mer.

— Une grande dame, je suppose, maintenant.

C'est Brown qui, en dix ans, avait considérablement vieilli. Certes, il avait perdu ses cheveux, accumulé de la graisse, mais surtout il paraissait cacher une sorte d'épuisement. Les poches sous les yeux, la peau du cou flasque et ridée. Il s'était rasé de près, ses joues étaient encore rouges, il s'était coupé sous le menton. Une minuscule maille de sang avait filé jusqu'à son col. Le costume élégant semblait taillé pour un corps qui n'était plus le sien.

Un petit air de débâcle, qu'elle affichait certainement aussi, pensa-t-elle.

Il la guida gentiment par le coude, l'invita à s'asseoir sur le canapé, tandis qu'il rapprochait de la table basse un fauteuil léger en osier. Brown remplit les tasses, reposa la théière sur le plateau de verre et fit un geste vers celle-ci, comme si elle détenait une réponse.

— Je crains d'avoir manqué à mes devoirs.

— Pardon ?

Fouillant dans une poche intérieure, il ressortit une lettre froissée. De l'eau avait dû couler sur l'enveloppe bleue, qu'Emily reconnut immédiatement. *M. et Mme Jennings et leurs enfants, 9 Brown Street, Cork.*

— J'étais débordé après la traversée. Je l'ai rangée dans un coin et je n'y ai plus pensé, bêtement.

Voilà donc ce qu'il était allé chercher à l'étage : le bruit des meubles, des tiroirs, des portes. Non qu'Emily eût oublié cette lettre, elle présumait qu'elle était arrivée à destination. Ou peut-être s'était-elle perdue en chemin : Lottie et elle n'avaient jamais reçu de réponse.

— Je ne l'ai pas mise à la poste. Vraiment désolé.

Le pli était encore cacheté. Emily observa l'écriture – la sienne. L'encre était légèrement décolorée. Elle posa la lettre contre sa bouche, comme si elle pouvait avoir un goût. Puis elle l'inséra sous la couverture de son carnet.

— Aucune importance, dit-elle.

Brown étudiait nerveusement ses pieds, se demandant peut-être où il allait atterrir. Elle ajouta :

— C'est pour le dixième anniversaire.

— Comment ?

— L'article que je veux écrire. Commémoratif.

— Ah oui, bien sûr.

Il toussa dans son poing.

— Je n'ai pas fait grand-chose, en vérité. Je ne vole plus, vous savez ? Je déjeune : mon nouveau métier, une vraie occupation.

Brown tâta une de ses poches : ce qu'il cherchait n'y était pas. Il trouva son mouchoir dans une autre, se tamponna doucement le front. Emily gardait le silence.

— Je suis un expert, à midi. Au dîner, je fatigue. Déjeuner me suffit pour traverser les mers. Je n'aime pas beaucoup ces avions modernes, au fait. Il paraît qu'on va bientôt y servir des repas. Incroyable, non ?

— J'ai vu des photos.

— Le cockpit est fermé. Les pilotes disent que c'est comme faire l'amour avec son chapeau.

— Pardon ?

— Vous ne rapporterez pas cela, madame Ehrlich ? C'est un peu grossier de ma part. Mais enfin, oui, il y a d'autres situations où le port du chapeau est plus adapté.

Il faisait son numéro, pensa-t-elle. Une touche d'ironie, enjouée, sur le glorieux passé qui meublait ses journées. Elle recula en riant. Par centaines d'interviews au fil des ans, Brown avait certainement rabâché son Vickers Vimy jusqu'à plus soif. Pourtant, quel que soit le sujet, on ne révélait jamais tout. Il faudrait qu'elle contourne les évidences, amorcer le bon virage.

— Je suis navrée, au fait.

— De quoi ?

— Alcock.

— Oh, Jackie, oui.

— Une tragédie.

Lottie et elle venaient de terminer leur dîner au Cochrane quand la nouvelle était tombée. Six mois seulement après leur exploit, Alcock avait sombré en mer, alors qu'il se rendait à Paris pour un meeting aérien. Perdu dans un nuage, il était descendu en vrille, n'avait pas réussi à se remettre en palier. Mort sur le coup.

— Dix ans, fit Brown en se tournant, comme s'il s'adressait à la fenêtre, la pelouse, la mer.

Emily finit sa tasse et s'enfonça dans le canapé moelleux. L'horloge égrenait les secondes sur le manteau de la cheminée. Des ombres traversaient le salon et fondaient peu à peu. Le jeu rieur de la lumière aux pieds de son hôte. Elle voulait le ramener à l'âpreté de l'aventure, retirer les serpentins déroulés sur ses épaules, le surprendre au-dessus de l'océan, redonner vie à l'instant, le célébrer.

— Vous êtes un pacifiste.

— Comme tout un chacun, j'imagine. Je n'ai rien fait de tellement spécial, sinon avoir de la chance.

— Tout de même admirable.

— Pas tant que ça, non.

— Vous avez transformé un engin de guerre en instrument de paix.

Brown la regarda, puis le jardin. Glissa ses doigts sur sa canne en bois, la fit doucement claquer sur la table. Il semblait mesurer ce qu'il allait dire.

— Pourquoi ne volez-vous plus ?

— On vieillit, répondit-il avec un demi-sourire.

Les mains serrées dans les plis de sa robe, Emily prolongea le silence.

— On transige.

Des rires à l'extérieur s'immiscèrent entre eux, à peine quelques secondes, puis s'évanouirent.

— Je suppose que je suis encore là-haut la plupart du temps.

Il s'enfonça dans ses souvenirs : s'élever dans les airs comme une pure délivrance. Lui parla de ses nuits en camp de prisonnier, de leur enthousiasme pour le Vimy. Le maniement du vieux bombardier, les vibrations qui se propageaient dans son corps, les brûlures de la neige sur les joues, les limites de l'angle de vision. Le désir bouillonnant de retrouver Kathleen, l'atterrissage dans la tourbière, l'avion cabré, la stupeur d'être encore en vie. Les foules en Irlande, le retour en Angleterre, le balcon de l'Aero Club à Londres. Son titre de chevalier, la remise du prix, la dernière fois qu'il avait serré la main d'Alcock. Il avait beaucoup écrit, faisait encore quelques apparitions, mais il menait une vie tranquille, heureux chez lui avec sa femme et son enfant. On lui avait tant donné, il n'en demandait pas plus.

Elle le vit se détendre. Tout à l'heure, lorsqu'il était apparu à contre-jour, protégé par son fils, elle l'avait deviné triste, mais elle décelait une vitalité sous la façade. Il redevenait lui-même, elle s'en félicita. Le sourire brillait dans ses yeux, il desserrait les lèvres puis vous regardait comme un confident.

Le thé était froid, mais ils remplirent leurs tasses une dernière fois. Les ombres s'allongeaient sur le sol. D'un air absent, Brown tâta de nouveau la poche de son veston.

— Une chose, si vous permettez, dit-il.

Joignant les mains comme en prière, il dévisagea rapidement Emily, puis trempa un biscuit dans son thé, qu'il maintint au-dessus de la surface. La pâte s'effrita et il dut récupérer les miettes avec sa cuillère. Brown ne reprit la parole qu'au bout d'un moment.

— Vous ne m'en voudrez pas ?

— Eh bien ?

— Cela n'était pas une tragédie.

— Oui ?

— Jackie. Jackie était dans son avion, n'est-ce pas ? C'est tout ce qu'il aimait. Jamais il n'aurait appelé ça une tragédie.

Il gardait sa cuillère à l'horizontale, sous le menton. Emily aurait aimé que Lottie soit revenue pour lui voler cette photo.

— Là-haut dans les airs, la liberté appartient à autre chose. Comprenez-vous ce que je veux dire ?

Il reprit son souffle.

— À un enfant, peut-être. Oui, cela y ressemble. Ça ne tient peut-être qu'à ça.

Brown regarda derrière elle. Emily se retourna et reconnut le garçon dans le jardin. Il parlait à une autre personne, masquée par le cadre de la fenêtre. Se décalant légèrement, elle aperçut Ambrose, enjoué, sa casquette de travers sur la tête, qui ramassait le filet sur le court de tennis. Il le secoua comme s'il était mouillé, le tendit d'un côté mais le filet retomba. Même s'ils étaient trop loin pour entendre leurs rires, elle voyait bien que ces deux-là s'amusaient.

Son appareil en bandoulière, Lottie se tenait au bord du court. Elle saisit l'autre bout du filet, le tendit correctement, se pencha pour ramasser une raquette.

— Votre fille, dit Brown. Son nom m'échappe.

— Lottie.

— Ah oui, Lottie.

— Si vous voulez bien lui accorder un instant, tout à l'heure, pour quelques photos, nous serions ravies.

— Et qui est ce jeune homme ?

— Notre chauffeur. Il est employé à la RAF, à Londres. Il a roulé toute une nuit pour nous chercher à Southampton, puis nous emmener ici.

— Il faut l'inviter à déjeuner.

Brown fit cliqueter la porcelaine en reposant la tasse sur sa soucoupe.

— Est-il pilote ?

— Il voulait l'être. Il travaille dans les transmissions. Pourquoi ?

— Quand on monte dans un avion, on n'est pas toujours sûr d'en ressortir entier.

La soucoupe claqua sur la table. Brown mit sa main dans sa poche. Ses doigts tremblaient sous le tissu du pantalon. Il se leva.

— Vous voudrez bien m'excuser, dit-il en traversant la pièce. Une petite chose à faire.

Il redescendit un quart d'heure plus tard, sa cravate bien nouée et les joues rouges. Se dirigeant droit vers Lottie, il lui serra gaiement la main.

— Un plaisir de vous revoir, jeune dame.

— Pareillement, monsieur. Si on profitait de la lumière ?

— Ah oui.

Retenu par la bandoulière, l'appareil glissa dans son poing, puis elle entraîna Brown dans la véranda, l'assit sur le muret de pierre, devant les rosiers, avec la mer au second plan. Plissant les yeux vers l'objectif, il posa sa canne près de lui, mouilla un coin de son mouchoir pour lustrer le bout de sa chaussure.

Le ciel était derrière lui un théâtre de nuages, une masse pluvieuse striée de bleu. Une rose blanche lui caressait l'épaule.

— Alors une question, monsieur Brown.

— Ah, les devinettes.

— Vous rappelez-vous la couleur du tapis, au Cochrane ?

— Du tapis ?

— Celui de l'escalier.

Il mit sa main en visière sur son front, exactement comme elle se souvenait de lui à Terre-Neuve, dix ans plus tôt.

— Rouge, risqua-t-il.

— Et à la salle à manger ?

— C'était bien rouge ?

Lottie changea d'angle de vue, laissa un peu d'ombre noircir son profil, se déplaça agilement le long du muret.

— Et le nom de la route que vous preniez pour rejoindre Lester's Field ?

— Je comprends. Un truc de photographe, ça. Eh bien, la route du port, si je ne m'abuse. Il y a toujours les bateaux de pêche ?

— Les gens parlent encore de vous, monsieur.

— Teddy.

— Avec beaucoup de chaleur.

Emily regarda sa fille retirer le premier rouleau de pellicule, le ranger dans la poche de sa robe, en insérer un deuxième dans l'appareil. Lottie était devenue experte à ce jeu : l'opération lui prenait quelques secondes.

— J'ai notamment cette photo de vous, en train de vous raser devant la petite cuvette au bout du champ.

— On chauffait l'eau avec un bec Bunsen.

— Vous êtes penché dessus.

— C'était au cas où on s'envolerait le soir même.

Tout en poursuivant la conversation, elle avait tiré une chaise dans la véranda, sur laquelle elle assit Brown sans lui demander son avis. Il se laissa faire. Les nuages ondulaient dans son dos.

— Vous nous aviez préparé nos sandwichs, ce matin-là, dit-il avec un grand sourire.

Elle vissa une autre focale, s'accroupit pour un cliché en grand angle.

— Je suis vraiment navré pour la lettre.

— Maman m'en a parlé.

— Une négligence impardonnable.

— Elle a quand même atterri en Irlande.

— Oui, ça…

Lottie se décala, en fit de même avec Brown, appuya sur le déclencheur.

— Il était vert, au fait.

— Hm ?

— Le tapis, au Cochrane. Vert.

Il renversa la tête et rit.

— J'aurais juré qu'il était rouge.

Une balle de tennis fendit l'air un instant plus tard, atterrissant dans les rosiers derrière lui.

— Doucement ! lança-t-il à Buster, avant de traverser la véranda et de se hisser sur le muret, d'où il récupéra la balle en la faisant rouler du bout de sa canne.

Cela prit un moment. Une petite feuille resta collée à la balle.

Brown redescendit, se courba en arrière, puis la renvoya en l'air avec une agilité remarquable. Lottie l'immortalisa en plein mouvement, avant que la feuille tombe à terre.

— Dans la boîte, dit-elle.

Peu après midi, ils déjeunèrent dehors : Brown, Emily, Lottie, Ambrose, Kathleen et Buster. Un grand plateau de sandwichs au pain de mie, soigneusement écroûtés, suivis d'un cake aux fruits noirs. Le thé bien au chaud sous le couvre-théière brodé.

Sans surprise, Emily s'aperçut que Brown sentait légèrement le whiskey. La petite chose à faire de tout à l'heure. Il s'était senti plus à l'aise pour la séance de photos. Et pourquoi pas ? Elle comprenait bien ça – boire et l'impression de rafraîchir les cinq sens.

Il se rapprocha d'Ambrose, effleura son épaule.

— Comment ça va, là-bas ? lui demanda-t-il. À Londres.

— Mais à merveille, monsieur.

— Une belle mission de servir de chauffeur à deux femmes si charmantes.

— En effet.

— Êtes-vous irlandais ?

— Du Nord, oui.

— Excellent. Des gens très bien, les Irlandais.

Le jeune homme sembla hésiter, et se tut. Brown se radossa, les yeux dans le lointain. Sa veste s'entrouvrit. Emily aperçut la flasque en métal. Kathleen lui posa le poignet sur le bras, comme pour le plaquer là, le maintenir sur terre, l'empêcher de s'envoler dans les brumes de l'alcool. Il hocha la tête, d'un regard qui disait : « Oui, ma chérie. Rien qu'une fois, permets-moi. »

L'après-midi baignait la véranda de lumière. Le repas terminé, Buster galopa vers le court, d'où il rapporta trois raquettes et une balle blanche.

— *Please, please, please*, jouez avec moi !

Se consultant du regard, Lottie et Ambrose se levèrent, prirent le garçon par la main, traversèrent la pelouse.

— Ah, fit Brown.

Emily les observa depuis son transat. Le filet avait été fixé, tendu. Sa fille testa sa raquette plusieurs fois et, quand la balle partit à l'autre bout du court, une fine gerbe de gouttelettes s'en détacha, étincelant au soleil.

Brown dormait lorsqu'ils s'en allèrent. Sur une chaise de jardin, une couverture sous le menton. Une chenille verte escaladait le muret. Il battit des paupières. Emily ferma un instant le poing autour de ses doigts. Frissonnant, il parut se réveiller, mais se tourna sur le côté. Un souffle las s'échappa de sa bouche.

Elle recula d'un pas. Elle ne parlerait pas de la flasque en argent. Pour quoi faire ? Non, l'article le dépeindrait entre deux nuées, dans toute sa dignité passée. Il s'exclamerait en s'élevant dans l'azur.

Remontant la couverture sur son cou, elle sentit son souffle léger. Quelques poils avaient échappé au rasoir. Elle se retourna et serra la main de Kathleen.

— Merci pour votre accueil.

— Vous êtes ici les bienvenus.

— Un type bien, votre mari.

— Il est fatigué, voilà tout.

Un coup de manivelle, et le moteur tournait. Ambrose enclencha une vitesse. La voiture s'engagea sous les marronniers, puis dans le virage. La route serait longue jusqu'à Londres, dit-il.

Derrière elle, Emily vit Kathleen et Buster assis sur les marches de la maison. La mère tenait son fils devant elle, dans ses bras, le menton calé sur sa tête. De nouveau, le gravier crissa sous les roues.

La voûte des arbres sur le chemin. Un remous de basses branches, les feuilles frissonnant dans la brise. Buster se détacha de Kathleen, qui disparut dans sa maison.

Emily se réveilla quelques heures plus tard, à la tombée de la nuit. Ouvrant les yeux, elle découvrit sa fille, encore endormie, la tête sur l'épaule d'Ambrose. Elle n'en fut pas surprise. Comme si Lottie enfilait un tailleur sur mesure. Ses cheveux défaits sur la manche du chauffeur.

Le volant bien en main, Ambrose conduisait sans à-coup, aussi doucement que possible pour ne pas la réveiller.

Quatre mois s'étaient à peine écoulés lorsqu'ils se marièrent, à Belfast, dans une église protestante aux abords d'Antrim Road, par une journée de septembre qui ne croyait pas à la fin de l'été. Les arbres ondoyaient de verdeur. Des nuages d'étourneaux remplaçaient la pluie.

Tous rubans au vent, la voiture blanche d'Emily et de sa fille passa les grandes grilles noires. Emily descendit, ramassa la traîne de Lottie, en dentelle blanche. Elle faillit presque en oublier sa canne et son arthrite. Le bâtiment était à l'ombre, et l'intérieur noir. Plus une place sur les bancs. Costumes sombres, chapeaux extravagants. Jeunes hommes en uniforme de la RAF, femmes en robe garçonne. Les dames âgées avaient toujours un mouchoir prêt dans leur manche. Les parents d'Ambrose fabriquaient de la toile d'avion ; un grand nombre de leurs employés étaient là, revêches dans leur veston gris, le béret dans la poche. Short Brothers et Vickers avaient envoyé des bouquets de fleurs, dont un en forme de planeur

Wellington. Au premier rang, sans conjoint, Emily affichait son célibat. Peu lui importait. Au début de la cérémonie, le jeune pasteur se présenta les bras levés comme on guide un avion à l'atterrissage. Elle n'était pas entrée dans une église depuis belle lurette et elle prêta attention au moindre détail. L'accent du Nord la ravissait.

La foule se pressa autour des jeunes mariés lorsqu'ils remontèrent l'allée. Les joues rouges sous son haut-de-forme, Ambrose semblait embarrassé. Lottie portait des chaussures plates pour qu'on ne remarque rien, ou le moins possible. Une pluie de confettis les attendait sur les marches, où ils s'embrassèrent.

Dans le jardin de l'hôtel, le père d'Ambrose porta un fauteuil à Emily. Elle s'assit dans un carré de soleil, sa canne en travers des genoux. Des sculptures de glace avaient été disposées sur la pelouse. L'après-midi fondit lentement autour d'elle. Les cris rauques des chevaux, harnachés à l'aube dans le Missouri. Le manteau de sa mère, resserré par le vent. Les cils de son père, unis par le givre. Tessons de glace, orages de prairie. Curieux, pensa-t-elle, la vie emprunte tant de chemins, mais nous ramène toujours à la trame de l'enfance. Lottie dans les couloirs du Cochrane. Sur les trottoirs de Paton Street, le premier jour au lycée Prince of Wales. Sa découverte de la photographie, sous la forme d'un Graflex et ses chambres à soufflet. Quatre mois plus tôt, toutes deux regardaient les quarts de finale sur le court central de Wimbledon quand Lottie avait révélé ce que sa mère savait déjà. L'amour et l'aventure,

Lottie avait tourné son planisphère. Éprise, elle resterait ici. Emily chérit un instant de joie, qui se transforma en jalousie, et elle retrouva la fascination que lui inspirait ce monde, éternel spécialiste des changements de cap. À quoi nos vies se résument-elles, finalement ? Des séries d'incidents posés sur de courtes étagères, et qui parfois se regardent de travers. Les étincelles se détachent d'une masse de froidure. On affûte les longues lames des scies, on emmanche les poignées à chaque bout, on se penche et on coupe. Les braises voltigent une seconde.

Elle se sentit soudain pleine de reconnaissance. Un matin dans le nord du Missouri sous les hurlements de l'hiver, quelques instants plus tard sur le pont d'un transatlantique, puis seule à Rome. La semaine suivante à Barcelone, en train dans la campagne française, de retour à l'hôtel de Saint-Jean à regarder un avion fendre le ciel, ou chez un chapelier de St. Louis où il pleut à verse. Aussi soudainement, nous voilà en Irlande, sur la pelouse de l'hôtel, où Lottie navigue entre les sculptures, proposant du champagne à une centaine d'invités. Emily contemplait les soubresauts de son existence, semblables à ceux du stylo sur la page, à la plume qui vire et qui volte. L'étonnement du mot suivant, l'infini qui se dérobe. C'était si proche d'un voyage dans le ciel, de ses brusques changements de température. Un mur de soleil s'efface sous une pluie de grêle, puis l'avion se libère d'une barrière de nuages.

Elle éprouva le besoin pressant d'écrire à Teddy pour lui dire qu'elle comprenait parfaitement, brutalement, pourquoi il ne voulait plus voler.

Emily quitta son siège pour marcher un peu. Sa canne s'enfonçait dans le sol. À sa grande surprise, une cohorte de veufs vinrent l'entourer de leurs assiduités. Penchés autour d'elle, ils se réjouissaient de rencontrer une Américaine. Sérieux, trapus, rasés, sobres comme des chameaux. Elle se les représenta, les jours de fête, avec leurs longues écharpes orange[36] et leurs chapeaux melon. Qu'allait-elle faire maintenant ? s'enquirent-ils. Quelle autre partie du globe l'attendait aujourd'hui ? Ils avaient appris qu'elle habitait Terre-Neuve, dans un hôtel, mais, sans vouloir être grossier, était-ce la place d'une femme ? N'aimerait-elle pas s'installer quelque part pour de bon ? Ils seraient heureux de lui faire visiter l'Irlande du Nord si elle décidait de rester. Un joli coin à Portaferry. Il fallait voir les glens d'Antrim, les plages venteuses de Portrush.

La cloche du dîner retentit en fin d'après-midi. Emily rejoignit les parents d'Ambrose à leur table – le père un petit homme au rire généreux, la mère une grosse femme aux cheveux serrés sous un filet. Ils trouvaient ça bien de compter une fille de Terre-Neuve dans le clan. Nombreux étaient ceux qui, dans la famille, avaient émigré à l'ouest au cours des ans ; peu faisaient le voyage dans l'autre sens. Ils se turent curieusement quand Emily leur conta l'histoire de Lily. Une femme de chambre ? De Dublin ? Vraiment ? Qui s'appelait Duggan ? Elle crut un instant qu'ils s'intéressaient à son récit. Les détails lui revenaient en mémoire avec acuité. Les vêtements raides dégelaient sur la poignée du four, les gémissements de la glace qu'on tirait sur le lac, un gant rougissant comme une fleur de sang, sa mère levant les yeux devant le corps de son père… Quand, soudain, M. Tuttle se pencha vers elle et lui tapota le bras : allait-elle à l'église, cette Lily Duggan ? Emily repartit dans son histoire jusqu'à ce qu'il insiste, exaspéré : était-elle protestante, cette femme de chambre ? Comme si seul ce point-là était digne d'intérêt. Elle pensa un instant laisser sans réponse ces questions qui n'en méritaient pas. Mais elle était nouvelle dans ce pays, c'était le mariage de sa fille, alors elle admit que Lily s'était convertie avant de se marier. Elle remarqua le soulagement qui s'imprima sur les visages. Tout redevint simple autour de la table. Plus tard, elle apercevrait le père d'Ambrose, au bar, en train de chanter *Soldiers of the Queen*[37]. Lorsque, à pas mesurés, elle monta se coucher, Emily croisa sa fille et son gendre dans l'escalier. Difficile à croire : Ambrose et Lottie, M. et Mme Tuttle. Dire que sa Lottie avait pratiquement vécu toute sa vie avec elle. Eh bien, voilà, elles reprenaient toutes deux leur liberté. Ce fut bien plus facile qu'elle ne l'avait imaginé. Emily embrassa sa fille, poursuivit sa lente ascension. Sur le chemin de la nuit. Elle s'abandonna au sommeil, ses cheveux gris renversés sur les draps.

Un petit cortège d'automobiles partit le lendemain dans la campagne pour l'emmener à Strangford Lough. D'année en année, les Tuttle avaient acheté et revendu un certain nombre d'îles sur les rives du lac, près des marécages et de minuscules îlots qui portent le nom de *pladdies*. Ici, les arbres se courbent sous le vent, les petites routes sinuent. En cadeau de mariage, Ambrose et Lottie avaient reçu deux hectares de terrain autour d'un cottage qui pourrait leur servir de résidence d'été – une fort jolie bicoque délabrée, avec un toit de chaume et une demi-porte bleue. Couverte de mauvaises herbes, la pelouse descendait jusqu'au lac. Une cabane de pêcheur se dressait de guingois sur la rive. Toute une famille de pies habitait les cimes alentour.

Ils pique-niquèrent dans l'herbe haute. Le vent devint féroce.

Emily le sentait jouer de ses vêtements, de son âme. Elle pouvait maintenant s'en aller, pensa-t-elle, rentrer à Terre-Neuve. Affronter sa solitude au fil des jours. Écrire. Trouver de petites satisfactions. Une souriante légèreté.

Le lac semblait s'allonger indéfiniment vers l'est. Ouvert aux marées, il respirait par courtes vagues. Un troupeau d'oies survola le cottage et s'éloigna, bec tendu. On aurait dit qu'elles emportaient avec elles le gris du ciel. La gestuelle des nuages modelait la brise. Les vagues clapotaient sur la berge, comme pour les applaudir, soulevant et reposant le varech.

Emily reculait déjà vers la mer : un sentiment qu'on pouvait lui pardonner.

1978

Nuit noire

IL EST, SANS CONTESTE, ce qu'on appelle une bonne raquette. Puissante. Capable d'un beau coup droit du bout du court. De parcourir la ligne de fond en deux ou trois enjambées. S'il voulait. Mais il saute plus qu'il ne court. Avec son port de tête, cette masse de cheveux blonds, il ferait une publicité idéale pour la nonchalance, si cela existait. On le collerait sur l'affiche et il ne s'en irait plus. Son polo est trop grand pour lui, comme son short et son air de chien battu. Les chaussettes en tire-bouchon. Le Puma endormi. Dieu, ce qu'elle ne donnerait pas pour un aiguillon, une pique à bestiaux – enfin, un modèle miniature, mais de quoi réveiller un moment son petit-fils, qu'il s'anime un peu en face d'elle. Il renvoie cependant la balle avec précision, même un certain mordant parfois. Le revers n'est pas mauvais non plus. Lottie l'a vu exécuter des slices avec une belle cambrure du dos. Doué pour le jeu, mais beaucoup plus pour la rêverie. Elle lui a un jour présenté le tennis sous forme d'angles, de vecteurs, trajectoires et pourcentages, tout ce qu'elle a pu accumuler de termes arithmétiques, et il n'a pas mordu à l'hameçon. Un mathématicien talentueux de dix-neuf ans, qui ne partira jamais à l'assaut de Wimbledon.

Non qu'elle soit exactement Billie Jean King, mais elle sait encore faire voler les balles par-dessus le filet. Surtout par une soirée de fin d'été, le ciel illuminé au nord, le soleil qui se couchera à neuf heures, dans une trentaine de minutes.

Elle sent ses os cliqueter en retournant une volée. L'onde de choc se propage des doigts au poignet, du coude à l'épaule. Lottie n'apprécie guère ces nouvelles raquettes en métal. À l'époque, elles avaient des manches en queue de poisson, d'aronde, même des têtes plates. On utilisait des presses en bois. De l'artisanat soigneux, irréprochable. Aujourd'hui, c'est lignes élancées et têtes de métal. Un de ces jours, elle reprendra sa bonne vieille Bancroft, qui n'a jamais démérité. Elle se penche pour ramasser une autre balle dans le seau, la projette vers la ligne médiatrice, légèrement à gauche de Tomas, qui la regarde allègrement rebondir. Sans bouger. Il pourrait secouer sa carcasse ! Bon, c'est déjà pas mal qu'il soit venu rejoindre sa vieille grand-mère, avec sa jupe blanche qui lui tombe sur les genoux, pour faire quelques échanges. Le voir est un plaisir en soi, ce garçon. Rafraîchissant comme un verre d'eau en plein mois d'août, une fontaine descendue des cieux. Il a le doux visage de Hannah, le regard vague de son Hollandais de père. Un petit quelque chose d'Ambrose, aussi. Les boucles, les joues de bébé. Et ses yeux vert bouteille. D'autant plus qu'il ne s'en doute pas : lui dirait-on qu'il a tout du tombeur, ses bras se détacheraient de lui. Il s'en irait disséquer le désir dans quelque théorème. Les jeunes femmes se pâment, mais il préfère passer des heures à la bibliothèque de la fac, feuilletant un ouvrage après l'autre, à chanter des calculs dans son for intérieur. Il voudrait être l'actuaire de toute chose, une créature de prédictions et de possibles. Enfin, si, pour l'instant, il voulait bien penser à son coup droit…

— Ressaisis-toi ! crie-t-elle. Il n'en reste que six. Et ton pied gauche, il sert à quoi ? Regarde ta hanche, quand même !

— Oui, Nana.

— Et l'astronautique, alors ! Envoie-moi une fusée !

Lottie attrape une nouvelle balle. Un pincement dans le dos. Le murmure de l'atavisme. Une goutte de sueur se masse sur sa lèvre. Surprise, lorsqu'elle se redresse et aperçoit Tomas, au fond du court, en train de remonter ses chaussettes, un mètre quatre-vingt-neuf plié en deux. Il se met à sautiller sur la pointe des pieds, façon Björn Borg. Elle ne peut retenir un rire. Lottie fait rouler la balle blanche dans ses doigts, lâche, frappe doucement. Les cordes sifflent, le lift est suffisant pour que Tomas se place en dessous, ce qu'il fait, avec brio. Elle croit qu'il peut encore la rater, taper dans le vide, précipiter la balle dans le filet… Non seulement il l'atteint, mais tout son corps participe, le pied, l'épaule et le poignet. La balle revient au-dessus du filet, exactement à la bonne hauteur, exactement à la bonne vitesse. Lottie se tourne pour la voir atterrir et, bien qu'ils sachent tous deux qu'elle est tombée dix centimètres derrière la ligne, elle crie un peu trop fort :

— Bonne !

Sur la route du retour, ils doivent s'arrêter à un barrage routier, sur Milltown Road à la limite de Belfast. Une demi-douzaine de soldats sont là, juvéniles, en tenue de camouflage. Lottie ressent chaque fois cette peur insolente qui lui chatouille la nuque. Tomas, au volant, baisse sa vitre. Ils contrôlent les permis de conduire, disent-ils. Pas le rôle de l'armée, mais Lottie se tait. Ces types ne sont pas plus vieux que Tomas. Débraillés, déboutonnés. Ils étaient tout de même plus soignés, autrefois – les ceinturons cirés, le cuivre poli des insignes.

L'un d'eux se baisse et l'étudie derrière la fenêtre. Une odeur de tabac. Elle ne va pas l'enjôler avec sa grande jupe blanche et son cardigan, mais qu'importe, elle demande avec un grand sourire :

— Un tennis, tout à l'heure ?

L'homme ne goûte pas cet humour-là – hors du carré de service. Il longe la voiture, la contourne lentement, vérifie que l'autocollant R[38] se trouve bien à l'arrière, revient poser une main sur le capot, jugeant à la chaleur s'ils ont roulé longtemps. Depuis quand se méfie-t-on des grands-mères et de leurs petits-enfants ? Où ont-ils caché leurs lance-roquettes ? Mènent-ils une expédition punitive vers The Falls ou Shankill ?

Sans un mot, le soldat leur fait signe de partir. Tomas passe la première, démarre doucement – ne pas donner l'impression de fuir. Puis Malone Road et la maison.

Une maison qui a subi les outrages du temps, mais garde tout de même son cachet victorien. Brique rouge. Bow-windows. Quatre étages et fines dentelles aux fenêtres.

Ils remontent l'allée étroite entre les floribundas. Lottie porte en bandoulière le sac avec les raquettes. S'arrête devant les marches fissurées, et Tomas se penche pour l'embrasser.

— Bonsoir, Nana.

Ses lèvres effleurent l'oreille de sa grand-mère. Depuis quelques mois, il habite l'appartement du bas, qui le rapproche de la faculté et l'éloigne de son beau-père. Lottie le regarde descendre, guilleret, ses boucles blondes gagnées par l'ombre.

— Eh, pas si vite !

Elle a toujours l'accent de Terre-Neuve, quoique teinté d'inflexions irlandaises, et parfois elle dérape, les musiques se mélangent. Elle n'est plus sûre de ce qu'elle a glané ici et là. Tomas revient lentement sur ses pas, il s'y attendait. Le rituel du mercredi. Lui glissant un billet de vingt livres dans la main, Lottie le prie de ne pas tout dépenser d'un coup à la librairie.

— Merci, Nana.

Il a toujours été si tranquille. Maquettes d'avion. Bandes dessinées et récits d'aventures. Petit, il était impeccable dans son uniforme d'école : chemise repassée, pantalon à pli, souliers cirés. Il fréquente l'université, mais il a encore ce petit côté guindé sous l'apparente négligence. Elle aimerait le voir rentrer un jour avec un T-shirt déchiré, constellé d'épingles à nourrice, ou un boulon à l'oreille, enfin qu'il se révolte un peu, quoi, comme on fait à son âge. Elle sait qu'il le dépensera intelligemment, cet argent, qu'il le mettra de côté pour acheter une carte du ciel, un télescope, quelque objet utile, pratique. Peut-être même pour un voyage au soleil, loin de ce pays de pluie.

— N'oublie pas de téléphoner à tes parents.

— Lawrence n'est que mon beau-père.

— Dis-leur qu'on part tous les deux en week-end.

— *Ach*, Nana, écoute…

S'il adore le cottage de Strangford Lough, Tomas a en horreur cette obsession de la chasse que cultive le mari de sa mère. Gentleman-farmer, Lawrence n'y a jamais dérogé. Premier samedi de septembre, ouverture de la chasse au canard. Plus Tuttle que les Tuttle.

Tomas lève les yeux au ciel, sourit, redescend. Ravi de se retrouver seul, pense-t-elle.

— Dis-moi…

— *Aye*, Nana ?

— Fais-moi plaisir, trouve-toi une petite amie.

— Qui te dit que je n'en ai pas une ?

Toujours souriant, il disparaît. Elle entend sa porte se refermer, puis elle monte les quelques marches du perron, bordées par un églantier rabougri, qui s'obstine à grimper, donne des fleurs jaunes au cœur rouge. Une éruption de violence dans chaque pétale. Des églantiers partout, ici.

Lottie s'arrête sur le seuil, sous le joli vitrail. Insère une clé dans son verrou vétuste. La peinture s'écaille autour de la fente pour le courrier, le bois se fendille en bas. Difficile à croire, mais cela fera bientôt cinquante ans qu'elle est passée sous cette imposte pour la première fois. À l'époque, les bibliothèques étaient hautes, les étagères remplies d'argenterie et de porcelaine de Belleek. Aujourd'hui, la fumée des cigarettes a noirci les ampoules nues. La tapisserie se décolle autour des taches d'humidité. Lottie lance un bonsoir à Ambrose, qui ne répond pas. La porte du salon est entrouverte, il est à son bureau, devant son carnet de chèques, des papiers empilés partout autour de lui. Sourd comme un pot. Son crâne nu brille à la lumière. Sans le déranger, elle part dans le couloir au parquet grinçant, évitant de regarder ses aquarelles récentes et ses trop vieilles photos. À la cuisine, elle pose son trousseau, rince la théière, remplit la bouilloire, la pose sur le feu, attend qu'elle siffle. Eh, tiens, quelques biscuits au chocolat. Quatre sur une assiette, sucre, pot à lait, les deux cuillères en chien de fusil.

Elle ouvre la porte avec son coude, avance silencieusement sur la moquette usée. Les coupes des championnats alignées près de la cheminée. Tous des doubles mixtes. Lottie n'a jamais joué en simple. Préfère la compagnie des hommes. Pourtant elle était grande, forte, plutôt bonne en fond de court, avec un revers à tout casser. Ce qu'elle aimait, ensuite, les dîners au club-house ! Le champagne et les verres levés, la musique des rires, les phares des voitures dans l'allée, alignés comme des lucioles.

Ambrose sursaute lorsqu'elle glisse le plateau sur le bord du bureau. Son stylo lui échappe, menace de tomber sur ses genoux. Il le rattrape avant. Soupire comme un vieux grincheux. Elle l'embrasse sur la tempe près d'une tache noire. Il faudrait l'emmener un de ces jours chez le dermatologue. De petits continents dérivent sur sa tonsure.

Ce n'est pas un bureau, mais l'étalement de leurs dettes. Relevés de compte, chèques retournés, créances et contentieux.

Posant le menton sur sa tête, elle masse ses larges épaules jusqu'à ce qu'il se détende et finalement s'adosse à elle. Elle sent sa main qui s'aventure près de ses fesses. Toujours hardi, bon signe.

— Alors, Tomas, Stranmillis ?

— Il est prêt pour le Court central. Une question de jours, sûrement.

— Chouette petit gars.

— On a forcé un barrage en revenant. Ils nous ont poursuivis avec sirènes et gyrophares.

— Sans blague ?

— On les a semés au supermarché. Dans l'allée des fruits et légumes.

— Ils te retrouveront quand même. Tu es cuite.

La main donne une petite tape, puis s'en revient au carnet de chèques. Lottie sert le thé, rite irlandais par excellence. Au fil des ans, elle a appris à tirer le meilleur des feuilles, rincer, infuser le juste temps. Même en Angleterre, où elle a vécu, ils ne faisaient pas tant de manières. Elle tire une chaise pour s'asseoir près de son mari, regarde par-dessus son épaule. La fabrique de toile a déposé le bilan il y a belle lurette. Ne reste plus que ses couloirs vides, ses seaux brisés, le fantôme des métiers à tisser. Dont ils ont hérité, gardiens des ambitions défuntes. Maudit privilège.

Tout bien compté, ils ont juste de quoi joindre les deux bouts. La retraite de la RAF. Le cottage de Strangford Lough. Les placements, les économies. Elle l'aimerait moins inquiet, Ambrose, le faire rire plus longuement, l'arracher à son bureau, un petit peu plus souvent, mais c'est un anxieux qui ne le dit pas. Le krach de 29 – ils venaient juste de se passer la bague au doigt. La grande dépression. Il avait quitté la RAF pour revenir à Belfast. Toile de parachute et ailes d'avion. Planeurs militaires, reconnaissance légère. Cela n'avait pas duré. L'entreprise avait piqué du nez, mais participé à l'effort de guerre. Puis elle s'était diversifiée. Des mouchoirs de dentelle. Mauvaise idée. Lottie avait abandonné la photo après la guerre, happée par l'alchimie de l'époque – le mariage, les affaires, un enfant. Elle avait même travaillé à la direction dans les années 50 et 60, naviguant entre les rouleaux, les navettes, le miaulement solitaire de la sirène qui marquait les journées, cette indicible tristesse.

Elle finit sa tasse, pose une main sur le dossier de son fauteuil. L'horloge carillonne dans l'entrée.

— Notre Tomas aurait une petite amie.

— Vraiment ?

— Peut-être que oui, peut-être que non.

— C'est une invitation ?

Elle s'esclaffe et le tire par le bras. La chemise d'Ambrose est ouverte sous le cardigan. Son pantalon bâille, les poches remplies de crayons et bouts de papier. Les miettes d'hier et de demain. Malgré la touffe de poils gris sur le torse, il a conservé quelque chose d'espiègle, de malicieux. Le don de la jeunesse.

Il revisse le capuchon du stylo à plume, et ils s'enfoncent dans le couloir sombre, vers l'escalier.

Par bateau deux fois, une seule en avion, ils ont voyagé ensemble. La première pour rendre visite à Emily, à l'hôtel Cochrane. Un vent insupportable parcourait l'Atlantique, qu'ils traversèrent sur le pont, emmitouflés dans des couvertures. Ambrose soutenait Lottie lorsqu'elle se penchait sur la rambarde. Jamais il ne se plaignit qu'elle mesure une tête de plus que lui. Parfois, lorsqu'il posait le front sur l'épaule, elle se demandait s'il n'en concevait pas une certaine tristesse, au fond. S'ils n'étaient pas liés par une forme d'interdépendance, qui se briserait un jour dans une explosion de chagrin. Ils débarquèrent à Boston, remontèrent la côte est en train. Emily avait alors beaucoup perdu de sa mobilité : elle vivait assise dans sa chambre, où elle écrivait toujours, des pièces pour l'essentiel. Des saynètes, drôles et décapantes, que jouait la troupe d'immigrants de Gilbert Street – turcs, macédoniens, irlandais. Assise au fond de la salle avec son bonnet de laine, elle les regardait répéter, une main repliée dans l'autre, plus pâles encore sur sa robe sombre. Le théâtre, pour elle un genre nouveau, l'amusait follement, malgré les rangées souvent vides. Tous trois partirent un après-midi en voiture à Lester's Field, parcourir les hautes herbes. La piste était maintenant habitée par les moutons.

Ils revinrent à Terre-Neuve en 1934, deux mois après son décès, pour ranger ses affaires. Lottie ne put jamais se résoudre à jeter les papiers de sa mère. Il y en avait plusieurs caisses. Une fois tout chargé dans le coffre, elle se rendit avec Ambrose dans le nord du Missouri. Les fermes de glace avaient disparu. Après une nuit passée au bord de la route dans un petit motel, elle abandonna les papiers sur les marches d'une bibliothèque. Des années durant, elle devait penser à ce qu'on en avait fait. Brûlés, sans doute, ou emportés par le vent ? Elle rapporta ses vieux négatifs à Belfast, où Alcock réapparut dans le bain du révélateur. Il ressortait de la nuit, l'idée lui plaisait.

Leur dernier aller et retour date de 1959. Pour fêter leur trentième anniversaire de mariage, ils montèrent dans un avion à Londres, avec une correspondance pour Paris, puis Toronto, et une dernière pour New York, où son mari avait rendez-vous avec les négociants de White Street. Ils avaient puisé dans leurs économies pour voyager en première classe. Leur serviette coincée sous le col, ils regardèrent par le hublot l'étoffe mouvante des nuages. Lottie trouvait incroyable qu'on leur serve un gin tonic à vingt mille pieds d'altitude. Après quoi elle alluma une cigarette et s'endormit, la tête sur l'épaule d'Ambrose. Lottie ne prit pas de photos, cette fois-là. Elle voulait savoir si sa mémoire serait capable de les remplacer.

Le ciel lève son ourlet sur Belfast. À la fenêtre, elle contemple la ligne des toits, un infini d'ardoise et de cheminées. Une ville mélancolique, et pourtant, à cette heure, le spectacle a quelque chose d'électrisant.

Elle noue la ceinture de sa robe de chambre. L'escalier, la cuisine, où le froid semble monter du lino. Les pantoufles sont là, sous le fourneau. Bon Dieu, elles sont gelées ! L'été est bien fini. Lottie ouvre le four pour répandre la chaleur, s'assoit devant le comptoir en bois qui donne sur le jardin, remue les pieds pour faire circuler le sang. Les rosiers sont en fleur, la rosée brille sur l'herbe. La légende disait autrefois que, pour rester éternellement jeune, il fallait se frotter les joues avec la rosée du matin.

Elle sort deux tranches de la panière, les jette dans le grille-pain neuf, tout alu, remplit la bouilloire. Mélange le lait et le café en poudre, belle mousse brune. Allumer la radio ou pas. Toujours tentant de recueillir l'écume de la nuit, de la veille : quelles émeutes en centre-ville, élections truquées, encore un barman affligé, les coups de balai sur les cadavres. Il se passe rarement une semaine sans une nouvelle catastrophe, et c'est comme ça depuis le Blitz. Lottie avait remarqué tout de suite, dès son arrivée à Belfast, que les femmes portaient un mouchoir de dentelle dans la manche de leur robe. Curieuse mode – si l'on peut parler de mode. Une capsule temporelle, amarrée au poignet, promesse de peines à venir. Elle s'y était mise elle-même, et puis ça s'est perdu. Les manches rétrécissent, le chagrin grandit, on se mouche dans du papier. Le ciel, en ces temps-là, était un plafonnier de violence. Lorsqu'elle se réfugiait à Strangford avec Ambrose, ils regardaient les avions peupler la nuit de gigantesques grappes d'oranges.

Le ressort du grille-pain la fait sursauter : pourquoi cette insistance ? Les toasts s'envolent comme des perchistes ou des prisonniers évadés. L'un des deux bute sous le rebord du comptoir. Elle farfouille dans le frigo, beurre les deux tranches, puis une petite couche de marmelade. Remplit sa tasse, remue son café, le pose sur le comptoir.

Là. Le moment qu'elle préfère. Perchée sur le tabouret en bois, les yeux dehors. L'étroit vitrage du silence. Le ciel s'illumine, les roses s'ouvrent, la rosée devient buée. La maison est froide, le jour encore voilé d'une mystérieuse promesse. Lottie s'est mise à l'aquarelle, il y a quelques années – une activité agréable : elle se lève le matin, il suffit de quelques coups de pinceau pour faire venir le soir. Grands paysages marins, le lac, la Chaussée des Géants, le pont de corde à Carrick-a-Rede. Elle a même photographié l'île de Rathlin, pour la reproduire sur le papier. Parfois, ses couleurs la ramènent à Saint-Jean, note de bas de page sur le rivage. Water Street, Duckworth, Harbour Drive, les petites maisons perchées sur la falaise, juste à la limite de l'oubli.

Une canne qui claque par terre, un coup de bélier dans les tuyaux. Elle ne veut pas bassiner Ambrose avec ça, mais il subit aussi l'épreuve du temps. Il ne faudrait pas qu'il s'écroule subitement, que sa tête heurte la rampe, qu'il dégringole dans l'escalier. Lottie arrive en haut avant qu'il sorte de la salle de bains. S'inquiète de ce court silence, mais il ouvre la porte avec cet air légèrement ahuri qu'il a toujours eu. Sa chemise est mal boutonnée, il reste un filet de crème à raser sur le tour du menton.

Lottie disparaît dans la chambre. Le peignoir sur son crochet, elle enfile pantalon et gilet. La danse du pessimisme. Ce miroir, là. La chevelure grise et les seins lourds. Le cou qui épaissit un peu.

Elle passe la tête par la porte pour s'assurer qu'il a descendu l'escalier sans encombre. La tonsure rebondit de marche en marche, il tient bon la rampe, passe à la cuisine. Oh, les beaux jours à l'Opéra, l'hippodrome, le Curzon[39], et le mémorial d'Albert, avec sa tour d'horloge. Un couple amoureux de la lumière, à moins que ce ne soit l'inverse. Ils étaient si jeunes. Le tweed d'Ambrose et son odeur, son tabac de Turquie. Les bals des sociétés de bienfaisance, la robe longue fredonnant au sol, Ambrose à ses côtés, nœud pap et brillantine, tout frétillant d'ivresse. Beaux jours, beaux jours. Le plafond voûté des étoiles. Les Irlandais, une encyclopédie de la chanson, lui déterraient toujours quelques couplets du Canada. Certains connaissaient même l'hymne du premier régiment de Terre-Neuve – Beaumont-Hamel, la bataille des Ardennes… Vieux soldats d'autres guerres, capitaines, colonels, pilotes et navigateurs. Rameurs et jockeys. Tous élégants. Le galop des chevaux, une chasse au renard de temps à autre sous les montagnes de Mourne. Jardins d'été, transats, tournois de tennis. À sa grande tristesse, ils l'avaient surnommée « l'Américaine ». Elle avait pourtant essayé de le perdre, cet accent – sans succès. S'était mise à coudre le Red Insign[40] de Terre-Neuve sur l'ourlet de ses jupes. Les courts au soleil couchant, les dîners dans le beau Belfast. Des heures à se préparer devant le miroir ovale de la coiffeuse, la mèche rebelle, le maquillage léger, pas trop de fard aux joues, une once de mascara, mais le rouge sur les lèvres. De quoi j'ai l'air, chéri ? Franchement, ma douce, tu as l'air en retard. Ce qu'il disait toujours, avec un clin d'œil, le bras serré autour de sa taille. Lorsqu'elle revenait nue devant le miroir, défaisant lentement ses tresses, il jetait son faux col sur le lit, et la nuit les accueillait avec tendresse.

Pleine d'entrain, Lottie redescend l'escalier. Ambrose a posé thé et toast près de la fenêtre. Elle se penche pour boutonner correctement sa chemise et, sans qu'il le remarque, essuyer la mouche de crème à raser. Il feuillette le journal de la veille, les pages en accordéon, le replie sur la table en soupirant. Alerte à la bombe au centre-ville. Dix-sept hommes arrêtés dans une rafle. Un garçon de Peter's Hill reçoit plusieurs balles dans le genou. Une bombe incendiaire cachée sous la caisse d'un landau.

— Les grands et nobles héros de l'Irlande éternelle ont repris du service, dit-il.

Sur la route du lac, même la voiture paraît se détendre. La vieille église, les merles sous le toit, les ventes aux enchères annoncées sur les piliers de pierre. Des granges bourrées de fourrage, bidons de lait sur les marches, les marais.

Ils longent le parc naturel, franchissent le petit pont devant l'île, contournent le portail rouge. Il est très tôt.

Caché par les arbres, le cottage est planté sur la rive. Le chaume est depuis longtemps remplacé par de l'ardoise, mais le reste rêve encore d'hier. Murs chaulés, la porte bleue à deux battants superposés, les vieilles jardinières en cuivre devant les fenêtres, les chaises longues décolorées, la clochette sur un piquet de la clôture à l'arrière. Combien de journées Lottie a-t-elle passées ici à planter des clous, monter des portes, repeindre un mur, mastiquer des carreaux ? Le chauffage central qu'ils ont fait installer et qui ne voulait pas marcher. Puits et pompes et tuyaux. Rouleaux de câble et de fibre de verre. Les deux pièces d'origine ont aujourd'hui de petites sœurs le long du lac. Lottie et Ambrose firent la plupart des travaux eux-mêmes pendant les années d'après-guerre. Jours de tranquillité, par vents et pluies. La peau tannée. Sur l'échelle à réparer les tuiles, déboucher les conduites. La résidence d'été posait ses marques d'hiver. Des nuits éblouies de simplicité avec Ambrose dans la chambre du fond. La fenêtre à l'est sur le lac. Des pluies de lumière, chaque matin, chaque lendemain.

Tomas s'engage légèrement trop vite dans l'allée. Ambrose remue à l'arrière mais ne se réveille pas. Les roues glissent dans la terre molle. D'autres véhicules sont déjà garés dans les longues herbes près de la grange. Les amis de Lawrence, ses invités. Trop nombreux. Soit. C'est son week-end, son rituel.

— Laisse encore ton grand-père dormir un peu.

Lottie se retourne vers celui-ci pour remonter la couverture sur son cou. Ambrose ronfle doucement. Le sol, dehors, est transformé en bouillie. Flaques et empreintes de pneus. Sans ses bottes en caoutchouc, qu'elle a oubliées, elle patauge vers le coffre.

— Viens m'aider, Tomas, tu seras gentil.

Il sort de la voiture, se déplie, se redresse contre la carrosserie, étire ses membres, les cheveux dans les yeux.

— Achète-toi des essuie-glaces, un de ces jours.

Perplexe, il l'observe jusqu'à ce qu'elle dégage quelques boucles de son front. Alors il rit. Lottie lui fourre dans les bras sacs, livres, couvertures, et l'envoie vers la maison. Le regarde zigzaguer dans l'herbe, dont les tiges mouillées frottent sur son pantalon. Il porte encore des pattes d'éléphant. Sa chemise lui pend dans le dos. Toujours en retard d'une mode. Tomas se débat sous son chargement, manque de glisser, retrouve l'équilibre sur le gravier devant l'entrée.

Il se glisse jusqu'à la porte – le bas est fermé – et se penche, les jambes dehors, le buste à l'intérieur. Il cale son chargement sur le battant de bois. Lottie entend résonner la voix aiguë de sa fille quelque part dans la maison. Elle apparaît bientôt, joyeuse, resplendissante. En tablier. Une mèche sur ses yeux bleus et l'odeur du tabac. Elles s'embrassent.

— Où est papa ?

— Dans la voiture. Il dort.

— Tu as baissé une vitre ?

— Bien sûr. Ils ont commencé ?

— Ils ont posé les leurres à cinq heures du matin.

— Ah bon ?

— Oui, il faisait encore nuit.

En guise de confirmation, Lottie entend le premier coup de feu, vite suivi par un second. Se retournant, elle aperçoit la volée d'oiseaux qui se précipite dans le ciel par-dessus le toit.

En son temps, Ambrose, qui était lui aussi une fine gâchette, réunissait ses confrères du textile les week-ends d'automne. Le long de la route, leurs phares perçaient d'humbles trouées dans le voile de brume. Bottes, le bon tweed sous les parkas vertes, un canard brodé sur la casquette, les Browning en bandoulière dans leurs étuis. Ils partaient à pied le long du lac, les chiens derrière eux, des labradors, jaunes et noirs. Les semelles crissaient sur le gravier. Ils revenaient en fin d'après-midi, leurs vêtements imprégnés d'une fine odeur de poudre. Milouins, morillons, garrots à œil d'or. Et le rite immuable du brandy dans l'eau bouillante, pour dégager plus facilement les plombs de la chair, disaient-ils. En plantant sa fourchette, Lottie voyait l'oiseau voler.

Arthur Brown était mort depuis trente ans. Que Dieu veille bien sur lui. Elle détenait toujours la lettre, jamais distribuée, jamais décachetée. Buster, le fils, s'était crashé sous un banc de nuages pendant la guerre suivante. Le deuxième grand carnage du siècle. L'expérience dérisoire de la paix. Elle se rappelait Teddy à Swansea, debout sur le muret, la tête en arrière, la balle de tennis et la feuille en suspension, l'instantané de joie en orbite dans ses yeux.

Les coups de feu, irréguliers, ponctuent le petit déjeuner sur la nappe à carreaux rouges et blancs. Lottie et Hannah face à face, Tomas en train de lire près du feu, Ambrose parti se promener au bord du lac avant une nouvelle sieste.

Lottie apprécie ces moments seule à seule avec sa fille, car ils sont de plus en plus rares. L'inévitable théière, des scones et du beurre. Les lys courbés dans leur petit vase. L'odeur âpre du tabac, qui l'a toujours rebutée, la fumée qui lui pique les yeux, mais elle n'est pas là pour se plaindre.

Sur le rebord de la fenêtre trône une série d'enveloppes ouvertes, près du carnet de chèques. Le destin a voulu que Hannah ait un esprit vif, et le don – ou la malédiction – de partager ses richesses. Cela ne date pas d'hier : gamine, elle rentrait sans ses chaussures à la maison de Malone Road. Aujourd'hui, les chèques remplissent les enveloppes. La Croix-Rouge. Oxfam. L'orphelinat de Shaftesbury.

— Qu'est-ce que c'est que ce machin, Amnesty International ?

— Des Canadiens aussi, maman.

— Il n'en a pas marre, le facteur ?

— Je suis sur leur liste noire, tu penses.

Hannah serre ses lettres dans une main, les fait défiler sous le pouce à la manière d'un minuscule dessin animé : de l'argent qu'on jette par les fenêtres.

— Tu m'as appris tout ce que je sais, m'man.

Vrai. Lottie a toujours évité de compter. Mais il faut savoir être mère, aussi. On n'échappe pas à certaines choses. Hannah replie le carnet de chèques dans un élastique, le cache vainement derrière un pot de fleurs.

Elles tissent ainsi les heures, dansant prudemment l'une près de l'autre, une cuillère de ceci, un bol de cela, se volent le même torchon à l'épaule. Les affaires à la ferme. Les rumeurs du village. Hannah s'est lancée dans l'élevage des chiens de race.

L'âge commence à se voir sur ses mains. Trente-huit ans, maman depuis dix-neuf. Une mosaïque sur la peau, le lacis des veines au poignet. Si incongru de voir sa fille vieillir. Mais de cela, on hérite aussi.

— Tomas est gentil avec toi ?

— Tennis tous les mercredis soir.

— Ça ne lui fait pas de mal.

Une pointe de tristesse dans la voix de Hannah :

— Il ne vous casse pas trop les oreilles, avec cette stéréo qu'il s'est achetée ?

— Oh, on est déjà sourds, ton père et moi.

Hannah sort le pain du four. À mains nues. Se brûle évidemment, file à l'évier pour se rincer les doigts à l'eau froide.

— Tu sais, maman, je pensais à une chose. Tu pourrais peut-être lui en parler ? Est-ce qu'il viendrait, cette fois ? Lawrence m'a bassinée avec ça toute la semaine.

— Tu es sa mère, pas moi.

— *Aye*. Oui, mais toi, il t'écoute.

— Il peut peut-être planter les pièges.

— Éventuellement.

Elles aperçoivent Ambrose, en bas sur la rive, et son chapeau marron. Il a toujours aimé le lac, qui s'étend au-delà de lui, du gris, du ciel. D'un instant à l'autre, il sera là, se frottera les mains devant le feu, avant le petit cognac et le journal, les plaisirs simples de la fin de l'été.

Les chasseurs sont de retour pour le déjeuner, à pas lents dans l'allée, la danse des carabines. Lottie ne connaît pas bien les amis de son gendre. Un avocat, un conseiller municipal, un créateur de bateaux de plaisance.

— Où est Tomas ? demande Lawrence.

— Tranquille dans sa chambre.

Lawrence boutonne toujours son col sur ses os lourds. Il tient par le cou deux garrots à œil d'or, qu'il lâche sur la table. Cela fait, il bourre sa pipe, tasse bien le tabac avec la paume de sa main.

— Il viendra demain, alors ?

— *Ach*, fiche-lui la paix, dit Hannah.

— Ça ne lui ferait pas de mal, quand même.

— Lawrence, ça va.

Il se défait de son gilet, l'accroche près du feu en marmonnant. Gros homme, petite voix. S'anime en retrouvant ses amis au salon.

En fin d'après-midi, mère et fille découpent à la main l'oiseau sorti du four. Hannah est experte dans cet art, la chair se détache toute seule de la carcasse. Elle dispose les morceaux sur le plat, ajoute quelques tranches de pomme, nappe le tout d'un coulis de baies. La couleur naît, magnifique, sous le geste.

Les invités sont autour de la table, les vestes suspendues aux dossiers, les casquettes sur le rebord de la fenêtre. Rires et plaisanteries, une sensation de bien-être, la soirée glisse. Tomas est absent.

La nuit est tombée depuis longtemps, les hommes partis quand Tomas ressort de sa chambre, vêtu d'un pull marin trop grand qui appartenait à Ambrose. Lottie sourit. Il déambule dans la pièce, d'un air ensommeillé. Salue Lawrence, de loin. Un gouffre entre le fils et son beau-père. La barrière de nuages.

Après le dîner, il chausse ses cuissardes de pêcheur, emporte ses cartes du ciel et, les jumelles au cou, s'en va ramer sur le lac. Ils suivent le faisceau rouge de la torche : une pointe d'épingle mobile sur la surface. La lune est basse, les eaux sillonnées par la brise.

À chaque coup de rame, le point rouge sursaute, dévie, se stabilise.

Tôt le dimanche matin, Lottie réveille son mari. Le froid pique les joues dans la nuit complète. Elle a préparé ses vêtements, pliés sur la petite chaise en bois. Maillot de corps chaud et caleçon long. Grosse veste de tweed. Deux paires de chaussettes. La brosse à dents est prête, mais pas le rasoir. C'est le seul jour de l'année où Ambrose ne se rase pas en se levant.

Des phares balaient le plafond. D'autres invités dans l'allée. Ils sont trois, quatre ou cinq. Les pneus chuintent dans la terre mouillée. Lawrence déjà parmi eux, le murmure de sa voix, les chiens qu'on fait taire. La fumée vole au-dessus des cigarettes.

À la cuisine, les deux femmes préparent le petit déjeuner : thé et toasts, simplement, des œufs prendraient trop de temps. Les yeux las, sombres, renfrognés, les hommes observent le matin noir derrière la fenêtre. Remplacent les piles dans les lampes, comptent leurs cartouches, resserrent leurs lacets.

Sa silhouette surprend dans l'entrée. Lottie en est sûre : il n'a pas dormi. C'est déjà arrivé. Souvent, il reste la nuit entière sous les étoiles avec ses cartes du ciel. Toujours voûté, il traverse la cuisine, dit bonjour à la tablée, s'assied près d'Ambrose. Salutations d'usage. Il repose son bol de thé, se lève en même temps que Lawrence – pas un mot entre eux. Ensemble, ils vont dans la réserve, où le coffre-fort est rivé.

Lawrence tourne plusieurs fois la molette, choisit, se retourne vers Tomas. Lottie les observe sous l'ampoule nue, voit son petit-fils armé de ce poids insolite. Des chiffres, des bribes, dérivent vers elle : calibre 12, cartouches 36, cinq coups.

— Tu y vas, alors ? demande Hannah.

Le ton est d'un calme surprenant, mais son corps la trahit : les bras figés, la sueur dans le cou, la prémonition dans le regard. Elle jette un coup d'œil à Lawrence, qui hausse les épaules, tapote sur sa pipe dans sa poche de poitrine, garante, sans doute, du bon déroulement des opérations.

— Il faut que j'essaie une fois, dit Tomas.

— Couvre-toi bien, hein ?

Tout s'agite maintenant sous les rumeurs de l'aube. Les invités sortent. Tomas lace ses grosses chaussures. Tirant Lawrence par le col, Hannah lui murmure quelques mots à l'oreille. Faisant de même avec Ambrose, Lottie le supplie de veiller sur le petit.

— On sera rentrés à midi.

En robe de chambre, elle les regarde partir. Un régiment. Les empreintes des bottes dans la boue. Le frémissement patient des chiens. Ils ouvrent le portail rouge, leurs ombres rapetissent sous le ciel qui s'éclaire.

L'écho des carabines hante la matinée. Toujours par deux, et c'est comme des coups de poing. Sur les nerfs, Lottie doit maîtriser chacun de ses gestes. Qu'est-ce qui l'empêche de passer à l'eau ses mains pleines de farine, de bondir dehors, courir dans l'allée, descendre à la rive, vérifier que tout va bien, leur apporter du lait, des sandwichs, une flasque de cognac ? Ses yeux ne se posent nulle part. Filent vers la fenêtre à chaque nouvelle détonation. Du gris, du vide, du bleu.

La pluie tombe en colonnes sur le lac, les branches tricotent avec le vent. Vu le temps qu'il fait, ils vont sûrement rentrer. Lottie allume la radio, un bruit de fond, ça occupe. Oui, mais le plastic est fait pour exploser. Elle tourne la molette, s'arrête sur une station de musique classique. Bien la peine : flash infos au quatrième top. Une bombe incendiaire à Newry. Trois morts, douze blessés. Sans prévenir.

La figure mouvante de sa fille entre la table et le fourneau, la réserve, le frigo. Hannah feint l'insouciance. Pétrit la pâte, la laisse lever. Comme si la chaleur du four allait accélérer la danse des aiguilles autour du cadran. La conversation est décousue. Il a sa cartouchière, Ambrose ? Des chaussettes chaudes, Tomas ? Lawrence ne les quittera pas, hein ? Ils ont pris les cirés, quand même ? Depuis quand n'ont-ils pas rapporté un milouin ? Et ses lunettes, il les a mises ? Il sait tirer à la carabine, ton fils ?

Il est temps de déjeuner lorsqu'elles entendent les chiens. Les hommes apparaissent dans l'allée comme on s'attend à les voir : Ambrose et Tomas clôturent la marche, chacun d'un côté du talus herbeux, leurs pardessus noirs de pluie, les carabines en bandoulière. Le pas lent, fatigué.

Lottie ouvre la porte, les accueille sur le seuil, entrez, entrez.

Tomas ôte sa parka, la suspend devant la cheminée, frappe des talons par terre jusqu'à ce que ses bottes se détachent, retire ses grosses chaussettes et les pose près du feu. Il s'assied, indolent, allonge ses jambes, se cache sous une serviette. Chaussures et chaussettes dégagent de la buée.

— Et toi, Nana, ça va ?

Le dos à la cheminée, elle profitera de l'instant le plus longtemps possible, Tomas devant elle, le reflet d'une flamme sur le cuir trempé de ses bottes.

— Alors, ça t'a plu ?

— Je pense, oui.

— Tu nous rapportes quelque chose ?

— Grand-père en a tué deux.

Combien de fois – des mois, des années, des lustres plus tard – Lottie trouvera si bizarre que la parole nous abandonne, que les mots nous échappent si facilement. L'avenir exige des réponses du passé, les questions auraient dû être posées, et nous sommes encore à les chercher. Des heures entières, elle se demandera pourquoi, s'asseyant près de Tomas, elle ne l'a pas interrogé sur les raisons précises qui le poussèrent sur la route du lac, ce matin-là. Quelle étrange compulsion l'avait-elle envoyé chasser ? Qu'avait-il ressenti, tapi sur le rivage, accroupi dans les herbes, à attendre que les canards fendent le ciel, que les chiens dressent l'oreille ? Avait-il parlé avec Ambrose ? Ou avaient-ils gardé le silence ? Qu'entendait-on chuchoter sur les flots ? Lequel des chiens s'était posté près de lui ? Pourquoi, changeant d'avis si brusquement, s'était-il joint aux autres ? Oui, il aurait fallu mettre au jour ce qui lui traversait l'esprit, par cette aube de septembre. Était-ce juste fortuit, irréfléchi, une nouvelle pièce à rapporter au grand puzzle des choses ? Peut-être tenait-il à accompagner son grand-père. Sa mère en parlait tant, de ces week-ends de chasse. Ou Lawrence avait-il finalement réussi à le convaincre ? Et si cette décision n'était que le fruit de l'ennui ?

Les moments ne manquaient pas pour ça. Le feu rouge obstiné de Malone Road ; la file chez le boucher d'Ormeau ; chez les pacifistes d'Andersonstown Road ; devant les fresques de Sandy Row[41] ; les manifestations et le portrait brandi des disparus ; les longues journées devant Stormont, en attente d'une réponse décente ; les promenades autour de l'île ; le court du fond à Stranmillis ; ou simplement dans l'escalier avec Ambrose. D'heure en heure, de jour en jour, la question demeurait : pourquoi ce revirement de Tomas, cette volte-face du destin, qu'avait-il bien pu se passer dans sa tête ?

Mais elle ne l'avait jamais posée. Tomas s'était frotté les cheveux avec sa serviette, et, revenant à la cuisine, elle avait remué les braises dans le fourneau, soulevée par une vague de joie.

Une profusion de feuilles mortes sur la pelouse encore verte. Le cottage dans la queue de la tempête ; ç'aurait pu être pire. La délivrance du week-end : quitter Belfast, les lignes à haute tension au bout de la route, s'arrêter au portail et ensuite la petite allée.

Ils se garent juste devant la grange, là où la terre est plus ferme. Au moins, les feuilles empêchent de s'embourber avant d'atteindre la porte bleue.

Tomas est tué de plusieurs balles, sept semaines après l'ouverture de la chasse. Avant le lever du jour, dans son petit bateau à rames, il s'adonnait à son nouveau rituel : poser les leurres sur le lac.

Elle dort lorsqu'elle entend le premier coup de feu. Près d'elle dans la chambre du fond, Ambrose gonfle doucement la poitrine. Son souffle est irrégulier. Il se tourne vers elle dans son sommeil, le col du pyjama ouvert, un triangle de chair rose à la base du cou. Son haleine est forte. Lottie s'écarte légèrement. La pièce sent la poussière. Elle est sûre, au départ, de s'être trompée. Peut-être une brique s'est-elle détachée dans la cheminée : ce ne serait pas la première. Un bris d'ardoise, dehors. Elle tâtonne sur la table de chevet pour trouver sa montre, l'approche de ses yeux, dans un sens puis dans l'autre, et encore. Cinq heures vingt. Trop tôt pour un fusil. Ou quelque chose est tombé dans la grange, au salon ? Lottie regarde la fenêtre, la pluie martèle les vitres.

Alors une autre détonation. Elle pose un moment sa main sur l'épaule d'Ambrose. Se rendort. Peut-être trop longtemps ? Les rideaux sont tirés. Il fait jour ou pas ? Elle se lève en chemise de nuit, trouve ses pantoufles sur le plancher froid, va à la fenêtre, écarte les rideaux. Non, il fait nuit noire. Le fruit de son imagination. Le cadre est glacé sous son doigt. Elle scrute le lac. L'ombre d'un arbre au vent, plus noire encore. Ni lune, ni étoiles, ni bateau, ni point rouge. Rien, personne. Le silence.

Lottie referme les rideaux, retraverse la pièce. Ses pantoufles tombent toutes seules. Elle relève les couvertures, et elle n'a pas le temps de se glisser sous le drap que retentit un troisième coup de feu.

Ça, pense-t-elle, ça n'est pas une ardoise. Ni une brique dans la cheminée.

TROISIÈME PARTIE

2011

Le Jardin du Souvenir

J'AI EN MA POSSESSION, depuis des années, une lettre jamais ouverte. Elle a traversé l'Atlantique dans un Vickers Vimy, il y a presque un siècle. Un pli fort mince, sûrement pas plus de deux pages, peut-être une seule. Autrefois bleu clair, l'enveloppe de quinze centimètres sur dix a blanchi et porte des taches jaunes et brunes de nicotine. L'écriture au recto, délavée, est à peine lisible, et le cachet de la poste absent. Les bords sont froissés, elle a été pliée quantité de fois. Au fil des ans, elle a connu divers tiroirs et poches. Quelqu'un a dû la repasser, et l'on distingue une trace de brûlure dans le coin droit en haut, près du timbre, telle une petite pourriture noire. Mais aussi des coulures, minuscules, comme si, peut-être, on l'avait un jour baladée sous la pluie. Pas de sceau, pas d'écusson en filigrane, pas d'indication visible de ce qu'elle annonce.

Transmise de fille en fille, elle est le témoin muet de plusieurs existences. J'aurai bientôt la moitié de son âge, et pas de fille à qui la léguer. Je reconnais m'être parfois assise à la table de la cuisine, le lac devant moi, en frottant les bords de l'enveloppe.

Je la soupesais sur la paume de mes mains pour tenter de deviner ce qu'elle contenait. Nos vies sont peut-être cimentées par les guerres, mais le mystère nous consolide.

Honteuse, j'admets avoir occupé mon temps sans objectif particulier, reniant les promesses que je m'étais faites. Quelques années infirmière, une dizaine avec la Coalition[42], des terrains cultivés dans l'île, plusieurs mois à vendre des produits de beauté, d'autres années encore à élever des chiens de chasse. Perdu à trente-huit ans l'enfant que j'ai eu à dix-neuf. La vérité toute simple est que mon plus vif désir serait de le serrer dans mes bras – si l'on me disait qu'il allait arriver d'un coup de rame sur le rivage, entrer dans la cuisine avec ses cuissardes, parcourir les laisses de vase avec ses jumelles au cou, alors je la déchirerais en mille morceaux, cette lettre. Je les répandrais sur le lac et au-delà, avec les existences qu'elle incarne. Tout cela étant impossible, j'y tiens. Figurez-vous que je la garde dans la réserve, toute seule sur l'étagère du milieu, dans une pochette en plastique transparent. J'ai un faible, je l'avoue, pour les imaginations fertiles. Nos vies sont des tunnels qui parfois se connectent, laissant entrer le jour à des moments inattendus, puis elles nous replongent dans le noir. Suivant un curieux ruban de Möbius, nous retournons à ceux qui nous ont précédés, avant, finalement, de nous reconnaître nous-mêmes. Je n'ai aucune gêne à la sortir parfois de son sanctuaire, l'examiner encore à la recherche d'un infime indice. *Monsieur et Madame Jennings et leurs enfants, 9 Brown Street, Cork, Irlande.* Des pleins, des déliés, une écriture riche en arabesques, du style, de la personnalité. C'est une lettre de ma grand-mère, Emily Ehrlich, dont sa fille avait payé le port, mais tout a commencé avec mon arrière-grand-mère, Lily Duggan. À condition qu'il y ait jamais un commencement aux choses. Lily, domestique à Dublin, avait immigré aux États-Unis, où elle s'était établie dans le nord du Missouri avec son mari, un homme qui faisait le commerce de la glace.

Je me suis souvent demandé ce qui serait advenu si la lettre était normalement arrivée à Cork, quelle série d'événements en auraient découlé, avec leur cortège de hasards, d'accidents, de bizarreries. Ouverte, elle aurait peut-être fini brûlée. Ou adulée. Ou abandonnée dans un grenier quelque part, aux bons soins d'un écureuil, d'une chauve-souris.

Intacte, elle porte moins à conséquence, bien sûr, elle se contente de suggérer diverses hypothèses : et si elle révélait une affaire incroyable ? Attirant l'attention sur quelque merveille, aujourd'hui tombée dans l'oubli ?

Enfin, tout cela n'est pas très neuf et ne nous avance pas. Il est simplement impossible d'affirmer ce qui aurait changé, notamment dans nos existences – ce qui les aurait réunies, ou séparées, si la lame du couteau avait brisé le pli. Nos vies sont souvent propulsées dans de curieuses orbites, de longues migrations. Le fait est que j'ai autrefois tenu la chair de mon fils contre mon oreille, qu'on l'a tué par un matin pluvieux d'octobre, dans la noirceur tenace qui précède l'aube, et j'aimerais savoir comment les choses auraient tourné si cela n'avait pas eu lieu, pourquoi ça s'est passé ainsi, ce qu'on aurait pu faire pour l'éviter. Surtout, j'aimerais qu'il soit à nouveau là devant moi, vivant et de mauvais poil, pour me protéger de cette dernière tempête.

Ce matin – après le message de la banque –, une volée de bernaches a déboulé au-dessus du lac, tout bas sur la surface, porteuses de leur mystère. Elles reviennent le même mois, avec une précision d'horloge. Un déluge ! En l'espace de quelques jours, elles peuvent être vingt ou trente mille à survoler l'Irlande. De quoi occulter le ciel, comme un banc de nuages, puis elles replient leurs ailes, et s'en vont tapisser le lac et les herbes. Une chorégraphie qui s'explique par la faim. Elles se collent aux marais, aux *pladdies*, aux courbes des drumlins.

J'ai posé ma tasse de café, changé mes chaussons pour les bottes en caoutchouc et je suis sortie, le filet sur les cheveux. Je me laverai plus tard. Oui, je suis belle à voir. À marée basse, le varech rend les pierres glissantes. Georgie m'a suivie jusqu'au bord de l'eau, puis elle est remontée, la pauvre vieille. Couchée dans le jardin, la tête sur ses deux pattes. Je la comprends. Le peignoir replié sous les cuisses, je me suis assise sur un rocher, à moins d'un mètre de l'eau. Pas âme qui vive à des lieues alentour. Ces nuées d'oies là-haut. Un rideau, une houle qui descend et remonte par-dessus la maison, disparaît dans mon dos, bientôt suivie par une nouvelle volée qui file vers l'Île aux Oiseaux.

Leur mémoire est infaillible. Chaque année, elles s'en retournent aux mêmes écueils découverts par les mêmes marées. Apprennent aux nouveau-nés l'architecture du lac. Tomas profitait du jusant pour s'en aller dans la barque bleue de son grand-père. Des heures entières, même sous la pluie, il les regardait barbouiller le ciel. Il me donnait l'impression de ne plus être là. Seule la barque flottait, ou peut-être son ciré vert. De temps en temps, il maniait la rame, braquait ses jumelles quelque part, ou son corps se dressait par-dessus la surface, comme s'il marchait dessus. Le soir, on sonnait la cloche pour qu'il rentre. Il remontait par le jardin, l'aviron sur l'épaule.

J'avais de l'eau à mi-bottes. Trop froid pour nager. Pourtant, même à soixante-douze ans, j'aime encore enfiler mon triste maillot et couler des brasses. Je suis restée une heure, jusqu'à ce que mon rocher soit bientôt immergé, et, peignoir ou pas, j'avais les fesses gelées malgré les couches de graisse. Saluant mon fils chéri, je lui ai promis que la banque ne toucherait pas un seul brin d'herbe de la propriété, une seule goutte du lac, une seule ardoise fendue sur le toit. La gorge nouée, je me suis relevée, raide, et j'ai rejoint Georgie qui m'attendait. J'ai rempli son écuelle d'un peu de viande cuite, mis la tourbe et le bois dans la cheminée et j'ai lu des poèmes de Longley.

L'après-midi, je me suis fait chauffer un peu de brandy avec des clous de girofle, mais je me connais trop bien pour commencer aussi tôt, alors j'ai tout jeté au feu, et le girofle a grésillé sous les flammes. Je suis entrée dans la réserve prendre la lettre, que j'ai posée sur la cheminée avec la fuite du temps :

des photos, les courriers de la banque, le tic-tac de l'horloge.

Cela ne date pas d'hier : ils veulent mes biens. Deux hectares de terre dans une anse, au milieu d'une centaine d'îlots. La maison est grande, plus l'abri à bateaux, la cabane de pêcheur, le chenil délabré que, en son temps, Lawrence avait bâti. Nous avons cultivé la terre, dans notre île, élevé des chiens et chassé le canard. Depuis la mort de Tomas, on n'a plus tiré ici un seul coup de feu.

En me promenant dans l'île, je trouve encore des douilles, des boîtes de plombs vides, des crânes d'oiseaux datant de je ne sais quand. Voir un oiseau arrêté en plein vol est une chose incroyable. Le ciel continue d'avancer, tandis que l'animal chute à la verticale, droit comme un fil à plomb. Un bruit mat sur le sol, un *plouf !* au milieu des vagues ou dans la vase, les chiens ravis se bousculent dans les herbes, sur la berge.

Nous en avons eu jusqu'à huit, des chiens. Il ne reste plus aujourd'hui que Georgie, vieille labrador fidèle. Elle aussi un peu lourde sur ses pattes, mais toujours capable de chahuter lorsqu'elle aperçoit un colvert.

De l'autre côté du pont se dressent les ruines d'un monastère dix fois plus vieux que ma précieuse lettre. Classé monument historique. Plaques commémoratives, échaliers en pierre, mousses grimpantes. On y recopiait la Bible, il y a mille cinq cents ans. La terre fournissait l'encre, le bétail les parchemins.

Peu de visiteurs arpentent les routes étroites qui bordent les environs et, s'ils doivent s'aventurer dans les laisses, au-delà des ruines, voire essayer de franchir le pont, je suis assez revêche pour brandir ma canne d'un air menaçant. Ce cottage est chez moi.

Trois chambres à coucher, une grande cuisine, la réserve, et le nouveau salon qu'a fait construire ma mère dans les années 80 – avec d'immenses baies vitrées, comme si l'on pouvait évacuer les guerres en contemplant le lac. Une vaste pièce, baignée de lumière, haute de plafond, contrairement au reste de la maison où il est assez bas pour nous garder humbles. Un banc en bois court sous les fenêtres, avec des cartes de l'Amirauté imprimées sur les coussins. Le conduit de la cheminée est couvert de suie, les fauteuils en cuir usés, difformes, mais il y a une vraie bibliothèque, vitrée, en acajou. Tomas devait se baisser pour passer d'une pièce à l'autre. Malgré l'épaisseur des murs, le froid se débrouille toujours pour gagner le cœur de la maison, et il faut fermer toutes les portes pour préserver la chaleur dans le salon. Et moi, j'adore les éclairages, tout ce qui est lampes-tempête, à pétrole, victoriennes, etc.

Des coquilles vides tombent constamment sur le toit : la vaisselle des oiseaux. J'ai parfois l'impression de vivre dans un instrument à percussion.

Dans l'aube encore indécise, j'enfile bottes et ciré, j'attache Georgie et je l'emmène sur le rivage. Nous longeons l'anse, nous glissons dans les bois humides derrière les ruines. Les arbres nous tendent leurs branches de chaque côté, la mousse est molle sous nos pas. Un échalier barre un mur.

La chienne a frémi devant un tas de broussailles, aboyé après les troncs courbés et souffreteux qui entrelacent les débris de pierre. Oreilles dressées, le dos voûté. Les moines de jadis affûtaient des roseaux pour illustrer les Évangiles, couvraient leurs cellules de peaux de vache, de loup, de fourrures d'élan. Broyaient des os qu'ils mélangeaient à de l'herbe, de la terre, des baies, des plantes. Plumes d'oie, reliures de cuir, huttes de pierre, cloches de bronze. Ils érigeaient des remparts, des tours rondes pour faire le guet. Se contentaient de petits feux. Leurs ouvrages transitaient ensuite par le lac, la mer, jusqu'en Écosse.

Une dame courlis, au plumage cendré gris et brun, survole parfois le cottage et inspecte les lieux. Son long bec mince semble découper le ciel comme une paire de ciseaux. Son cri solitaire la précède. J'aime la suivre à la jumelle, quand elle atterrit dans les laisses et picore dans la vase. Il y a un moment que je ne l'entends plus.

Coupant par les ruines de la chapelle au bas de la colline, j'ai ramassé les canettes de cidre laissées par les jeunes du village. Des *raves*, je crois qu'ils appellent ça. Ils sont aussi bien là que dans une chambre à coucher minable d'un immeuble déglingué. Quelques mégots de cigarette, des sacs plastique, des capsules de bière, des cartons trempés. Je ramasserai les capotes une autre fois. Deux tristes serpentins dans le gravier. Je t'aime… et moi non plus…

Un peu plus loin, un emballage de chocolat se débattait contre le vent, et une bouteille de vin vide mettait la dernière touche au tableau amoureux.

Le silence, l'immobilité étaient complets jusqu'à ce qu'une nouvelle volée d'oies s'élance depuis le lac, une sculpture en mouvement, pétaradant comme des fusils. Georgie a bondi par-dessus le muret, comme si elle pouvait les attraper en plein vol.

J'ai jeté les déchets dans une des bennes près des panneaux pour les touristes, suis revenue par le petit pont et j'ai fait le tour de l'île. Une vieille femme et son chien se promènent pendant une heure. Georgie trottait devant moi, dispersant les oiseaux nichés dans les hautes herbes. Des restes de casiers à homard étaient éparpillés sur un carré de sable au bord de l'eau. Le lac n'a pas de limites distinctes : elles fluctuent sur le sol. Les marées vont et viennent. Comme les bateaux, et les souvenirs.

Le téléphone sonnait quand je suis rentrée. J'ai poussé la porte bleue, posé la laisse du chien, traversé les petites pièces jusqu'au répondeur à la cuisine. L'horrible voyant rouge clignotait et c'était à nouveau Jack Leogue, le directeur de la banque à Bangor. Poli, posé, avec son accent du Sud délavé à Londres, les guerres d'Irlande unies dans une seule voix.

Bonjour, madame Carson. Ce serait un jeune homme très bien s'il était quelqu'un d'autre.

Impossible d'effacer un message sans l'avoir écouté avant, ce qui ferait deux fois en l'occurrence, trop pour moi, alors j'ai décroché puis raccroché avant qu'il ait fini, et j'ai débranché la prise au mur. Dieu merci, le silence. Pas très intelligent, comme réaction, mais j'ai toujours le BlackBerry en cas d'urgence.

Georgie m'a accompagnée au salon. Les oies en formation dans le ciel changeant. Les marées, en dessous, ont vite fait d'emporter un cadavre à la mer. Maman les petits bateaux.

Ils ont tué Tomas alors qu'il remontait sa barque sur la berge en octobre 1978. Dix-neuf ans, en deuxième année de fac, probabilités et statistiques. Je ne suis pas sûre de savoir qui c'était – l'UVF, l'IRA, l'UFF, l'INLA ou quelle espèce de crétins patentés officiait à l'époque. En fait si, j'ai une idée assez précise, mais qu'importe aujourd'hui. Nos vieilles haines ne méritent pas leurs acronymes.

Ils l'ont tué pour une carabine à plomb, du plomb pour les canards, assez près de chez nous pour qu'on les entende. Maman a surgi dans ma chambre dans la nuit encore noire : « Qu'est-ce que c'était, Hannah ? » Déjà dans le jardin, l'herbe gelée sous ses pas, Lawrence courait en s'écriant : « Oh mon Dieu, oh Tomas, oh mon Dieu ! » On avait cru d'abord qu'il s'était suicidé, mais on a bien compté trois coups. Il était en train de poser ses leurres.

Le courant l'avait emporté loin avant qu'on le rattrape, près du chenal où sa barque traçait des cercles toujours plus petits, toujours plus bêtes. Cela n'est pas une parole de sage mais, en vieillissant, je finis par croire que ce n'est pas le temps qui forge nos vies. Non, c'est la lumière. Le problème étant que les images qui remontent souvent sont rarement celles que je préfère. L'eau était noire, métallisée. Un vent épouvantable. À patauger misérablement jusqu'à ce qu'on immobilise la barque. Sa parka. Ses grandes bottes, les jumelles autour du cou. Un gosse. Il n'avait pas l'air mort, juste avachi. Le givre sur les sourcils, ça, c'est inoubliable. Le poing refermé d'un côté, furieux, l'autre main molle, ouverte. Le recueillant dans ses bras, Lawrence l'a porté jusqu'au rivage, où les uniformes arrivaient en courant, jurant, l'eau à mi-cuisse. « Lâchez-le ! gueula une voix. C'est un ordre, lâchez-le ! » Les projecteurs, les sirènes, le jour s'était levé. Maman en robe de chambre, muette sur la berge, le poing devant la bouche. Quelqu'un lui a jeté une couverture sur les épaules. Lawrence a posé mon fils devant les roseaux. Les journaux ont fait simple : « Un jeune homme seul avec son fusil, assiégé par une armée. » La vérité manque de réalité. Tous les meurtriers de l'Irlande du Nord, tous ces cons d'assassins, je leur aurais fait passer une nuit dans la barque bleue de Tomas, au milieu du lac, dans le noir, à reproduire sans fin les arabesques primitives des anciens Celtes.

J'ai mis ma combi néoprène et je suis sortie par l'arrière. La marée atteignait le bord de la pelouse. Devant le muret, vert à cause du limon, j'ai enfilé les chaussons, remonté la fermeture Éclair jusqu'en haut, et j'ai descendu la cale depuis le petit ponton, les jambes dans l'eau. Georgie aboyait derrière moi et, le temps que je me retourne, elle arrivait pour me rejoindre. Elle n'aime pas trop nager, la pauvre, c'est si touchant de la voir barboter, avec ses yeux luisants, un peu paniquée. Évidemment, je fais un curieux spectacle, ainsi harnachée, les joues gonflées par la capuche, les quelques mèches grises qui dépassent en haut du front. Je me suis lancée : le froid est d'abord saisissant, puis la combi vous enveloppe de votre propre chaleur.

Pour ne pas trop l'inquiéter, je suis restée près du rivage, à faire la planche en regardant les étoiles griffer le ciel. Petit, Tomas aimait penser que leur éclat venait jusqu'à nous alors qu'elles avaient peut-être disparu. Il a passé toute une période à étudier le ciel et ses figures complexes. Quand sa grand-mère lui a raconté l'histoire du Vimy, il a voulu savoir quelles connaissances possédait Brown, pour naviguer au-dessus de l'Atlantique. Ils n'avaient pas de gyroscope : Tomas n'en revenait pas. Ils y étaient allés à l'instinct, partagés entre la beauté et la peur. Ramant jusqu'au milieu du lac, il notait la position des étoiles sur du papier graphique, armé d'un sextant, de ses jumelles, d'un niveau à alcool, d'une torche infrarouge. De temps en temps, les patrouilles braquaient leurs lampes sur lui : les garde-côtes étaient au courant de nos habitudes. Mais les militaires sont des gens lamentables. Un coup de projecteur, une fusée éclairante, ils vous tombaient dessus, grossiers, bruyants. Tomas les envoyait promener, répondait aux insultes, et ils ont fini par comprendre qu'il était inoffensif, un gamin avec de drôles de dispositions. Une fois, quand même, ils l'ont fait chavirer, et toutes ses précieuses cartes étaient foutues. Dans sa chambre à la fac, il avait occulté les fenêtres, repeint les murs en noir, découpé des formes dans un adhésif spécial, brillant, pour les coller au plafond. Un navigateur solitaire.

Après sa disparition – je n'arrive pas à parler de meurtre –, une pensée m'a hantée. Je me demandais toujours s'il avait embrassé une fille. Jusqu'à ce que j'en rencontre une qui, apparemment, était sortie avec lui, une petite dévergondée qui travaille dans un cabinet d'assurances à Ormeau Road. J'avais rêvé d'une vie différente pour lui. Eh bien, elle m'a guérie de mes illusions.

Quand le passé épouse d'autres sonorités, on devient sensible à des bruits qui sortent de notre spectre habituel, au-delà du champ auditif. Tomas s'était grandement inspiré de notre curieux écheveau. À la maison de Malone Road, il restait des heures à écouter sa grand-mère. Un jour, il a pensé à créer un modèle mathématique de ses origines : Terre-Neuve, Hollande, Norvège, Belfast, Londres, St. Louis, Dublin. Une ligne brisée jusqu'à Lily Duggan. Je lui ai demandé à quoi il ressemblait, son diagramme, alors il a réfléchi un moment et m'a dit qu'on verrait un nid sur une branche, avec au second plan un film de cinéma projeté à toute allure. Sur le moment, j'ai eu du mal à comprendre de quoi il s'agissait, mais aujourd'hui l'image me paraît être d'une magnifique complexité. Brindilles, feuilles et rameaux ramassés çà et là, de petits bouts de catholique, de Britannique, de protestant, d'Irlandais, d'athée, d'Américain ou de quaker qui se croisent et s'entrecroisent à plusieurs années d'intervalle, pendant que les nuages se dispersent dans le ciel derrière lui.

Mon Dieu, ce qu'il me manque, mon fils, cruellement, d'année en année. Les jours de grosse déprime, j'en viens à reconnaître que, si je couche des mots sur le papier, c'est qu'il ne reste personne à qui tout raconter. Après sa mort, Lawrence a déménagé ses cliques, ses tweeds et ses claques dans une autre ferme à Fermanagh, me laissant le cottage en cadeau, la culpabilité dans le lac, et je m'en sortirais de toute façon. La vérité est que les laboratoires pharmaceutiques fournissent la lumière au bout du tunnel. Je n'avais pas grand espoir à caresser, ni d'hier ni d'aujourd'hui. Deux générations de mères étaient encore là quand on nous a pris Tomas. Sa grand-mère le rendait heureux, il l'appelait Nana. Ils s'installaient sur les chaises longues au bord du lac. Elle disait souvent qu'elle était plus jeune que lui, et c'était peut-être vrai dans un sens. Plus que la course de mon stylo, c'est celle du balancier qui arrive au bout de la page.

Une heure dans l'eau, et je commençais à avoir froid partout. Georgie n'était que trop contente de remonter au jardin. J'ai enfilé tous les cardigans que je possède, et je tremblais encore en entrant dans la cuisine. Je l'ai imitée quand elle s'est réfugiée contre l'AGA, puis je nous ai fait un mélange de saucisses, d'œufs et de haricots. Elle s'est lovée à mes pieds quand je me suis assise, sa queue jouait par terre avec le clair de lune.

Après une nuit à gigoter, je l'ai emmenée en promenade autour de l'île. On peut parler d'une aurore fraîche. C'est plutôt Georgie qui me promenait. Dame courlis était de retour sur les bancs de sable. J'étais contente de la savoir là, après tout ce temps. Moi qui trouvais son cri désolé – il y a tellement plus à entendre.

Georgie trottinait gentiment, dans l'enchevêtrement des vieux cordages, des rames brisées, des balises orange disloquées qui bordent le rivage. La marée remontait. J'ai coupé par le haut et, m'accrochant aux roseaux, tapé du pied dans une forme floue, recouverte par les eaux. Puis je me suis assise un quart d'heure, pour m'imprégner du paysage, ou plutôt me fondre dedans.

En haut de la petite route, le BlackBerry a émis deux bips. La banque avait dû se procurer mon numéro de portable. Deux messages pour moi, très polis, les acquéreurs potentiels de ma respectable misère. Le vibreur dans ma poche, le clignotant rouge. J'ai tout effacé sans rien écouter.

Depuis le virage, on voit le cottage couché devant le lac. J'ai pensé que, si je n'agissais pas vite, je ne ferais jamais rien.

Bon vieux cheval, la Land Rover a démarré du premier coup. Georgie a grimpé à l'arrière, le museau contre la vitre. Il aurait fallu la laver, cette chienne. J'ai baissé la fenêtre. En revanche, l'embrayage est dur. L'allée, puis la rive, et j'ai mis un temps fou à gagner le village, six kilomètres en passant par les ruines.

Après le plein de diesel, le beau jeune homme m'a rendu ma carte de crédit en haussant les épaules d'un air embarrassé. Il a vérifié la pression des pneus, versé un litre d'huile dans le moteur. Il portait une casquette de base-ball à l'envers.

— Pas de souci, madame Carson, a-t-il dit, le doigt sur la visière. Cadeau.

Il a fourré son chiffon dans une poche de sa salopette, et il m'a laissée. Le rappelant, j'ai refermé sa main sur une pièce d'une livre. Il a rougi.

— Attention à la route, hein ?

Je suis repartie, les larmes aux yeux. Quelle gentillesse.

Avec leurs phares allumés au milieu de la matinée, les voitures derrière moi m'éblouissaient. Poliment, je leur ai fait signe de passer, puis, vu le nombre, j'ai changé pour le V de la victoire. Quelques-uns ont un peu d'humour : ils ont ri. Il m'a fallu vingt minutes pour rejoindre la nationale, évitant de justesse un accident, ce qui aurait résolu d'un seul coup tous mes problèmes.

J'ai ri à mon tour, sur la ligne droite près de Comber, quand un petit bateau m'a doublée sur une remorque. La conductrice avait mis son warning.

À Bangor, les rues étaient bouchées, ça grouillait dans tous les sens : des bagnoles, des poids lourds, les camionnettes de livraison, les vélos au milieu. Je me suis approprié une place réservée aux handicapés. Le macaron que j'utilisais pour emmener maman partout est périmé depuis cinq ans, je l'ai tout de même posé sur le tableau de bord.

Assise sur le pare-chocs arrière, j'ai retiré mes bottes en caoutchouc pour une paire de chaussures correctes. Je me sentais un peu crasseuse dans ma vieille veste de chasse, que j'ai retournée pour la porter au bras. J'avais mis un cardigan sur une robe bleue que Lawrence m'a offerte il y a dix ans. Élargi plusieurs fois, le dos ressemble à un patchwork, mais l'avant va très bien, surtout avec le gilet par-dessus. Cela fait, direction High Street, avec Georgie et ses poils tout collés.

L'entrée de la banque est bardée de dispositifs d'alarme et de surveillance. J'étais déjà tendue comme un piège à ressort. Le temps d'en finir avec ça, et on me dit de laisser Georgie dehors, les chiens ne sont pas admis. J'ai répondu à cette pauvre gamine que j'étais non seulement sourde, mais aussi aveugle, que Georgie était la seule ici à détenir un doctorat en génie civil, et que, sans elle, impossible de franchir l'enceinte de leur ridicule forteresse.

— Je vais voir ce que je peux faire, madame Carson.

Je les voyais délibérer dans un coin. Une petite cabale à lunettes. À dodeliner de la tête comme des pommes d'amour au bout de leur bâton. Le ver dans le fruit, sûrement. Le directeur lui-même m'a regardée un instant derrière la vitre, d'un air plutôt inquiet. Je l'ai salué d'un geste extravagant. À ma grande surprise, il m'a imitée, et j'ai pensé que nous allions peut-être livrer bataille décemment, lui et moi – pour comprendre aussitôt qu'il serait inutile de le pousser à bout, au risque de perdre, littéralement, tout ce que je possède.

On m'a fait attendre trois quarts d'heure. J'étudiais les symptômes de la claustrophobie. D'un côté, l'illusion malsaine de négocier avec eux, de l'autre, la peur d'être éconduite, les menottes aux poignets. Georgie, qui a l'âge de sa vessie, a brièvement arrosé les fausses plantes en pots. J'en ai retiré une fierté d'adolescente indignée. J'avais quelques friandises en poche pour la récompenser, elle s'est couchée, le museau sur mes pieds. La lumière déclinait dehors. J'observais le va-et-vient des clients. Ma mère n'aurait jamais supporté ça. Elle aurait été, purement et simplement, scandalisée – d'abord qu'on la convoque, ensuite qu'on se permette d'éplucher ses comptes, mais alors… qu'on menace de lui confisquer ses biens ! Ce cottage était devenu sa passion, elle l'avait amoureusement réaménagé : nouvelles fenêtres, isolation, le grand salon. Même les dernières années, quand elle se propulsait dans un fauteuil, il fallait absolument qu'on lessive les murs, qu'on graisse les gonds des portes, et les poignées, que les bois soient régulièrement imperméabilisés.

Finalement, Jack Leogue est arrivé tout glissant – costume gris, cheveux blondasses, le visage en lame de couteau. Trente-sept ou trente-huit ans, j'ai de plus en plus de mal à évaluer l'âge des gens. Jetant un coup d'œil vers Georgie, il m'a proposé de la confier à un de ses employés pour une « petite promenade ». Je lui ai dit que mon chien allait très bien, merci beaucoup, et j'ai failli ajouter qu'il imitait très mal l'accent du Nord.

— Voulez-vous que nous allions dans un bureau privé, madame Carson ?

— J'aimerais autant que nous discutions ici. Je n'ai honte de rien. Et vous pouvez m'appeler Hannah.

Attendez que je sois dans la tombe pour « madame Carson ».

— Mais non, mais non.

Tout en surveillant Georgie, il a défait un élastique autour de son classeur. Leogue avait un regard alerte et des ongles lamentables, rongés jusqu'à la chair aux deux pouces. Ses mains ont vite disparu lorsqu'il en est venu à l'effondrement de mes finances. Évidemment, cela n'était une nouvelle pour personne. Mon hypothèque. Mon découvert. Un couteau est un couteau – on peut le lancer à distance, ou glisser lentement la lame entre deux côtes. Il savait faire tout ça en même temps. Son sang-froid, son assurance m'auraient presque plu. Il a menacé de bloquer mon découvert, tant que je n'aurais pas vendu la maison. Faute de quoi, elle serait saisie. Quel aplomb, quel talent pour éviter d'entrer dans les détails. Mais il y avait des quantités de beaux appartements à louer en ville, même au bord de la mer, dès que je serais renflouée.

— Ce n'est pas une mer, c'est un lac.

Il a haussé les épaules, c'était sûrement pareil, pour lui.

Heureusement, il n'a pas parlé d'aide à la dépendance, ni de maisons de retraite, car là, j'aurais pété un plomb. Sans craindre le ridicule, j'ai bredouillé un vers de Maïakovski sur l'amortissement de l'âme. Ce qui, naturellement, ne servait à rien. Avec une politesse parfaite et une infaillible compétence, cet homme m'avait neutralisée. Admirable. Il était content de lui, ce jeune terrier. J'étais prête à éclater. L'ancestrale iconographie de l'imaginaire irlandais tient en un mot : expulsion.

J'ai demandé à emporter ses calculs pour les soumettre à mon comptable.

Avec un long soupir, il m'a tendu sa carte de visite.

— Votre comptable ?

Leogue me donnait tout le temps du monde mais, très franchement, il n'en restait plus beaucoup.

— Mon numéro personnel est dessus, si cela peut vous être utile.

J'étais trop sidérée pour répondre. Curieusement, une lueur de tristesse brillait dans ses pupilles. Il a battu des paupières et il s'est détourné. J'ai eu très peur un instant qu'il soit fâché.

— Vous devriez mieux vous laver les mains, Jack.

Georgie ne voulait pas se lever et j'ai tiré sa laisse un peu sèchement. Oui, c'est vache, mais j'étais furieuse, au bord des larmes, et je n'allais certainement pas pleurer dans l'agence.

Dehors, les éclairages m'ont fait mal aux yeux. L'apitoiement me collait aux os. Un tracteur – ô surprise – descendait lentement Queens Parade. On en voit rarement, de nos jours, et c'était un jeune gars aux commandes, un colley à ses pieds, près du levier de vitesse. Il m'a rendu mon sourire, même levé un doigt au-dessus du volant puisque j'avais l'air contente. Tomas n'était vraiment pas fait pour les travaux de la ferme. Tout était bon pour y échapper. Il préférait sa barque. Pourquoi avait-il pris son fusil, ce matin-là, cela reste un mystère. La chasse ne l'intéressait pas : il avait décidé de faire comme les autres, comme son fana de beau-père. Gamin, ça le laissait totalement indifférent. En revanche, les jumelles, la compagnie du lac... Tout pouvait se réduire à des vecteurs, des angles. Il se demandait s'il y avait moyen de traduire la nature par une série de graphiques. Notre Tomas était indolent, jamais il n'aurait éclairé le monde de ses lumières, mais il brillait assez pour moi. On n'a pas retrouvé le fusil qu'ils lui ont volé – allez savoir dans quelle histoire il a fini, ou si on ne l'a pas jeté, enseveli dans le sol, avec les élans de jadis, les os, le beurre des tourbières.

Rêveuse, je regardais le tracteur s'éloigner, quand je me suis raidie. Le réel me rattrapait avec une bonne paire de claques. Comme il était joli, le sabot jaune qu'ils avaient collé sur la roue de ma Land Rover. Je n'allais pas, en plus, m'engueuler avec les contractuelles. Elles étaient là, aigres, agressives, au bout de la rue. Revenant sur mes pas, j'ai retiré de l'argent au distributeur, avant que M. Jack Leogue bloque mon découvert.

Je les ai suppliées de retirer l'amende, elles ont haussé les épaules sans rien dire. Ça, elles savent faire. Alors j'ai payé, et elles ont mis des heures à l'enlever, leur sabot.

Georgie dormait à l'arrière quand j'ai remonté l'allée. Je suis allée biner dans le jardin, pour dissiper la colère, les angoisses de la journée. Arranger un peu la terre autour de mes vieux plants de tomates. Sous le crachin, avec le halo orange de Bangor au loin. L'éclairage public. On n'imaginerait pas que les étoiles disparaissent un jour. A-t-on jamais su naviguer ? J'ai fait claquer mes bottes pleines de boue avant de rentrer. Combien de fois faut-il décrotter notre image devant le miroir ? Les habituels suspects du quotidien m'attendaient dans le couloir de la réserve où j'ai reposé ma pelle. Des voyous : ma mère dans sa robe de tennis tel un vin rouge bien charpenté. Mon père dans l'uniforme de la RAF. Mon grand-père au portail de la filature. Ma grand-mère américaine sur le pont d'un transatlantique. Tomas avec ses six maquereaux sur le même bout de ficelle. Jon Kilroyan, l'ouvrier agricole que nous avions engagé, devant la cabane de pêcheur. Mon mari en cuissardes et veston de tweed. Les voisins, les amies de la Women's Coalition. Une photo de moi, très jeune, à la chasse au renard, un beagle derrière moi, ma vie déjà tracée, mes biens et privilèges comme une deuxième colonne vertébrale.

Deux jours durant, l'orage a retourné le lac. Nous sommes restées cloîtrées, Georgie et moi. Ciel noir, les branches tombaient des arbres sous une pluie incessante. Je me suis perdue dans ses antiennes.

Partie le troisième jour, la lettre posée sur le siège passager, dans sa pochette en plastique. Peut-être pas la meilleure protection, mais à défaut d'une chambre forte avec un humidificateur, ça ira.

La circulation redoublait à l'approche de Belfast. Derrière moi, les voitures faisaient des appels de phares, klaxonnaient en doublant. J'ai ressorti mon V de la victoire, mais il semble que, de nos jours, le doigt d'honneur soit une forme de salut plus universelle. Bientôt, on ne pouvait plus me dépasser et j'étais contente d'avancer au pas.

Les ronds-points m'ont toujours désorientée. À la sortie de Comber, je me suis bizarrement retrouvée sur la route de Stormont – Stormont que maman et moi avons beaucoup fréquenté, il y a maintenant plus de dix ans. Elle avait pleuré des larmes de joie à la signature de l'accord de paix, le jour du vendredi saint. Des flots de larmes. Comme on sort un bébé ruisselant d'une mer de tristesse. Elle avait encore quatre mois à vivre. Peu avant de nous quitter, elle m'a confié que ça suffisait bien – elle qui parlait de tenir jusqu'à la fin du siècle. Pourquoi la mort nous prend-elle chaque fois par surprise ? La disparition de Tomas : un trou dans sa poitrine, on lui arrachait son vieux cœur. La paix de Mitchell, comme elle l'appelait, lui faisait honneur. Elle avait aussi un faible pour John Hume, et ses mèches en zigzag. Des types bien l'un et l'autre, disait-elle, qui avaient le courage de jouer au filet. Elle avait été comblée de joie en rencontrant l'Américain au club. Cheveux gris, veste de survêt, son indéfectible courtoisie. Un petit côté filou qu'il fallait deviner. Sa raquette dans le dos, il lui parlait avec révérence. L'air de rien, mais toujours en train de réfléchir, elle savait. Maman lui avait recommandé de travailler son revers.

Grâce à lui, Tomas reposait en paix. Ma mère s'est éteinte dans son sommeil. Nous avons dissipé ses cendres au-dessus de l'océan, sur la côte ouest. Une vie entière définie par l'eau, de Terre-Neuve et de toutes parts. J'imagine parfois qu'elle était là-haut, dans le Vickers Vimy, qu'elle l'a poussé d'une rive à l'autre par la force de sa volonté. Elle aimait tellement l'histoire d'Alcock et Brown qu'elle nous montrait souvent leurs photos, nous expliquant tout jusqu'au moindre détail. De bien des façons, sa vraie vie avait commencé avec eux.

Je n'étais pas revenue à Belfast depuis trois ou quatre ans. Notre morne capitale, informe et charbonnée. Ses peintures murales, ruelles, taxis noirs et grues jaunes. Lugubre au point d'être agressive. Mais le quartier de l'université m'a étonnée – clair, vert, étincelant. Une fois garée, j'ai dû tirer fort sur la laisse, tant Georgie était étourdie. Au moins, la ville est colorée de noms merveilleux, pour éloigner nos peines et nos chagrins, peut-être. Holyland, Cairo Street, Damascus, Jerusalem, Palestine[43].

J'ai trouvé l'endroit tout de suite, au-dessus d'un restaurant espagnol dans Botanic Avenue. La poussière de l'escalier volait dans la lumière. Mon philatéliste était un petit homme mince, chauve, avec des lunettes clic autour du cou. Il dégageait une vague odeur de pourri. Il y a tellement de gens bizarres à Belfast, qui ont survécu aux années de poudre dans des lieux minuscules grâce à une imagination sans borne. Réunissant les deux verres, il a chaussé ses drôles de lorgnons et m'a observée avec de grands yeux. Il avait quelque chose d'un raton laveur. Georgie ne paraissait pas le gêner, bien que, toujours délicate, elle lui ait reniflé l'entrejambe.

Il a essuyé ma chaise avec son mouchoir avant de m'inviter à m'asseoir. Puis il a fait le tour de son bureau et, joignant les mains, a prononcé mon nom, comme si la journée ne méritait d'autre ponctuation que celle-là.

Les bibliothèques projettent toujours des ombres étranges. Mon gars avait derrière lui une collection de romans de Graham Greene, reliés de cuir, joliment alignés. Le moindre indice peut nous démasquer.

— Voyons donc ça, a-t-il dit en ouvrant la pochette, d'un ton qui suggérait l'admiration ou la dérision, je ne sais.

Il me regardait, puis la lettre, et ainsi de suite. Enfilant des gants en latex, il l'a posée sur un tapis de feutre bleu et l'a retournée avec une pince à épiler. J'ai tenté de lui raconter mon histoire, mais il levait sans cesse un doigt pour m'arrêter. Je n'avais pas remarqué l'ordinateur tout neuf. À ma grande surprise, il a fait défiler une série de dossiers sur l'écran. Levant la tête par-dessus, il a déclaré que des dizaines de lettres d'Alcock et Brown étaient disponibles à la vente, il en avait vu un certain nombre dans les salons spécialisés, et elles valaient des sommes considérables, à condition qu'elles soient en bon état. Certes, la mienne venait de Terre-Neuve, l'enveloppe était d'époque, le timbre reconnaissable, mais il n'avait rien d'original, c'était un simple Cabot. En l'absence de cachet, la lettre pouvait avoir été expédiée n'importe quand. Comme, à sa connaissance, elle n'était mentionnée nulle part dans les publications, il était impossible de l'authentifier avec certitude.

Le nom de Jennings ne signifiait rien pour lui. Celui de Frederick Douglass non plus. Il a séparé les verres de ses lunettes, qui ont dansé un instant sur son torse menu.

— Pour être franc, il faudrait que vous l'ouvriez, madame Carson.

Je lui ai appris que, dix ans plus tôt, ma mère aurait pu l'authentifier sans problème, qu'elle séjournait à l'hôtel Cochrane quand Brown et Alcock avaient entrepris leur traversée. Âgée de dix-sept ans, elle avait vu l'avion s'envoler – avec la lettre – et rapetisser au fond du ciel. Le pli n'a jamais été remis. Des années plus tard, elle était partie à sa recherche, avait retrouvé Teddy Brown, à Swansea, qui l'avait oubliée dans une poche de sa combinaison. Emily était là, il leur avait rendue, maman l'avait rangée quelque part, sans se soucier de ce qu'elle deviendrait. J'en suis restée à l'essentiel, pourtant mon interlocuteur semblait disparaître dans son fauteuil. Non, me dit-il, il était incapable d'estimer correctement ce qui, à l'évidence, constituait un bien de famille. Ma lettre, assurément, avait une certaine valeur, deux cents livres peut-être, il lui manquait seulement le tampon de la poste, avec lequel j'aurais pu en tirer trois ou quatre fois plus.

Il s'est levé et m'a ouvert la porte, s'arrêtant un instant pour gratter les oreilles de Georgie. Qu'avais-je espéré, vraiment ? Le soleil était aveuglant et je me suis réfugiée dans le restaurant espagnol, où la jeune et jolie patronne, s'inquiétant de mon état, m'a servi un verre de rioja avec des tapas. Son mari, au piano, jouait des ragtimes et des airs de Hoagy Carmichael. Notre âge ne laisse de nous surprendre. Je suis certaine qu'une fois au moins Lily Duggan, Emily Ehrlich et Lottie Tuttle ont éprouvé cette sensation. Et leurs vies étaient là, cachetées dans cette enveloppe entre mes mains.

Non qu'on finisse par ressembler à des chaises vides, je ne crois pas, mais on libère la place pour les autres en chemin.

Deux verres de vin et j'étais ivre. Étourdie, j'ai réussi à retrouver la voiture, tournicoté un moment, puis je me suis garée près de Newtownards Road. J'ai dû m'assoupir un instant, car Georgie s'est mise à gronder et l'on frappait à la fenêtre avec insistance. Une femme en uniforme. J'ai baissé ma vitre. Il faisait nuit.

— Vous êtes garée de travers.

À vrai dire, je ne me souvenais même pas de m'être garée. Je voyais mes pensées défiler dans ma tête, des carpes dans la mare, dont la lenteur me trahissait.

— Je vous prie de m'excuser, ai-je répondu en démarrant.

La fille s'est penchée pour retirer les clés sous le volant.

— Vous avez bu ?

J'ai tendu le bras pour caresser le cou de Georgie.

— Vous avez de la famille à proximité ?

Non, je n'avais personne, mais elle a menacé de me faire souffler dans le ballon et, selon le résultat, de me garder la nuit au commissariat – « la caserne », comme elle a dit. Je me suis donc creusé la tête.

Soudain m'est revenue l'image d'une époque où les journées semblaient encore enjouées, légères. Dans les années 60, Lawrence fréquentait une bande de gentlemen-farmers, en veston de tweed et culotte de golf, qui se réunissaient le samedi matin. Leurs cartouchières cliquetaient quand ils descendaient vers le lac. Les bonnes femmes – comme on nous appelait alors – jouaient pendant ce temps au tennis. Je n'ai pas hérité de la passion de ma mère pour ce sport-là, mais j'ai fait comme si. Nous retrouvions nos maris en début de soirée, buvions l'apéritif, et l'on débordait parfois dans le fossé sur le chemin du retour. Je suis certaine que la boue a conservé les empreintes des pneus. Et quelques plumes de héron.

Pas de quoi pousser des alléluias, mais j'étais alors assez prodigue de mon affection. J'ai eu plusieurs liaisons, au fil du temps, pour la plupart hâtives, crispées et franchement déprimantes. Une rencontre sur un parking, des baisés volés dans les toilettes du golf, la cabine exiguë d'un voilier colmaté. Ces messieurs se permettaient des mulligans sur le parcours de leur vie. Baignée de tristesse, de culpabilité, je rentrais à la maison en me promettant de ne plus recommencer. Lawrence en faisait certainement autant de son côté, mais je n'ai jamais cherché à savoir. Je me suis réfugiée dans mon rôle de mère. Pourtant, il devait encore arriver que je m'égare. Entre autres escapades, il y eut Simon Craddogh, un professeur d'histoire de Queen's University qui possédait un petit pavillon d'été à l'entrée de Portaferry. Baies vitrées, champagne, isolement. Sa femme, qui dessinait des meubles, était toujours fourrée à Londres. Nous étions un peu hésitants au départ, lui et moi, jusqu'à ce que, un après-midi – d'ailleurs le seul –, il arrache les boutons de ma robe. La suite fut un ravissement. Formidable de repenser à ce don pour la gymnastique que nous avions alors. Je revoyais ma jeune main sur son torse essoufflé. Un souvenir net comme une photo.

Bafouillant quelque peu, j'ai admis qu'un couple de ma connaissance habitait aux alentours de Donegall Square, pas très loin.

— Appelez-les ! a dit la fille en me tendant son portable.

Mon BlackBerry l'a stupéfiée. Simon a répondu dès la première sonnerie. Sa voix suggérait également quelques verres de vermouth. Tu pourrais me loger, ce soir ? Il paraissait tout déconfit, je lui ai chanté que la police voulait me garder la nuit au poste avec Georgie.

— Georgie ? a-t-il dit, avant de se rappeler. Oh, Hannah !

Des protestations étouffées en arrière-fond, et un soupir appuyé.

Hésitant un instant, l'agent a décidé de me suivre pour être bien sûre que je me rendais chez eux. J'ai dû zigzaguer un peu, car elle m'a de nouveau arrêtée, prenant le volant elle-même, pendant que son collègue nous filait le train. Pitoyable, à mon âge, de conduire en état d'ivresse, paraît-il. S'il n'y avait pas eu le chien, elle m'aurait embarquée pour de bon. Le genre de femme qui se traîne depuis longtemps un balai là où je pense, et la chose n'allait pas en ressortir aujourd'hui. J'ai failli lui raconter mon aventure avec Simon, histoire de l'amadouer un peu. D'un coup de dents, il avait arraché le dernier bouton de ma robe, fait semblant de l'avaler avant de m'embrasser. Mais j'ai préféré rester silencieuse, drapée dans mon dépit. Nous avons tous été jeunes : maman disait qu'il vaut mieux boire le vin avant qu'il tourne au vinaigre.

Et de nous garer devant la maison victorienne de M. Craddogh, qui se dressait devant sa porte, sous l'imposte en vitrail, sa femme en robe de chambre tapie derrière lui. Paula.

Avec ses années de plus, Simon a descendu la courte allée, ouvert le petit portail en fer et serré la main de la policière – lui assurant que tout était arrangé, que j'allais pouvoir me reposer jusqu'au lendemain. Il avait l'air un peu fâché d'avoir, en plus de moi, à s'occuper de Georgie. Pour lui faciliter la tâche, j'ai emmené la chienne dans le patio à l'autre bout, admirant au passage les poutres apparentes, les tableaux anciens et les beaux papiers peints – l'intérieur était rénové depuis peu. La pauvre Georgie s'est résignée à son sort, la tête sur ses deux pattes.

Tous trois assis à la cuisine, nous avons bu une tasse de thé. Quelle cuisine ! Matériel moderne, hors de prix. Le passé grattait son silex contre le présent. Simon s'était récemment entiché d'ornithologie – l'expression m'aurait fait éclater de rire, au risque de recracher le thé que j'avais dans la bouche. Ils s'étaient mis à dessiner les oiseaux de la région. L'huîtrier, le canard siffleur, la barge à queue noire. Avaient envisagé, parfois, de venir dire bonjour, mais il était toujours tard, il fallait rentrer. Je dus reconnaître que leurs aquarelles étaient superbes. Et moi, qu'avais-je fait de mon temps : toute la journée chez moi, à contempler, attendre, nager parfois.

De repenser au cottage, j'avais les yeux embués. Ma mièvrerie, les décennies de pluie qui effacent les noms. J'ai bredouillé quelques mots. Comment dessiner le temps qui fuit, le saisir en plein vol ?

La capsule a sauté sur la bouteille de brandy, de quoi nous réchauffer pendant qu'il évoquait une autre de ses marottes. Bien que retraité, Simon poursuivait un cours à l'université sur l'histoire du XIXe siècle. Fasciné par la littérature des époques coloniales. Il parlait lentement, en mâchonnant ses mots, tremblait un peu en remplissant nos verres. Les taches de vieillesse à l'orée de ses doigts.

À la deuxième tournée, Paula a décidé de nous laisser seuls, nous les jeunes – le mot qu'elle a employé –, et il s'est levé pour l'accompagner un instant, sa main effleurant ses fesses, ce qui m'a paru assez crâne dans cette situation. Pour la rassurer, il l'a embrassée à pleine bouche. Le bruit des talons dans l'escalier, et un autre soupir par-dessus.

— Bien, a-t-il dit, comme si nous reprenions les choses où elles en étaient restées, que ma main flottait encore sur son cœur battant. Qu'est-ce qui t'amène dans le coin, Hannah ?

J'avais de nouveau la sensation désagréable d'avoir tourné en rond ma vie entière, et j'étais plus démunie que jamais. S'il avait entendu parler de la lettre à un moment ou un autre, il ne l'avait jamais vue. La première fois qu'il avait devant les yeux une « métaphore filée ». Je ne savais pas ce que cela signifiait, mais j'ai eu envie d'ouvrir l'enveloppe sur-le-champ, juste pour lui faire ravaler ses mots. La maison n'a rien d'une métaphore : c'est un endroit réel, vivant, avec un toit sur lequel claquent les coquilles jetées par les mouettes. On y ferme les portes pour conserver la chaleur, et les fantômes se baissent à cause des plafonds bas. Simon Craddogh ne semblait pas étonné que la famille ait fini par épuiser l'héritage du grand-père et de ses filatures.

Je n'ai révélé que l'essentiel. Il y avait selon lui peu de chances que l'université prenne le risque d'acheter cette lettre sans l'ouvrir, malgré les assurances qu'on pourrait lui donner.

J'avais cependant piqué sa curiosité. Les liens qui unissaient l'Irlande à Douglass ne lui étaient pas étrangers. Depuis quelque temps, la grande mode ici était de s'ériger en modèle de tolérance, me dit-il. Du point de vue universitaire, la question était de savoir à quel moment « ils » – le mot était dans sa bouche comme une porte qu'on ouvre et qu'on ferme – avaient été reconnus comme des Blancs. Cela touchait de près le colonialisme, l'affaiblissement de l'Empire. Il avait analysé l'épopée de Tammany Hall à New York, les discours des politiciens anglais et australiens qui avaient nourri la littérature. C'est à cette époque qu'« ils », les Irlandais, seraient sortis de leur condition d'esclaves. Il se méfiait tout de même des chercheurs confinés dans ce qu'il appelait les zones d'ombre. Tout cela me paraissait lointain et poussiéreux. Mais il en connaissait certains qui avaient étudié les séjours de Douglass en Irlande et en Angleterre. Il pouvait me mettre en relation avec l'un d'eux, David Manyaki, un Kenyan, qui enseignait à la fac de Dublin.

Toute cette géographie, en sus du brandy, m'étourdissait. Simon, intarissable, rabâchait une histoire d'autocolonialisme. Son sourire en coin quand j'ai commencé à bâiller. Oui, ai-je admis, j'ai besoin de repos – et je n'ai plus les mêmes capacités d'absorption.

Toujours souriant, il a posé un instant sa main sur la mienne, m'a regardée droit dans les yeux, et je me suis détournée. J'entendais son épouse déambuler à l'étage, sûrement en train d'apporter serviettes, brosse à dents et chemise de nuit dans la chambre d'amis.

Il a voulu se pencher vers moi. Le geste était sans doute flatteur, je lui ai expliqué que la fatigue l'emportait sur le désir. Soixante-douze ans : autant garder certaines choses à l'état de souvenir.

Le matin, l'air giflait dans la lumière froide et brillante. Austères, les grandes tours gothiques du Lanyon Building se dressaient sous le ciel très bleu. Les étudiants, pas vif et cheveux courts, parcouraient les allées impeccables.

Mes études, à la fin des années 50, furent rapides et superficielles. Les lettres ne m'ont pas préparée à tomber enceinte à dix-neuf ans. Mon chéri d'Amsterdam est retourné à ses canaux. Difficile de le lui reprocher. Je suis longtemps restée une improbable protestante, qui suçotait le bout de ses mèches et tenait de grands discours sur la révolution et la justice. Le pauvre garçon, je l'ai terrifié. Il a envoyé de l'argent tous les ans à Noël, jusqu'au jour où il n'y a plus rien eu, et Tomas ne l'a jamais connu.

Comme moi, il n'aura pas fait long feu à la fac. Quand je l'y ai installé, en 1976, les étudiants vendaient sur les trottoirs des posters de Martin Luther King et des T-shirts à l'effigie de Miriam Makeba. Les Troubles duraient depuis huit ans, et ils chantaient encore *We shall overcome.* Tomas s'est laissé entraîner. Une lueur d'espoir dans l'œil, sous ses cheveux bouclés, et des pattes d'éléphant aux pieds. Mon fils faisait partie d'un groupe qui a occupé le bâtiment des arts – assez idiots pour lâcher des colombes par les fenêtres. Il s'est calmé par la suite, la tête dans ses bouquins de maths. Tomas se mélangeait un peu les rames, mais il pensait pouvoir devenir actuaire. Durées de vie, probabilités de survie. Nos absurdités se passaient de statistiques. Qu'a-t-il ressenti, par ce matin noir, quand deux hommes masqués ont surgi des broussailles ? Qu'a-t-il pensé, avec une balle dans le ventre ?

J'ai quitté le parc de l'université, fait monter Georgie à l'avant. Elle a posé la tête sur ma cuisse, en chemin. Les petits réconforts.

Dans l'île m'attendait une nouvelle lettre de la banque, fruit de l'écrasante imagination de Jack Leogue. Jack a dit : « Vous êtes fauchée. » Jack a dit : « Endettée jusqu'au cou. » Jack a dit : « Il faut vendre. » Jack a dit : « Sans délai ».

Comment avais-je pu hypothéquer, une fois puis deux, tout mon héritage ? Depuis le lac, j'ai regardé la maison où la cuisine entière passait du rouge au noir, en syncope, encore et encore. J'ai eu le sentiment d'avoir gagné les rives de l'au-delà, et j'ai soudain compris que c'était le voyant du répondeur téléphonique. Un temps, j'avais pensé à le couvrir d'un bout de papier que je n'aurais retiré qu'aux moments opportuns. Veuillez laisser un message après le bip sonore. Nagé une demi-heure, regagné le jardin, séché Georgie et, après m'être vêtue chaudement, j'ai mis la bouilloire sur le feu et attendu qu'elle siffle. Je me doutais que c'était encore un appel de la banque, mais un voyant rouge n'est rien qu'un voyant rouge.

C'était en fait David Manyaki, le collègue de Craddogh. Il se disait intrigué par le document en question – s'il se rapportait bien à Douglass Frederick. Aurais-je la bonne idée de me rendre prochainement à Dublin, il serait ravi de m'inviter à déjeuner.

L'accent africain. Il paraissait mûr, compétent, attentif. Une voix habillée Harris Tweed.

Tôt le matin, les coquilles tombent du ciel, rebondissent sur les ardoises. Les mouettes là-haut, minuscules ziggourats dans l'étendue blême. J'ai marché dans la rosée. Quelques moules, ouvertes et vides, avaient atterri dans l'herbe. La musique est l'espace entre les notes, disait Claude Debussy. Quel bonheur d'être chez soi, je retrouvais un peu d'énergie après une nuit de mauvais sommeil. J'ai fourré les factures dans la cheminée, qui ont volé en flammes.

De vieilles aquarelles de ma mère sont accrochées aux murs. La photo ne l'intéressait plus à la fin de sa vie, elle s'était mise à la peinture. Selon elle, les nouveaux appareils vous enlevaient tout le plaisir. Elle aimait bien s'installer devant les grandes baies avec ses couleurs : il y en a une du cottage, la porte bleue ouverte en haut, et l'infini du lac en arrière-plan.

J'ai écouté la radio dans la cuisine, pendant qu'un vent de force 10 commençait à soulever des vagues. Au bout d'une heure, énormes, elles se battaient contre la digue. La pluie a remonté la pelouse, martelé les fenêtres, la tempête malaxait le lac.

David Manyaki. Curieux nom. Ça pourrait être un veuf avec la tête de Chinua Achebe. Une frange de cheveux gris. Un front interminable. Un œil sérieux. Peut-être un Blanc avec l'accent d'Afrique ? Lunettes à monture grise, quelque chose de charmant. Les coudières en cuir sur les manches.

Je me suis demandé si j'allais le traquer sur Google avec mon BlackBerry, mais je n'avais pas de réseau, pas de signal.

Quand j'exhume mon enfance, c'est toujours la promenade de Malone Road jusqu'au cottage qui me procure le plus de plaisir. En voiture avec père et mère. On se souvient des routes comme on se souvient des gens. En hommage au temps jadis, j'ai refait une partie de l'itinéraire, sans jamais m'éloigner du rivage. Newtownards au nord, Greyabbey à l'est, Kircubbin au sud.

Le bac de Portaferry a cet air penché que j'adore. J'ai attendu avec les autres en le regardant arriver, un mince fil d'écume derrière lui. Une douzaine de voitures sur le pont, les pare-brise luisants au soleil. Des enfants sur la plateforme, en haut de l'escalier, scrutaient le chenal à l'affût des marsouins. La passe n'est pas très longue, quelques centaines de mètres, mais il faut trouver le bon angle, compte tenu de la marée, haute ou basse, et de la force du courant. Quatre siècles que le bac fait la navette. La masse violette des montagnes sous le ciel. Peut-être les appelle-t-on les Mournes[44] pour une autre raison : elles sont si belles que je n'arrive pas à comprendre comment nous avons pu nous entretuer tant d'années.

Adroitement, le ferry s'est amarré à quai. Montant à mon tour, j'ai baissé ma vitre, payé le passeur, un grand type jeune. Pas du genre à qui on toucherait un mot du Styx, mais il était souriant et de bonne humeur. Quelques instants durant, tout sentiment ou souvenir terrestre a disparu. J'ai serré le frein à main, refermé la portière, emmené Georgie en haut des marches pour respirer le bon air.

Au bout de la rambarde, un jeune couple, tout enchevêtré, parlait russe. Lune de miel, camarades ? La laisse bien en main, je me suis rapprochée d'une famille de Portavogie qui sortait de sa besace sandwichs et thermos de thé. Papa, maman, six enfants. Gentils, ils ont donné des petits bouts de pain à Georgie, gratte-gratte sous le cou. Ils allaient voir la reine, attendue dans le Sud. Pas au courant, moi, loin des miroirs du monde. Pas ouvert un journal depuis des mois. Je n'ai pas la télé, seulement une radio, et j'écoute toujours une station de musique classique.

— La reine en personne, a dit la jeune mère, rayonnante.

Comme s'il existait plusieurs exemplaires de la souveraine. Elle avait dû boire quelques bières auparavant. Elle a ajouté que le président Obama était attendu lui aussi, la même semaine. Curieux télescopage. Qu'importe, en définitive : je n'avais qu'une chose à faire, vendre ma lettre.

Le bac a atteint l'autre rive. Les mouettes tournoyaient dans le ciel. J'ai dit au revoir à cette famille et fait remonter Georgie.

Puis j'ai emprunté la route côtière, le chemin des écoliers. Au diable le diesel et l'avarice ! Une longue file de voitures s'impatientait derrière. Les appels de phares en me doublant. Il y en a même un qui, pilant devant moi, est descendu pour gueuler :

— Va te faire foutre, espèce de vieille conne !

Louant sa remarquable éloquence, je lui ai demandé s'il allait lui aussi voir la reine. Humour de valet de chambre. Il n'a pas ri.

Impossible, ensuite, d'éviter la nationale et les camions qui filent à toute allure. Je conduisais si vite que le volant tremblait entre mes mains. La douleur s'est installée dans les deux épaules. J'ai passé la frontière sans m'en rendre compte. À la première station-service, je me suis rappelé qu'on payait ici en euros. L'employé, un jeune Asiatique, charmant, m'a indiqué le distributeur. Suspense. Qu'allait-on me dire quand j'aurai tapé mon code ? Vous expliquez ça comment, à soixante-douze ans, une vie envasée comme la mienne ?

L'écran miniature a clignoté un instant, puis m'a délivré une petite liasse de billets que j'ai roulée joyeusement.

Pour fêter ça, j'ai payé un friand à Georgie. J'ai pensé à un paquet de cigarettes, ce luxe d'autrefois, et j'y ai renoncé. Allez, cette bonne vieille route avec le réservoir plein.

Et j'ai allumé la radio. On ne parlait que du dispositif de sécurité pour la venue de Madame. Que M. Obama se prenne une balle, ils semblaient s'en fiche un peu. Eh oui, l'autocolonialisme. J'ai changé de station. La circulation est devenue très dense.

J'avais quitté Belfast depuis déjà quatre heures, pour la raison surtout que je me suis arrêtée tous les trente kilomètres pour faire pisser Georgie. Ce voyage ne lui plaisait guère, elle gémissait derrière sur la banquette. J'ai fini par l'installer à l'avant et j'ai ouvert la vitre pour qu'elle passe la tête au-dehors.

Le soir tombait quand j'ai gagné la périphérie. Ça ne roulait pas, je me suis maudite d'avoir réservé un hôtel dans le centre. J'aurais pu me garer beaucoup plus facilement quelque part dans la banlieue. Dublin ressemble à tant d'autres villes. Bretelles et ponts d'autoroute. Centres commerciaux. Les panneaux À vendre sont des larmes dans les rues. Fermeture définitive. Rupture de liquidité. Leurs grandes tours en verre inoccupées. Comme si on nous ressassait ce que nous étions devenus. Le spectacle de la vanité. Un statu quo de la faim. J'ai emprunté les allées de bus pour rejoindre Gardiner Street. Un flic a tenté de m'arrêter. Je l'ai ignoré, jouant les jeunes filles innocentes. Je serais bien allée me promener sur le pont Beckett, histoire de manier l'ironie. « N'importe. Essayer encore. Rater encore. Rater mieux. » Mais je n'ai trouvé que leurs rues à sens unique, impossibles, les barrages routiers installés pour les monarques.

Il était presque huit heures quand je me suis rangée devant le Shelbourne, franchement au-dessus de mes moyens. Nous toisant, moi et ma voiture, avec un mépris indescriptible, le chasseur, un sale petit snob espagnol, a sèchement annoncé que les chiens n'étaient pas admis dans l'établissement. Évidemment. J'ai dû reconnaître en moi-même que je n'en avais jamais douté. Inutile de faire l'imbécile.

Je pouvais bien me traiter de snob, moi aussi. J'ai feint la colère, l'indignation, et je suis repartie dans les embouteillages. De toute façon, je n'avais plus d'argent, cet hôtel était une folie.

Georgie et moi avons dormi sur le parking de la plage de Sandymount. Quatre autres familles dans divers véhicules, garés à côté. Sans domicile, certainement. Cette idée vide que mes problèmes n'ont rien d'extraordinaire. Serrées comme des sardines dans leurs quatre-portes, tous leurs biens empilés sur le toit, emmaillotés avec de la ficelle. La casquette sur le nez, la couverture en dessous. Ils me rappelaient les photos en noir et blanc de ma mère. La conviction touchante que ces choses-là n'arriveront pas sur notre propre terre. Comme si le passé n'avait pas droit au présent. Raisins de la colère. J'ai aperçu l'autocollant sur un pare-chocs : « Tigre celtique, mon cul ! » Au milieu de la nuit, la police a braqué ses torches sur nos vitres, mais ils nous ont laissés tranquilles. Le froid s'infiltrait par la fente de la portière. Je me suis pelotonnée sur la banquette, Georgie sur mes genoux, qui a pissé deux fois, la pauvre.

Au matin, les enfants de la voiture à côté m'observaient, le nez contre la vitre. Pour les distraire, je leur ai proposé d'aller promener Georgie sur la plage. Une pièce de deux euros dans leur main. Un de ces petits monstres s'est exclamé :

— Elle sent mauvais !

Je ne saurais dire s'il s'agissait de moi ou de la chienne. La peine au ventre. Ils avaient l'air contents de s'éloigner. J'ai regardé leurs pas s'imprimer puis disparaître dans le sable mou. Un immense ciel gris sur les caps au loin.

Ensuite, j'ai emmené Georgie petit-déjeuner à Irishtown, dans un café où on lui a permis de somnoler à mes pieds. Je me suis débarbouillée dans les toilettes, j'ai lavé mon manteau, ma robe, ma tête dans le miroir. Un coup de peigne, un trait de rouge à lèvres. Pas grand-chose, un reste de fierté.

La radio prévoyait des embouteillages épouvantables. Laissant la voiture à la plage, j'ai pris un taxi. Le chauffeur, un gars du coin, s'est employé à composer un itinéraire pour gagner Smithfield, pas si loin du centre.

— Gardez-le couché, votre chien, bordel !

Les bourrelets de graisse ondulaient dans sa nuque.

La circulation est devenue telle qu'on a fini par être coincés. Il a usé d'un vocabulaire étendu pour maudire la reine. Je n'avais plus qu'à faire les derniers cinq cents mètres à pied. Il m'a demandé un pourboire. « Du gaspillage », ai-je pensé. Sans me laisser répondre, il a poussé un dernier juron et filé.

Smithfield, quartier exigu, un peu moche, ne ressemblait pas à ce que j'aurais imaginé, et David Manyaki – qui m'attendait au coin de la rue – non plus.

J'aurais vu quelqu'un de plus âgé, cérémonieux, grisonnant, coiffé, peut-être, d'un de ces chapeaux africains dont le nom m'échappera toujours, ces toques vaguement carrées et colorées. Ou alors le genre homme d'affaires nigérian, grand, chemise blanche cintrée sous un costume bleu luisant, le ventre saillant, un rien menaçant.

À la fois bigarré, élégant, Manyaki avait tout juste la trentaine. Le torse large, musclé, un léger embonpoint. De grandes mèches flottantes dansaient comme des tubes autour de ses mâchoires – j'ai tenté de me rappeler le terme adéquat, sans succès, les idées trop lentes. Sous un veston sport froissé, il portait un dashiki moiré jaune et argent. Il m'a serré la main. Je me suis sentie lourde, mal fagotée, alors qu'il éveillait quelque chose de frais et de piquant. Il s'est baissé pour caresser Georgie. Son accent m'a paru plus prononcé qu'au téléphone – africain, avec la touche caractéristique de qui est passé par Oxford. Ça m'est revenu :

— Dreadlocks, ai-je déclaré, assez ridicule.

Il a ri.

Nous sommes entrés dans un petit café froid. Les patrons regardaient le direct des événements sur un minuscule poste de télé, posé sur le comptoir : la reine se rendait au Jardin du Souvenir. Quelques manifestants dans les rues. Ni lances à eau, ni balles en caoutchouc, ni gaz lacrymo. Les journalistes glosaient sur le fait qu'elle avait atterri dans une robe verte. Je n'ai jamais adulé la monarchie. Bien qu'élevée dans la religion protestante, théoriquement, je reste au fond de moi une Lily Duggan.

Nous avons commandé des cafés. La télévision ronronnait en arrière-fond.

Quand je lui ai montré la lettre, il a saisi la pochette par le bord, la retournant du bout des doigts. Je lui ai expliqué qu'elle avait été écrite en l'honneur de mon arrière-grand-mère qui, jeune fille, avait travaillé dans cette rue où nous étions, Brunswick. Il a corrigé aussitôt : Douglass avait séjourné dans Great Brunswick Street, depuis rebaptisée Pearse Street.

— Je me demandais, aussi, pourquoi vous vouliez qu'on se rencontre ici.

— Ce n'est pas Great Brunswick ?

— Il faut croire que non.

J'étais terriblement gênée à l'idée qu'il en sache plus que moi sur le lieu de travail de mon aïeule. Après tout, c'était lui, le spécialiste. Attristé de m'avoir reprise, apparemment, il a ajouté qu'on avait assez peu d'informations concernant cette rue et la maison de Richard Webb, démolie depuis longtemps. Ce qui ne l'empêchait pas d'éprouver un grand intérêt pour le bonhomme. Manyaki a proposé d'aller faire un tour dans Pearse Street, délicat cependant, car à cause de la reine, la ville était quadrillée.

Je lui ai tendu la lettre, toujours habillée de son transparent. Il n'était pas censé l'ouvrir, ce qui ne sembla pas le déranger. Manyaki ignorait ce qu'il était advenu d'Isabel Jennings. Il était fort possible, au demeurant, qu'elle ait aidé Douglass à s'affranchir, par l'entremise d'une quaker de Newcastle, une certaine Ellen Richardson, fervente adversaire de l'esclavage.

— Il est rentré chez lui sans le joug.

Sans le joug. L'expression, curieuse, m'a plu, et lui, de ce fait, plus encore. À Cork, Brown Street avait également disparu, m'a-t-il dit. Entièrement rasée dans les années 60 pour construire un supermarché.

Il était difficile de situer le départ de la famille Jennings, même si on soupçonnait qu'il datait de la Grande Famine. Tous avaient une part de culpabilité, affirma-t-il, anglais ou anglo-irlandais. J'ai évoqué la broche en améthyste qui avait voyagé loin, dans l'espace et dans le temps, sans doute perdue quelque part au Canada – Toronto, ou Saint-Jean.

Par-dessus ses lunettes, il a plissé les yeux vers l'écran de la télé. Un hélicoptère tournait dans le ciel. Cette paix remarquable continuait de régner.

Manyaki a de nouveau retourné la pochette, dans un sens puis dans l'autre, l'élevant au jour jusqu'à ce que je le prie d'arrêter. Même sous le plastique, l'encre était sensible à la lumière, l'adresse menaçait de s'effacer.

J'ai aimé aussi qu'il ne me demande pas d'ouvrir l'enveloppe, ni de lui prêter la lettre pour que ses collègues à l'université la bombardent de protons, de neutrons, quoi qu'ils utilisent dans le but de découvrir ce qu'elle cache. Il a dû comprendre que je me moquais un peu d'aller au bout du bout, que, s'il y avait une vérité à découvrir, elle risquait d'être décevante. Cet homme si jeune, un chercheur, paraissait curieusement intéressé par l'indéfinissable.

Il m'a parlé d'un collectionneur à Chicago, qui achetait au prix fort toutes sortes de reliques de Douglass. Le type avait déjà une bible qui lui avait appartenu, il avait proposé une somme extravagante pour une paire d'haltères, mais un musée de Washington les lui avait raflés.

— Une idée de ce qu'elle raconte, votre lettre ? dit-il en se frottant les tempes.

— Sans doute un mot de remerciement.

— Ah.

— Pour autant que je puisse deviner.

— Cela restera entre nous.

— Personne ne l'a jamais lue. Craddogh appelle ça une métaphore.

— C'est bien lui.

Il me plaisait, cet homme, avec sa formidable candeur. Remuant le café dans sa tasse, il parut un instant songeur.

— Mon père m'écrivait ce genre de lettre, dans le temps, sur un papier très fin qu'on envoie par avion, et qui se froisse facilement.

Se taisant, Manyaki a entrouvert la pochette, reniflé à l'intérieur, puis m'a regardée d'un air penaud. Et lui, d'où venait-il, dans l'espace et le temps ? Quelles histoires avait-il dans ses poches ?

Il a pris des photos avec son téléphone portable. Manipulant le transparent avec soin, sans pouvoir empêcher l'enveloppe d'émietter quelques brins sur le plastique : des grains de poussière, vraiment. Naturelle entropie. J'ai dû dire une bêtise, comme quoi nous tombons tous en miettes, d'une façon ou d'une autre. Lorsqu'il a refermé la pochette, un minuscule fragment de papier est tombé sur la table.

— Vous croyez vraiment que je peux en tirer quelque chose ?

— Vous en voulez combien ?

J'ai presque ri. Lui aussi, plus doucement.

Il a penché la tête, comme lorsqu'un inconnu vous approche de trop près. Pourquoi n'y avait-on pas touché, à cette lettre ? Les choses que l'on range soigneusement dans un tiroir risquent fort d'être celles que l'on ne retrouvera pas. Il a tendu le bras comme pour me caresser la main, s'arrêtant en chemin sur l'anse de sa tasse.

— Je peux me renseigner, a-t-il dit, glissant la pochette vers moi. J'enverrai mes photos par mail, un peu plus tard.

Des écailles de papier demeuraient sur la table. Sans réfléchir, je pense, il a mouillé la pulpe de son index pour en ramasser une, grosse comme une tête d'épingle, puis il s'est redressé en regardant ailleurs. Alors il a baissé les yeux sur le petit bout de papier, l'observant longuement – ou absorbé, plutôt, dans sa propre rêverie. Enfin, il l'a posé sur sa langue, gardant le geste un instant, et il a fini par l'avaler.

Se rendant compte de ce qu'il venait de faire, il a bafouillé des excuses, et je lui ai répondu que ça n'était pas grave, on aurait nettoyé tout ça en débarrassant la table.

Plus tard dans la journée, je suis repartie de Sandymount pour me rendre à Dún Laoghaire, un peu plus au sud sur la côte. Mal fichue, Georgie vomissait dans la voiture, incapable de remuer l'arrière-train. J'ai dû la soulever, la porter. Elle pèse vraiment une tonne. J'ai monté les marches comme j'ai pu, puis j'ai sonné.

L'épouse de Manyaki est jolie, irlandaise, avec un teint très clair et un accent distingué. Elle s'est présentée – « Aoibheann » – et, tout de suite, elle m'a pris la chienne des bras en reculant dans l'ombre.

Ils habitent une belle maison pleine d'objets d'art – petites sculptures sur piédestal blanc, peintures abstraites, une toile de Sean Scully, je crois, dans l'escalier.

Aoibheann m'a conduite dans la cuisine, où Manyaki était assis à l'îlot central, avec deux jeunes garçons en pyjama de football qui faisaient leurs devoirs. Leurs enfants. Une fusion parfaite. Ce qu'on aurait appelé des mulâtres, autrefois.

— Hannah, m'a-t-il dit, je vous croyais de retour dans le Nord.

— Georgie est malade.

— Vous connaissez un vétérinaire ? a demandé Aoibheann.

David a étendu quelques pages de journal près de la porte de la cuisine et, après avoir couché la chienne, a fait des recherches sur son portable. Au bout de plusieurs appels, il a trouvé quelqu'un près de Dalkey, qui acceptait les visites à domicile. Au téléphone, Manyaki avait plutôt l'accent d'Oxford, tonique, haché. Quelle éducation avait-il reçue ? Père fonctionnaire, mère professeur ? Une petite banlieue de Mombasa, peut-être, dans la poussière. La blancheur du linge frais. Ou un balcon sur la chaleur des rues ? L'imam qui appelle à la prière, les manches larges des robes de papa. Arrestations, torture, disparitions. Ou alors avait-il grandi dans l'opulence, un appartement en terrasse au sommet d'une colline, la radio réglée sur la BBC, les piscines de Nairobi. Études supérieures, une chambre sordide à Londres. Comment avait-il atterri là, au bord de la mer d'Irlande ? Pourquoi parcourir de telles distances, en voguant sur un fleuve qui coule à reculons ?

Repliant son téléphone, David en revint à ses enfants et leurs devoirs de classe. Je me suis sentie assez bête, debout devant eux – il m'avait oubliée un moment. Par bonheur, sa femme m'a prise par le coude, installée à l'îlot en granit, versé un jus de canneberge.

Ce n'était pas une cuisine de magazine, mais elle aurait pu y prétendre : jolis placards, bloc porte-couteaux, un grand fourneau moderne, réplique des anciens, percolateur rouge, et un incroyable frigo avec téléviseur intégré dans une porte ! Attentionnée – « Asseyez-vous, asseyez-vous » –, Aoibheann a bien voulu me laisser l'aider à couper échalotes et pommes de terre pour le gratin. Elle m'a resservie sans que je le remarque. Les nouvelles défilaient sur l'écran du frigidaire : la reine avec le président irlandais, une nouvelle banque en faillite, un accident d'autobus.

Enfin la sonnette retentit. La vétérinaire, une jeune femme, semblait lasse d'assister à un drame après l'autre. Elle ouvrit sa mallette en cuir noir et se pencha sur Georgie.

— Calmez-vous, m'a-t-elle dit en évitant mon regard.

Elle ausculta soigneusement la chienne, lui caressa le ventre, examina ses pattes, étudia ses selles, braqua sa lampe sur ses dents, sa gorge. Cela fait, elle m'apprit que Georgie était vieille. En voilà, une révélation. J'étais certaine de ce qu'elle allait ajouter : il fallait la piquer. Mais elle a déclaré que la chienne était simplement épuisée, peut-être mal nourrie, évoquant une éventuelle infection intestinale. Il serait bon de lui prescrire des antibiotiques, quelques jours, juste au cas où. Le tout d'un air désapprobateur. Mal nourrie. J'avais envie de rentrer sous terre. Elle a griffonné une ordonnance qu'elle a brandie avec sa facture. Quatre-vingts euros.

Pendant que je fouillais dans mon sac, Aoibheann a hoché la tête, ouvert le sien et payé.

— Vous restez chez nous, cette nuit, a-t-elle dit avec un coup d'œil vers Manyaki.

Rien n'est jamais fini. Aoibheann est issue d'une famille aisée, irlandaise, qui a amassé une fortune dans l'agroalimentaire et la banque. Son père, Michael Quinlan, orne régulièrement les pages des revues professionnelles. J'ai cru comprendre qu'ils étaient brouillés, sans doute parce qu'elle avait épousé un Africain.

Elle avait conclu avec lui un mariage civil, à Londres, et leur histoire paraissait enveloppée d'un certain mystère. Un enfant trop tôt, peut-être, ou un problème d'immigration, je ne saurais dire, et cela m'était égal. Ils formaient un beau couple, et les différends qui opposent Aoibheann à son père semblaient les avoir rapprochés plutôt qu'autre chose. Leurs rapports étaient naturels, sans rien d'affecté ou d'obséquieux. Et leurs enfants casse-pieds, bruyants comme tous les gosses à la table du dîner. Conor et Oisin. Cinq et sept ans, aussi graciles que leur peau était brune.

Aoibheann m'a fait couler un bain dans leur baignoire à pattes de lion. Je me suis immergée jusqu'au crâne. Elle m'avait laissé des perles de bain parfumées, dans une petite bouteille ornée d'un ruban. J'ai tout fait tomber en l'attrapant. Une bille a fondu dans ma main. J'entendais au loin les sirènes des bateaux à l'approche de Dún Laoghaire. Le monde entier toujours pressé. Les désirs d'autres parts. Le même port par lequel Douglass Frederick était arrivé, tant d'années plus tôt. Éclaboussé par le grand large. L'eau clapotait autour de moi. Tomas. Tué pour un fusil à plomb. La reine inclinée dans le Jardin du Souvenir.

La porte a fait un bruit d'enfer, Manyaki est entré en trombe. Nue comme un ver, je me suis redressée. Mon vieux corps soumis aux lois de la pesanteur. Gêné au-delà de toute mesure, il est ressorti à reculons.

— Excusez-moi ! Excusez-moi ! a-t-il crié dans le couloir. Je frappais depuis un moment. J'ai eu peur que vous ne soyez pas bien !

J'avais seulement froid : j'avais dû m'endormir pour de bon. J'ai ouvert le robinet d'eau chaude et me suis immergée à nouveau. Quelques instants plus tard, Aoibheann m'apportait une tasse de thé.

— Je crains de m'être donnée en spectacle à votre mari.

Elle a ri en levant les yeux au ciel : sans ironie.

— Il faudra l'envoyer chez le psy.

— Oh, les psys, on connaît dans cette maison, a-t-elle répondu.

Aoibheann dégageait quelque chose de proche et d'authentique. En réaction, peut-être, à la notoriété de son père. Plaçant une main sous le robinet, elle m'aspergea le dos avec de l'eau chaude, puis elle versa quelques sels encore, le tout sans un regard déplacé.

— Bien, je vous laisse.

— Non, au contraire, restez.

— Oh.

— S'il vous plaît, tenez-moi compagnie. Je ne voudrais pas me rendormir.

Tirant une chaise, elle s'est plantée au milieu de la salle de bains. Une étrange proximité s'établit entre nous. J'ai remarqué sa légère coquetterie à l'œil gauche. Elle avait l'air d'une femme venue jadis à bout d'une grande tristesse.

Tout en parlant, elle étudiait la fenêtre en verre dépoli, illuminée par un réverbère à l'extérieur. Elle m'a dit avoir rencontré Manyaki à Londres, où elle prenait des cours pour devenir créatrice de mode. Lui étudiait l'anglais. Arrivant à l'une de ses présentations avec une petite amie – parmi toutes celles qui gravitaient autour de lui –, il avait fait la grimace devant son projet de thèse, une série de jupes et chemisiers, très haute couture, inspirée des tribus nomades.

— Il riait aux éclats. En plein milieu de la galerie. J'étais mortifiée.

Elle a rouvert le robinet d'eau chaude, pour m'en verser sur les pieds.

— Je l'ai haï.

L'humiliation lui revenait par bribes, mais elle s'est esclaffée.

Elle l'avait revu quelques années plus tard, lors d'un point de presse pour un essai qu'il publiait, intitulé *Écrire le roman africain*. Elle avait tenté de le ridiculiser à haute voix – et qu'il entende bien. Mais son texte était bardé d'ironie, de la dérision à l'état pur, c'était le but du jeu.

— J'étais là, à l'éreinter, et vous savez quoi ? Il s'est remis à rire. Un crâneur de première, une raclure de caniveau.

Et d'essuyer une petite larme à l'œil gauche.

— Alors je lui ai dit ce qu'il pouvait se mettre dedans. Je ne vous rapporte pas sa réponse. Je m'en voulais à mort, mais il me séduisait. La semaine suivante, je lui ai envoyé un thoab de bédouin, avec une lettre au vitriol dans laquelle je le traitais de sale frimeur, de con de la pire espèce, et qu'il aille rôtir en enfer. Ce qui m'a valu quatre pages sur mes prétentions de styliste, comme quoi il valait mieux s'initier aux cultures étrangères avant d'en parer le cul des multitudes.

L'eau redevenant froide, je gigotais un peu dans le bain.

— Curieux départ pour une histoire d'amour, mais nous sommes mariés depuis huit ans, et il porte encore mon thoab en guise de robe de chambre. Juste pour me faire râler.

Nous avons gardé le silence un instant. Il m'a semblé que sa famille était un poids lourd à porter. J'avais appris, à la fin du « miracle économique », que son père avait été arrêté, du moins interrogé à propos de malversations financières. Tout cela ne me regardant pas, j'ai préféré me taire. J'avais envie de sortir du bain.

— Je suis contente que vous nous rendiez visite, m'a dit Aoibheann. On voit si peu de monde en ce moment.

J'ai posé un coude sur le bord, et elle m'a aidée avec ses bras. Je lui ai tourné le dos. Où il y a de la gêne, pas de plaisir. Elle a dégagé une serviette de l'Acova, l'a déroulée sur mes épaules, puis m'a soutenue de chaque côté.

— On va faire en sorte que vous dormiez bien.

— J'ai l'air si mal en point ?

— Je dois avoir un demi-comprimé de quelque chose, si vous voulez.

— Pour être franche, je préférerais un brandy.

Quand je suis descendue, elle m'en avait préparé un, chaud, avec des clous de girofle dans un magnifique verre en cristal. La conjuration des femmes. Ne vous y trompez pas, nous complotons ensemble.

Je suis restée quatre jours de plus. Aoibheann a lavé mes vêtements. Aux petits soins avec moi, elle s'est arrangée, c'est vrai, pour que je me repose un peu. Le cottage me manquait, mais pas la mer qui était là. J'emmenais Georgie se promener sur la jetée. Ma famille pouvait se fendre d'un dernier émigrant. Une amie m'avait un jour affirmé que le suicide n'était fait que pour les jeunes. J'ai décidé de ne plus me lamenter, de profiter de l'accueil qu'on me réservait.

Après m'être levée, le dernier matin, je suis descendue dans leur petit jardin. Installée sur une chaise longue, j'étudiais les formes des glycines – que me disaient-elles ? J'ai entendu la poignée de porte derrière moi. Une toux légère. Encore en pyjama, pieds nus et les dreadlocks en bataille, Manyaki avait chaussé ses lunettes à monture d'acier.

Il a tiré un gros pot de fleurs, qu'il a retourné pour s'asseoir tout près. J'ai compris aussitôt à ses épaules voûtées. David avait reçu un e-mail du collectionneur à propos de la lettre.

— Ça l'intéresse, a-t-il dit en frottant la plante de ses pieds sur la pierre. Mais il n'offre pas plus de mille dollars.

J'ai gigoté sur le transat. Je m'en étais doutée, on me donnait confirmation et je n'y tenais pas. Il fallait quand même avoir l'air contente : la colophane sur l'archet, mais le violon fracassé.

Manyaki a fait craquer ses doigts. Il pensait que le type monterait peut-être jusqu'à deux ou trois mille, mais on devait lui fournir la preuve que la lettre avait un lien avec Douglass. Je ne voyais pas comment, à moins de l'ouvrir et de la lire, ce qui revenait à lui ôter sa valeur.

— Je réfléchirai, ai-je répondu, sachant très bien que j'allais renoncer, et qu'on n'en parle plus – ce n'était maintenant plus qu'une goutte d'eau dans l'océan.

Manyaki tapotait sur le pot de terre. Il a tendu le bras pour caresser Georgie.

— Navré.

— Il n'y a pas de raison.

La lumière oblique du matin illuminait le jardin, promesse d'une journée ensoleillée. Aoibheann et son mari m'ont reconduite à la voiture et nous nous sommes dit au revoir. Elle m'avait préparé une poche en papier avec des sandwichs et un yaourt. Le goûter à l'école. Ils souriaient poliment. J'ai repris la route, le long de la côte. J'avais du chemin à faire. À ce que disait la radio, Obama atterrissait le jour même à l'aéroport de Baldonnel. Vive l'Irlande ! Le ciel me tiendrait compagnie jusqu'à la maison.

Le soir glissait sur les branches courbes des arbres. Le lac immobile. J'ai ouvert la porte, jeté contre le mur le courrier accumulé en mon absence. Pas chaud, là-dedans. Je n'avais pas pensé à rapporter du bois. J'ai allumé une des lampes à pétrole, l'ai posée sur la cheminée.

Retrouver mes murs : je m'attendais à un immense soulagement, au lieu de quoi le froid me glaçait les os. Georgie se collait à moi. Il restait du petit bois et quelques briquettes de tourbe, j'ai enflammé un allume-feu et jeté les factures dans le tas.

Puis j'ai cherché ma combi. Comme elle dégageait une légère odeur de moisi, je l'ai disposée un instant devant la cheminée. La tête sur les pattes, Georgie me regardait faire, l'air pas du tout d'accord. Elle est quand même venue avec moi, s'est assise près du muret, en bas du jardin, pendant que je rentrais dans l'eau. La nuit était calme. Trois étoiles, une lune et un avion dans les hauteurs noires. Le vent a émergé du lac, comme si la solitude lui pesait. Les vivants et les morts qui s'entrecroisent. La brise a secoué les grandes baies, grimpé jusqu'aux pignons, et elle a disparu.

David Manyaki m'a appelée le lendemain matin pour m'annoncer que j'avais oublié la lettre. Sans blague. Je l'avais laissée en évidence sur la table de chevet, sous le presse-papiers en verre.

Dieu sait qu'on n'arrive pas à cet âge sans confier à d'autres une part du fardeau. Je lui ai dit qu'il pouvait l'ouvrir. Pardon ? Vous pouvez l'ouvrir, David. Il hésitait à me prendre au mot. La pièce rapetissait, le plafond descendait. J'avais une gaze devant le nez et la bouche. Je me rappelais ses doigts boudinés. Les ongles très blancs, la cuticule rognée. Il m'a redemandé si j'étais sûre. Mais oui, évidemment. J'ai cru entendre le bruit de l'enveloppe, mais ça n'était que le transparent. J'ai tenté de me représenter la chambre, là-bas. Sa maison. Les rideaux enfantins aux fenêtres. Les coquillages imprimés sur l'édredon. Il avait dû coincer le téléphone sous son oreille. La lettre quittait sa pochette, la voix était soudain distante. Le haut-parleur du portable, et le portable sur le lit. Tenant la lettre dans la main droite, et il l'ouvrait avec la gauche. Je regardais le lac depuis la cuisine. Temps parfaitement banal : les couches de gris, mouvantes, sur la surface. Il n'allait quand même pas tout déchirer brutalement ? Il ne faut pas exagérer. Silence à l'autre bout. Il voulait me l'envoyer par DHL. Le ciel s'est éclairé. Non, lisez-la-moi, nom de Dieu ! Le son creux du portable qui allait et venait. Le plafond tanguait. Voilà, il l'avait ouverte, fallait-il déplier les pages ? Le sang me montait aux tempes. J'ai feint la nonchalance. L'enveloppe n'est pas abîmée ? Non, je l'ai ouverte proprement. La moquette grise au sol. Les vêtements d'enfants dans la penderie. La branche de l'arbre, dehors, grattant le cadre de la fenêtre. Le café humide à Dublin, où l'écaille s'était échappée de la pochette. Deux petites pages, a-t-il dit, bleu clair, simple pli. Du type bloc-notes, et l'en-tête de l'hôtel Cochrane, gaufré en haut. L'encre délavée, mais le texte lisible. Stylo à plume. Il a coupé le haut-parleur. La branche contre la fenêtre. Une date : juin 1919. Emily Ehrlich. « Je vous écris cette lettre avec l'espoir qu'elle arrive dans vos mains. Ma mère, Lily Duggan, n'a jamais oublié les marques de bienveillance de Mlle Isabel. » L'accent africain ressortait, prononcé. Il lisait lentement. Papier bleu. Cuticule abîmée. « On peut craindre qu'elle ne se perde en mer, mais s'ils y arrivent, alors vous remettront-ils ce pli, deux hommes qui, d'un engin de guerre, font un messager de la paix. » Envasés à Clifden, le train dans la tourbière. Le carex ne meurt pas. La lettre avait atterri en Irlande, au bout des océans. « Il est toujours difficile d'estimer les conséquences de nos actes, mais je suis sûre que nos vies résonnent après nous. » Les sirènes autour de la jetée. Les bruits de la route à la fenêtre. La tour de pierre au bord de la mer. « Ce simple mot pour vous remercier encore. » Le corsage d'Emily taché d'encre bleue. Le bout de la plume tapote sur l'encrier. Ma mère, Lottie, regarde pardessus son épaule. Cette forme dans le ciel, derrière les carreaux. L'herbe couchée à l'envers. Mon fils sort dans le jardin. Le monde ne peut tourner sans moments de grâce, aussi minimes soient-ils. Les pattes d'éléphant imbibées de rosée. J'ai demandé à David de tout me relire. Attendez une seconde. Les feuilles crépitèrent. Une lettre assez courte pour la graver dans sa mémoire.

« Adjudication volontaire », voilà comment le cottage fut mis en vente au début de l'été 2011. On a déplacé tous les meubles, détaché les tableaux des murs. Les tondeuses à gazon remplaçaient le silence, l'herbe verte coulait dans le lac. On a repeint les portes et les cadres des fenêtres, graissé les gonds des battants bleus, décapé l'AGA, rapiécé les coussins du salon, retiré la poussière des cartes de l'Amirauté. Un air frais envahissait la maison.

Le passé se relevait, se libérait. J'ai mis tout ce que j'avais dans des cartons que j'ai empilés dans la remise. Les robes d'époque ; les vieilles raquettes de tennis, avec les presses en bois ; des mètres de cannes à pêche et de moulinets. Des boîtes de plombs. Complètement inutiles.

Simon et sa femme, Paula, sont venus de Belfast pour m'aider à ranger. Je crois qu'elle voulait jeter un coup d'œil à ce que je n'avais pas encore perdu. Je lui ai exhibé de vieux jodhpurs en me demandant comment ils avaient jamais pu m'aller. Il a plié les vêtements que mon mari n'avait pas emportés. Les dernières toiles de maman leur plaisaient. Elle maniait à la fin les huiles comme la gouache, un flot épais et cru, fleuves rayonnants de couleur, formes et silhouettes distordues, allongées comme des bêtes affamées.

Simon et Paula m'ont proposé de les acheter. Pas grand-chose. Surtout, les cadres les intéressaient. J'ai refusé. Je pouvais me passer de cet argent, la banque m'avait laissé creuser mon découvert. J'ai gardé celles que je préférais. Ils ont chargé les autres dans leur grand coffre : des oiseaux en mouvement.

Jack Leogue se traînait dans mes jupes avec son air de chien battu. Coupable. Estimant de pièce en pièce un prix qui lui reviendrait finalement. Doublé d'une espèce particulière d'agent immobilier, en rouge à lèvres et jupe ultra serrée, avec l'accent du Sud. Je lui ai dit que, si elle employait encore une fois le mot héritage devant moi, je lui arrachais le foie avec les dents. Pauvre petite, elle tremblait sur ses talons. Ne faisait que son métier, paraît-il. Très bien. Je lui ai montré où était la bouilloire. Elle s'est mise à flotter entre les pièces, tel un fantôme, pour m'éviter.

Les acquéreurs potentiels ne semblaient pas vouloir acheter, mais sonder la douleur. J'emmenais Georgie se promener dans l'île. Elle me suivait de près, s'arrêtant avec moi, comme si elle savait elle aussi qu'il faudrait bientôt sc rappeler. Une île a ses limites. Ce n'est pas tant le souvenir qui m'y attachait – j'aurais surtout aimé voir quel aspect elle prendrait d'ici quelques années. Ses arbres dressés contre le vent, ses branches tordues vers l'intérieur des terres.

Je me suis assise sur un rocher au bord du rivage. Georgie s'est couchée comme une masse. Je n'étais quand même pas foncièrement innocente. J'aurais pu faire beaucoup, mais beaucoup plus tôt. Après l'assassinat de mon fils – j'arrive finalement à le dire –, j'ai tout laissé filer. Ma faute. Irresponsable. Submergée. Flippée.

Les visiteurs souhaitaient me parler, me confronter à leurs désirs, mais au diable l'hypocrisie. Je leur offrais le visage d'une vieille femme acariâtre. Traînant les pieds, j'allais battre les herbes avec ma canne en épine noire. Ils repartaient, je remplissais un ou deux cartons.

Trois jours avant la vente proprement dite, on a frappé au carreau. Toute joyeuse, Georgie s'est précipitée à la porte.

J'ai ouvert avec prudence. Aussitôt, Aoibheann me brandissait une bouteille de bon cognac français. Dans la voiture, David était invisible, caché par le pare-brise opaque sous la lumière. J'avais pratiquement oublié. Il avait promis de ne plus toucher à la lettre et de me la rapporter. J'ai compris que, penché vers l'arrière, il détachait ses enfants des sièges-autos.

— On va leur faire prendre l'air un moment, si ça ne vous embête pas.

À peine libérés, leurs gars couraient partout.

— On a essayé d'appeler avant. J'espère qu'on ne vous dérange pas. Nous allons à Belfast où David donne une conférence demain.

— C'est un peu la mère Hubbard[45], ici.

La visite d'une maison vide. Aoibheann portait une robe de soleil, Manyaki un de ses dashikis colorés. Lentement, ils contemplèrent les pièces nues, témoins muets. Les carrés blancs aux murs à la place des tableaux, les trous des clous dans le plâtre, les traces de meubles au sol.

Dans le salon, le vent soufflait sur les cendres à travers le conduit de la cheminée. Ils sont passés à la cuisine, un peu plus loin, sont revenus, économes de leurs mots. David a posé la lettre sur la table. J'ai ouvert l'enveloppe et étudié l'écriture, le relief des années. Le mystère s'évade quand les choses se révèlent, mais sans doute l'évidence en garde-t-elle un. Ce n'était qu'un petit mot tout simple. Je l'ai refermé en remerciant Manyaki. Cette lettre resterait la mienne : pas d'université, de philatéliste, rien à archiver.

Nous nous sommes assis devant les grandes baies, pour pouvoir surveiller les garçons dans le jardin. J'ai préparé le déjeuner, soupe de tomate en boîte, et j'ai fait du pain irlandais.

Tels des frelons furieux, des jet-skis se sont mis à bourdonner sur le lac. Se levant poliment, Manyaki est parti sur le rivage avec les garçons, a fait quelques pas dans l'eau avec eux. Un cri, un geste ont suffi à chasser les drôles d'insectes. De quoi réchauffer mon cœur fané. Ses dreadlocks se balançaient au-dessus de ses épaules. Il a poursuivi le long de la digue avec les petits, disparaissant un instant, revenant avec trois huîtres. David les a ouvertes à l'aide d'un tournevis, les a placées au frigo dans un plateau avec un peu d'eau de mer. Une heure plus tard – il devait aller au village acheter du lait pour les enfants –, il les a fait cuire à la casserole, avec du vin blanc, un hachis d'ail et de romarin.

Je leur ai proposé de rester dormir. Le père et les deux fils ont ressorti les vieux matelas de la grange. Des aigrettes de poussière quand ils ont claqué sur le sol. On a retapé les oreillers et bordé des draps frais. Comme il fallait s'y attendre, j'avais la larme à l'œil.

Aoibheann m'a versé un doigt de cognac, pour que ça ne déborde pas.

Après le dîner, le plus grand des garçons, Oisin, a fait son caprice : il voulait absolument donner à manger aux mouettes. Nous avions encore la moitié d'une miche. Il a pris ma main, j'ai pris celle du cadet, Conor, et nous avons éparpillé des miettes sur la pelouse. Un peu avant le crépuscule, nous avons aperçu derrière les baies un groupe de cerfs à queue rouge – leurs pas fluides sur le gravier. Oisin et Conor collés à la vitre, les mains sur le verre froid, à les observer. Je n'ai pas eu le courage de dire que ces charmantes bêtes allaient bousiller ce qui restait de mon potager. Devant la fenêtre, j'ai bercé Conor, gros bout de chou de cinq ans, jusqu'à ce qu'il s'endorme. Ensuite, je suis sortie pour envoyer promener biches et chevreuils.

Aux dernières lueurs, j'étais dans le jardin, l'oreille tendue. L'espace d'un instant, tout a semblé transparent dans un ciel sans fin. La lune, creuse et fragile, se mirait dans le lac. L'eau clapotait sur le rivage. Puis la nuit noire.

À l'intérieur, Aoibheann aidait les petits à enfiler leurs pyjamas. Ils ont râlé un peu, puis ils se sont calmés. Assise devant leurs lits de fortune, elle leur a lu une histoire, pêchée sur son smartphone. « Il était une fois… » J'ai écouté depuis le pas de la porte. Il n'existe pas d'histoire qui, en tout ou partie, ignore nos origines.

J'ai allumé les lampes à huile, suis ressortie avec Georgie. J'ai nagé loin. Le lac d'un froid glacial à vous figer la moelle. Un coup d'œil vers la maison.

Tomas ressuscitait sa haute silhouette, grandissait dans le jardin.

Au retour, j'ai bien essuyé Georgie sur le palier. Dans le salon, David et Aoibheann, blottis derrière les lampes-tempête. L'éclat fugace de ses lunettes. J'ai recueilli les bribes de leur conversation : la conférence du lendemain, les enfants, les enchères. Si près l'un de l'autre, la table basse devant eux, une feuille de papier avec des numéros, des chiffres. Leur image sur le verre de la table. Au-delà, le *lough* noir et sans limite. Je suis restée longuement à la porte, sans savoir si j'allais dire ou faire quelque chose. Je ne voulais pas de leur clémence. Je partais de toute façon, même s'ils restaient là.

Enfin, je me suis assise auprès d'eux. Leur silence bordé de tendresse. Le monde a cela d'admirable qu'il ne s'arrête pas après nous.

Remerciements

Il n'est pas de vrai anonymat dans l'histoire, et certainement aucun chez les conteurs. Bien des mains ont guidé cet ouvrage, il serait déplacé de prétendre que je l'ai écrit tout seul. En cas d'erreur, je suis naturellement l'unique fautif, mais il serait malhonnête de ne pas citer tous ceux qui m'ont aidé. D'abord, et toujours, Allison, Isabella, John Michael et Christian. Mes collègues ainsi que les étudiants du Hunter College, Jennifer Raab, Peter Carey, Tom Sleigh, et particulièrement Gabriel Packard. Tous mes remerciements à David Blight, John Waters, Patricia Ferrerio, Marc Conner, Brendan Barrington, Colm O'Grada, Fionnghuala Sweeney, Richard Bradbury et Donal O'Kelly pour leur concours dans le chapitre dédié à Frederick Douglass. Les spécialistes ne m'en voudront pas, j'espère, d'avoir resserré ou réuni certaines citations, parfois même inventé un complément, avec en tête le grain de la vérité. À propos de la section Alcock/ Brown, je dois beaucoup à Scott Olsen, William Langewiesche, Cullen Murphy, Brendan Lynch et Andrew Nahum du Science Museum de Londres. Et pour ce qui concerne George Mitchell, qui d'autre remercier que George et Heather Mitchell eux-mêmes – qui ont eu l'infinie gentillesse de laisser mon imagination parcourir leur univers. Je remercie également Liz Kennedy, Tim O'Connor, Mitchell Reiss, Declan Kelly, Maurice Hayes, Tony Blair et beaucoup d'autres (notamment Seamus and Mairead Brolly) qui se sont efforcés de m'expliquer les particularités du processus de paix. L'équipe d'Aspen et la Aspen Writers' Foundation ont apporté leur aide précieuse du début jusqu'à la fin ; mille mercis à Lisa Consiglio. Également à Loretta Brennan Glucksman, Gabriel Byrne, Niall Burgess et Eugene Downes pour leur collaboration transatlantique. Que soient remerciés Mary Lou Jackson, Fleur Jackson, Kyron Bourke et Claira Jackson pour la maison au bord du lac de Strangford – appréciable refuge, ces deux dernières années, contre les aléas de la météo… Un mot et un monde de remerciements à Wendy Arresty pour le toit à Aspen ; à Bruce Berger qui m'a prêté le plus joli cottage de l'Ouest ; à Isa Catto et Daniel Shaw pour le calme de Woody Creek ; et bien sûr à Rosemarie et Roger Hawke pour leur soutien et la chambre à l'étage. Pour leurs conseils et leur sagacité, merci à Jennifer Hershey et Alexandra Pringle. Chapeau bas à Martin Quinn. Merci également à Caroline Ast, Thomas Uberhoff et Carolyn Kormann. Sans oublier Sarah Chalfant, Andrew Wylie et tous à la Wylie Agency. Ma reconnaissance à John Berger, Michael Ondaatje, Jim Harrison et Wendell Berry, sources constantes d'inspiration. Tant d'autres m'ont aidé en chemin, par leur lecture, leur attention – John et Anna Custatis, Joe Lennon, le Dr Jim Marion,

Terry Cooper, Maurice Byrne, Sharif Abdunnur, Bob Mooney, Dan Barry, Chandran Madhu, Bill Cheng, Tom Kelly, Danny McDonald, Mike Jewell, Tim et Kathy Kipp, Kaitlyn Greenidge, Sean, Sally et toute ma famille en Irlande. Notamment mon frère Ronan McCann, qui tient mon site Web à jour, et sans qui je serais complètement perdu. Et d'autres encore – j'espère n'en avoir pas trop oublié. Je les remercierai également, chemin faisant – haut la main, haut les cœurs !

Notes

1. Eh, pousse-toi, mon gars / Je peux hypnotiser le pays / Faire trembler le sol et le sous-sol / Avec le Maple Leaf Rag…

2. « Tonnerre bondissant. »

3. Eh, pousse-toi, mon gars / Retiens ton souffle une minut' / parce que c'est pas de l'esbroufe / Le Maple Leaf Rag.

4. « Patrick Walker n'a qu'un œil, sa femme lui fait un bébé, et elle met le bébé dans le fleuve, pas sa faute s'il n'a qu'un œil. »

5. « Il était une fois, il était une pie, posée sur la porcherie, lequel a la poutre, lequel a la paille ? »

6. « Christophe Colomb est parti sur l'eau, il ne voulait pas de moi, il ne voulait pas de toi. »

7. Résidence officielle du lord-maire.

8. Bâtiment des « quatre cours » de justice.

9. Compilation de textes utilisée dans les écoles américaines pour l'apprentissage de la lecture à partir de la fin du XVIIIe siècle.

10. Siège de l'Association pour l'abrogation de l'Acte d'Union de 1800.

11. Réseau de routes secrètes et d'abris sûrs constitué par les esclaves noirs américains pour atteindre les États libres du Nord et le Canada.

12. « Liberté » en gaélique.

13. Matthieu 5 : 39.

14. Loi sur la pollution de l'air.

15. Chantier naval qui a construit le *Titanic*.

16. « Strands 1, 2 and 3 » : les trois grands volets de l'Accord du vendredi saint.

17. *Nuts* en anglais, « noix », sens figuré : « des dingues ».

18. Quartier loyaliste de Belfast.

19. La même ville : les nationalistes l'appellent Derry, les unionistes Londonderry.

20. Protestant (péjoratif).

21. Catho.

22. Quartier catholique (républicain) de Belfast (limitrophe de Shankill).

23. Coule, jolie rivière, coule doucement / Le chant joyeux de l'alouette retentit sur tes rives…

24. Prison d'Irlande du Nord, où nombre de membres de l'IRA ont été enfermés (Bobby Sands y est mort après deux mois de grève de la faim).

25. Fleur symbole de l'insurrection de 1916, dite « Pâques sanglantes ».

26. Le Soleil levant.

27. Allusion au poème de Dylan Thomas *And death shall have no dominion* (« Et la mort n'aura pas d'empire »).

28. Premier ministre de la république d'Irlande (Ahern en l'occurrence).

29. « Le pré aux moutons », un des espaces de Central Park (autrefois pâturage).

30. Quartier ouvrier, catholique.

31. Centre de préparation militaire.

32. Le soleil est bas dans le ciel / Peu importe maintenant, Lorena / La marée de la vie se retire si vite (*Lorena*, de Henry Webster, chant mélancolique des soldats de la guerre de Sécession).

33. Un abécédaire.

34. I WAS B(ORN) : JE SUIS N(É).

35. Association nationale pour le suffrage des femmes.

36. Référence à l'Ordre d'Orange, organisation fraternelle protestante.

37. Les Soldats de la reine.

38. Jeune conducteur.

39. Grand cinéma de Belfast, ouvert en 1936.

40. Qui reproduit en haut à gauche le drapeau britannique, sur fond rouge.

41. Quartier protestant de Belfast, théâtre de nombreuses violences pendant les Troubles.

42. Coalition des femmes de l'Irlande du Nord.

43. Terre-Sainte (un quartier), rues du Caire, de Damas, de Jérusalem, de Palestine.

44. Leur nom vient de Múghdhornan, un clan gaélique, mais *to mourn* signifie « pleurer un disparu ».

45. Comptine enfantine : la mère Hubbard veut donner un os à son chien, mais il n'y a plus rien dans son armoire, etc.

Collection « Littérature étrangère »

ADAMS Poppy
Le Temps
des métamorphoses

ADDERSON Caroline
La Femme assise

AGUÉEV M.
Roman avec cocaïne

ALI Monica
Sept mers et treize rivières
Café Paraíso
En cuisine
La Véritable Histoire
de Lady L.

ALLISON Dorothy
Retour à Cayro

ANDERSON Scott
Triage
Moonlight Hotel

ARLT Roberto
Les Sept Fous
Les Lance-Flammes

ARPINO Giovanni
Une âme perdue
Le Pas de l'adieu
Mon frère italien

AUSLANDER Shalom
La Lamentation du prépuce
Attention Dieu méchant
L'Espoir, cette tragédie

BALLANTYNE Lisa
Un visage d'ange

BAXTER Charles
Festin d'amour

BENIOFF David
24 heures avant la nuit

BEZMOZGIS David
Le Monde libre

BLOOM Amy
Ailleurs, plus loin

BROOKNER Anita
Hôtel du Lac
États seconds
La Vie, quelque part
Une chute très lente
Une trop longue attente
Fêlures
Le Dernier Voyage

BROOKS Geraldine
Le Livre d'Hanna
La Solitude du Dr March
L'Autre Rive du monde

BROWN Clare
Un enfant à soi

CABALLERO Antonio
Un mal sans remède

CAICEDO Andrés
Que viva la música !

CAÑÓN James
Dans la ville des veuves intrépides

CASH Wiley
Un pays plus vaste que la terre

CONNELL D. J.
Julian Corkle est un fieffé menteur
Sherry Cracker et les sept voleurs

CONROY Pat
Le Prince des marées
Le Grand Santini

COURTENAY Bryce
La Puissance de l'Ange

CUNNINGHAM Michael
La Maison du bout du monde
Les Heures
De chair et de sang
Le Livre des jours
Crépuscule

DORRESTEIN Renate
Vices cachés
Un cœur de pierre
Sans merci
Le Champ de fraises
Tant qu'il y a de la vie

DOUGHTY Louise
Je trouverai ce que tu aimes

DUNANT Sarah
La Courtisane de Venise
Un cœur insoumis

DUNMORE Helen
Un été vénéneux
Ils iraient jusqu'à la mer
Malgré la douleur
La Faim
Les Petits Avions de Mandelstam
La Maison des orphelins

EDELMAN Gwen
Dernier refuge avant la nuit

ELTON Ben
Nuit grave
Ze Star

FERRARIS Zoë
La Disparue du désert
Les Mystères de Djeddah

FEUCHTWANGER Lion
Le Juif Süss

FITZGERALD Helen
Le Don

FLANAGAN Richard
La Fureur et l'Ennui
Désirer

FREY James
Mille morceaux
Mon ami Leonard

FROMBERG SCHAEFFER Susan
Folie d'une femme séduite

FRY Stephen
L'Hippopotame
Mensonges, mensonges
L'Île du Dr Malo

GALE Patrick
Chronique d'un été
Une douce obscurité

Tableaux d'une exposition
Jusqu'au dernier jour

GARLAND Alex
Le Coma

GARTSIDE Mark
Ce qui restera de nous

GEE Maggie
Ma bonne

GEMMEL Nikki
Les Noces sauvages
Love Song

GILBERT David
Les Normaux
Les Marchands de vanité

GUSTAFSSON Lars
La Mort d'un apiculteur

HAGEN George
La Famille Lament
Les Grandes Espérances du jeune Bedlam

HODGKINSON Amanda
22 Britannia Road

HOMES A. M.
Mauvaise mère

HOSSEINI Khaled
Les Cerfs-Volants de Kaboul
Mille soleils splendides
Les Cerfs-Volants de Kaboul (roman graphique)

HUTCHINS Scott
L'Amour comme hypothèse de travail

JOHNSTON Jennifer
Petite musique des adieux
Ceci n'est pas un roman
De grâce et de vérité
Un Noël en famille

JONES Kaylie
La fille d'un soldat ne pleure jamais
Dépendances

JORDAN Hillary
Mississippi
Écarlate

KAMINER Wladimir
Musique militaire
Voyage à Trulala

KANON Joseph
L'Ultime Trahison
L'Ami allemand
Alibi

KENNEDY Douglas
La Poursuite du bonheur
Rien ne va plus
Une relation dangereuse
L'homme qui voulait vivre sa vie
Les Désarrois de Ned Allen
Les Charmes discrets de la vie conjugale
Piège nuptial
*La Femme du V*e
Quitter le monde
Cet instant-là

KLIMKO Hubert
La Maison de Róża
Berceuse pour un pendu
Les Toutes Premières Choses

KNEALE Matthew
Les Passagers anglais

Douce Tamise
Cauchemar nippon
Petits crimes dans un âge d'abondance
Maman, ma sœur, Hermann et moi

KOCH Herman
Le Dîner
Villa avec piscine

LAMB Wally
Le Chant de Dolorès
La Puissance des vaincus
Le Chagrin et la Grâce

LAW Benjamin
Les Lois de la famille

LAWSON Mary
Le Choix des Morrison
L'Autre Côté du pont

LEONI Giulio
La Conjuration du Troisième Ciel
La Conspiration des miroirs
La Croisade des ténèbres

LI YIYUN
Un millier d'années de bonnes prières
Un beau jour de printemps

LISCANO Carlos
La Route d'Ithaque
Le Fourgon des fous
Souvenirs de la guerre récente
L'Écrivain et l'Autre
Le Lecteur inconstant suivi de *Vie du corbeau blanc*

LOTT Tim
Frankie Blue
Lames de fond
Les Secrets amoureux d'un don Juan
L'Affaire Seymour

MADDEN Deirdre
Authenticité

MARCIANO Francesca
L'Africaine
Casa Rossa
La Fin des bonnes manières

MCAFEE Annalena
Le Doux Parfum du scandale

MCCANN Colum
Danseur
Les Saisons de la nuit
La Rivière de l'exil
Ailleurs, en ce pays
Le Chant du coyote
Zoli
Et que le vaste monde poursuive sa course folle

MCCOURT Frank
Les Cendres d'Angela
C'est comment l'Amérique ?
Teacher Man, un jeune prof à New York

MCGARRY MORRIS Mary
Mélodie du temps ordinaire
Fiona Range
Un abri en ce monde
Une douloureuse absence
Le Dernier Secret
À la lueur d'une étoile distante

MERCURIO Jed
La Vie sexuelle d'un Américain sans reproche

MILLS Jenni
Le Murmure des pierres

MORTON Brian
Une fenêtre sur l'Hudson
Des liens trop fragiles

MURAKAMI Haruki
Au sud de la frontière, à l'ouest du soleil
Les Amants du Spoutnik
Kafka sur le rivage
Le Passage de la nuit
La Ballade de l'impossible
L'éléphant s'évapore
Saules aveugles, femme endormie
Autoportrait de l'auteur en coureur de fond
Sommeil
1Q84 (Livre 1)
1Q84 (Livre 2)
1Q84 (Livre 3)
Chroniques de l'oiseau à ressort
Les Attaques de la boulangerie
Underground

MURRAY Paul
Skippy dans les étoiles

NICHOLLS David
Un jour
Pourquoi pas ?
Pour une fois

O'CONNOR Scott
Ce que porte la nuit

O'DELL Tawni
Le Temps de la colère
Retour à Coal Run
Le ciel n'attend pas
Animaux fragiles

O'FARRELL Maggie
Quand tu es parti
La Maîtresse de mon amant
La Distance entre nous
L'Étrange Disparition d'Esme Lennox
Cette main qui a pris la mienne

OWENS Damien
Les Trottoirs de Dublin

OZEKI Ruth
En même temps, toute la terre et tout le ciel

PARLAND Henry
Déconstructions

PAYNE David
Le Dragon et le Tigre : confessions d'un taoïste à Wall Street
Le Monde perdu de Joey Madden
Le Phare d'un monde flottant
Wando Passo

PEARS Iain
Le Cercle de la Croix
Le Songe de Scipion
Le Portrait
La Chute de John Stone

PENNEY Stef
La Tendresse des loups
Le Peuple des invisibles

PICKARD Nancy
Mémoire d'une nuit d'orage

PIZZOLATTO Nic
Galveston

POLLEN Bella
L'Été de l'ours

RADULESCU Domnica
Un train pour Trieste

RAVEL Edeet
Dix mille amants
Un mur de lumière

RAYMO Chet
Le Nain astronome
Valentin, une histoire d'amour

ROBERTIS Carolina De
La Montagne invisible

ROLÓN Gabriel
La Maison des belles personnes

ROSEN Jonathan
La Pomme d'Ève

SANSOM C. J.
Dissolution
Les Larmes du diable
Sang royal
Un hiver à Madrid
Prophétie
Corruption

SAVAGE Thomas
Le Pouvoir du chien
La Reine de l'Idaho
Rue du Pacifique

SCHWARTZ Leslie
Perdu dans les bois

SEWELL Kitty
Fleur de glace

SHARPE Tom
Fumiers et Cie
Panique à Porterhouse
Wilt 4 – Le Gang des mégères inapprivoisées ou *Comment kidnapper un mari quand on n'a rien pour plaire*
Wilt 5 – Comment enseigner l'histoire à un ado dégénéré en repoussant les assauts d'une nymphomane alcoolique

SHIPSTEAD Maggie
Plan de table

SHREVE Anita
Le Poids de l'eau
Un seul amour
La Femme du pilote
Nostalgie d'amour
Ultime rencontre
La Maison du bord de mer
L'Objet de son désir
Une lumière sur la neige
Un amour volé
Un mariage en décembre
Le Tumulte des vagues
Une scandaleuse affaire
Un jour après l'autre

SHRIVER Lionel
Il faut qu'on parle de Kevin
La Double Vie d'Irina
Double faute
Tout ça pour quoi

SILVESTRE Edney
Si je ferme les yeux

SMITH Tom Rob
Enfant 44

SOLER Jordi
Les Exilés de la mémoire
La Dernière Heure du dernier jour
La Fête de l'Ours
Dis-leur qu'ils ne sont que cadavres

STEINBERG Janice
Les Belles Promesses

SWARUP Vikas
Les Fabuleuses Aventures d'un Indien malchanceux qui devint milliardaire
Meurtre dans un jardin indien

TOBAR Héctor
Printemps barbare

TOLTZ Steve
Une partie du tout

TSIOLKAS Christos
La Gifle
Jesus Man

ULINICH Anya
La Folle Équipée de Sashenka Goldberg

UNSWORTH Barry
Le Nègre du paradis
La Folie Nelson

VALLEJO Fernando
La Vierge des tueurs
Le Feu secret
La Rambla paralela
Carlitos qui êtes aux cieux

VREELAND Susan
Jeune fille en bleu jacinthe

WARD Jesmyn
Bois Sauvage

WATSON Larry
Sonja à la fenêtre

WEBB Katherine
L'Héritage
Pressentiments

WEISGARBER Ann
L'Histoire très ordinaire de Rachel Dupree

WELLS Rebecca
Fleurs de Ya-Ya

WEST Dorothy
Le Mariage

WINGFIELD Jenny
Les Ailes de l'ange

WOLF Jack
Misericordia

ZHANG Xianliang
La mort est une habitude
La moitié de l'homme, c'est la femme

ZWEIG Stefan
Le Monde d'hier. Souvenirs d'un Européen

Composé par Nord Compo Multimédia
7, rue de Fives, 59650 Villeneuve-d'Ascq

Cet ouvrage a été imprimé au Canada par

en août 2013

N° d'impression : 71690
Dépôt légal : août 2013